国学经典

纳兰性德词

[清]纳兰性德 著
谢永芳 注评

中州古籍出版社

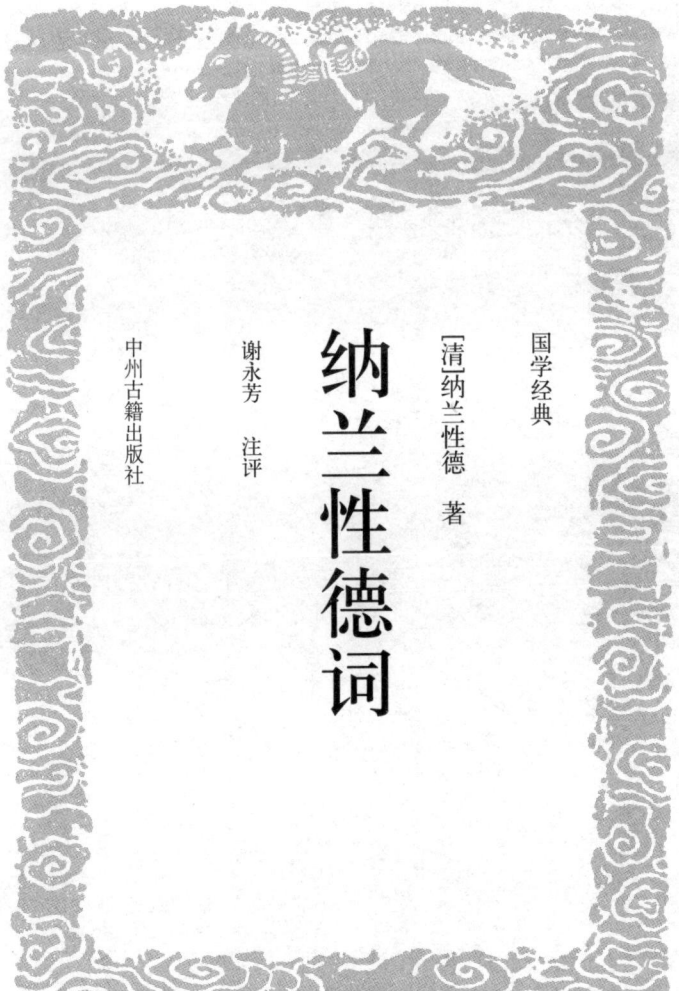

纳兰性德词

前　言

纳兰性德的词，仅仅从新中国成立以后的情形看，已经热了有将近30个年头了。据陈水云先生《明清词研究史》统计，从1979年上海古籍出版社影印《通志堂集》算起，截至2000年，已经出版纳兰诗词文献整理和研究著作10余种，发表研究论文约350篇。这一数量大约是同期全部清词研究成果的百分之三十，清词作家研究成果的百分之六十。21世纪的头十年，这种趋势仍然在延续，比如赵秀亭、冯统一先生的《饮水词笺校》（修订本），短短五年时间，中华书局已经重印了六次。如果回顾一下20世纪前80年纳兰性德研究的情况，会发现当下的"纳兰热"乃是渊源有自。据黄文吉先生主编的《词学研究书目》，并参照林玫仪女士主编的《词学论著总目》统计，在20世纪二三十年代，各类相关成果至少有47项，可以说在当时已经掀起了一股不大不小的热潮。其中，苏雪林、张任政、李勖诸位先生筚路蓝缕，功不可没。

新世纪令人猝不及防的纳兰狂热，尽管谈不上是"现象"级的表现，也还是有一些新的特点。其中，表现比较突出的是，读者的低龄化趋势和去专业化倾向。据笔者随机询查，很多年轻读者喜欢纳兰性德，主要是觉得他的词写得真挚，又比较好懂，有些句子似乎非常切合自己的人生经历和情感经验，也比较适合在平素的文字交往中"活学活用"。至于某一首词究竟好在哪里,这部分读者群中较少有人能够说得清楚,或者根本就不关心这个。这种情况的出现,一定程度上可能是拜某些网络写手所赐,不全知其所以然,又喜欢天马行空般地驰骋想象,自由挥洒。说白了,就是"纳兰注我",即借纳兰说事,或者借纳兰之酒杯,浇一己胸中块垒。从这种"勿忘我"的做法中,读者所得到的最后结果一定是"水落石出",即经过时间的无情淘洗,烙在心底的永远只有纳兰的词,而不是其他。尽管如此,我们仍然认为,这些做法都无可厚非。真正需要引起思考的倒是,如果说,唐宋词的经典化已经基本上由清人完成了,今人只是在坐享其成的话,那么,"纳兰热"至少表明,清词的经典化也已迫在眉睫。将被"新文化运动"打断的清词经典化进程以某种恰当的方式继续进行下去,是当今学界,尤其是词学界同仁的共同责任。"纳兰热"正是可以借助的推力,藉此,就有可能逐步全面巩固并落实"清词中兴"的卓越成果。

纳兰性德,顺治十一年十二月十二日(1655年1月19日)生,原名成德,以避废太子嫌名(胤礽生于康熙十三年,小字保成,两岁时被立为储君)改性德,字容若,号楞伽山人。先世为海西女真的叶赫部族,入关,为满洲正黄旗。太傅明珠长子。康熙十年(1671),补诸生,贡太学。十一年(1672)八月,应顺天乡试,中举。十二年(1673)二月,会试中式,因寒疾未与殿试。康熙十五年(1676)三月,中彭定求科二甲第七名进士,榜名成德。官至一等侍卫。康熙二十四年五月三十日(1685年7月1日)病逝。原配卢氏,两广总督、汉军镶白旗人卢兴祖之女,婚后三年,于康熙十六年(1677)以产后患疾亡故。继娶官氏。妾颜氏、沈氏。有子三,女四,长适高其倬,次适年羹尧。著有《通志堂集》十八卷,凡赋一卷、诗四卷、词四卷、文五卷、《渌水亭杂识》四卷,附录碑志、哀挽之作二卷,其中词集曾于其生前先后以《侧帽》、《饮水》为名刊行。全身画像，一为禹之鼎所绘，今藏故宫博物院；一为杨鹏秋摹绘，见载叶恭绰编《清代学者象传》第二集。有弟二，妹三。其中，揆叙（1675～1715）字恺功，号惟宝居士，由佐领二等侍卫累官左都御史。谥文端，雍正间被夺。著有《益戒堂集》十八卷、《鸡肋集》一卷。揆方不详。有一妹著有《绣余诗稿》一卷（此据《清人诗文集总目提要》）。

纳兰希望在文学，特别是在词学上有一番大作为。他也确实做到了。以纳兰"隔世知己"自居的杨芳灿曾这样描述："倚声之学，唯国朝为盛，文人才子，磊落间起。词坛月旦，咸推朱、陈二家为最。同时能与之角立者，其惟成容若先生乎？……今其词具在，骚情古调，侠肠俊骨，隐隐奕奕，流露于毫楮间，斯岂他人所能摹拟乎？且先生所与交游，皆词场名宿，刻羽调商，人人有集，亦正少此一种笔墨也。"（《纳兰词序》）正指出纳兰与众不同的词风。王国维认为，纳兰是"以自然之眼观物，以自然之舌言情"，所以，独抒性灵，无所依傍，"北宋以来，一人而已"（《人间词话》）。以上都是符合实际的准确体认。相比而言，李慈铭虽然措语不免刻薄，肯定中有否定，但也能抓住纳兰词的风格特点："如寡妇夜哭，缠绵幽咽，不能终听"，"（纳兰）所作不及伽陵、竹垞之半，才力亦相去远甚。而汔今谈艺家与朱、陈并称，繇其独契性灵，冥臻上乘，亦非二家所能及也"（《越缦堂日记》，见载日记辑编本《越缦堂读书记》）。所以，尽管他自己说是"别择尚疏"，所拈出的若干纳兰词佳句，实际上还是颇有艺术眼光的。又，张德瀛基本上是从大的方面把握纳兰的词史地位："愚谓本朝词亦有三变，国初朱、陈角立，有曹实庵、成容若、顾梁汾、梁棠村、李秋锦诸人以羽翼之，尽祛有明积弊，此一变也。"（《词徵》卷六）不过，就清初词风流变而言，纳兰于祛除有明一代词学"积弊"有功不假，但显然不应将其归为浙西词派或阳羡词派的"羽翼"。

当阳羡、浙西二派渐次主盟清初词坛时，有一些词人不为所囿，所作表现出独特的个性风貌。纳兰是一个著名的典型。他的悼亡词"孤吟山鬼"（项鸿祚《玉漏迟·题〈饮水词〉后》），哀感顽艳，以真字为骨，能道得人们心中有、笔下无的感情。如初赋悼亡自度之作《青衫湿遍》（青衫湿遍），凄情苦语，出以促节短音，阴阳两隔，相将神伤。又如为卢氏亡故后三月余所作的《沁园春》（瞬息浮生），是以记梦形式所写的悼亡之作，缠绵悱恻，声声血泪，可与苏轼《江城子》（十年生死两茫茫）媲美。又如为卢氏三周年祭所作的《金缕曲·亡妇忌日有感》（此恨何时已），情伤肠断，语痴入骨，真是令人不忍卒读，在纳兰悼亡词中最称动人之作。纳兰的痛苦追忆绵绵无绝期，如《蝶恋花》（辛苦最怜天上月），暗香飘尽，惜花人去，哀怨凄厉，势纵语咽。纳兰写友情之作也是情辞兼备，如《金缕曲·赠梁汾》（德也狂生耳），直抒胸臆，不假雕饰，真切自然地表达出了诚挚深厚的友情，这首词也为他赢得了极大的声誉，所谓"教坊歌曲间，无不知有《侧帽词》者"（徐釚《词苑丛谈》卷五）。纳兰的边塞行吟，壮丽与凄婉并重。如《浪淘沙·望海》（蜃阙半模糊），在山海关眺望大海，一种豪迈之情夹杂着浓重的惊喜，在纳兰词中堪称别调，颇似李清照《渔家傲》（天接云涛连晓雾）之于其整体风格。一般认为，纳兰词中多悲哀情调，是因为其天性如此，但从某些边塞词来看，实则也是他对人类社会的观察所致。纳兰以词为载体对历史的思考，是他对词体所做出的重大贡献，增强了其厚重性。王国维盛赞纳兰词，和这些都有关系。又如《长相思》（山一程）和《如梦令》（万帐穹庐人醉），写阔大的境界和琐细的归心，纳兰将一对矛盾纳入词中，使得作品有了一种张力。这种写法，赋予小令以顿挫之感，情与景一并顿挫，则在不和谐中又体现出和谐来，精彩异常。

当时独立于风气之外的，还有与纳兰并称"京华三绝"的曹贞吉、顾贞观。在浙西词派尚未笼及全局的时段内，他们以自抒情怀、不主一格的面貌，联袂构筑起一道亮丽的词坛景观。曹贞吉的词"雄深苍稳"（陈维崧《贺新郎·题〈珂雪词〉》）。如《留客住·鹧鸪》：

  瘴云苦。遍五溪、沙明水碧，声声不断，只劝行人休去。行人今古如织，正复何事关卿频寄语。空祠废驿，便征衫湿尽，马蹄难驻。　　风更雨。一发中原，杳无望处。万里炎荒，遮莫摧残毛羽。记否越王春殿，宫女如花，只今惟剩汝。子规声续，想江深月黑，低头臣甫。

为悼念胞弟申吉而作，词末遥思深虑，让人联想到南明永历政权遗事，"投荒念乱之感"（谭献《箧中词》今集卷一）溢于言表。又如《满庭芳·和人潼关》：

  太华垂旒，黄河喷雪，咸秦百二重城。危楼千尺，刁斗静无声。落日红旗半卷，秋风急、牧马悲鸣。闲凭吊，兴亡满眼，衰草汉诸陵。　　泥丸封未得，渔阳鼙鼓，响入华清。早平安烽火，不到西京。自古王公设险，终难恃、带砺之形。何年月，铲平斥堠，如掌看春耕。

由战乱频仍引发哀愁，在康熙十五年（1676）以后的词坛上已甚为罕见，进而激起对历史上一切王霸争斗的厌弃，则构成曹氏咏史怀古词雄浑苍茫的独异内涵。又如《贺新凉·再赠柳敬亭》：

  咄汝青衫叟。阅浮生、繁华萧瑟，白衣苍狗。六代风流归抵掌，舌下涛飞山走。似易水、歌声听久。试问于今真姓字，但回头、笑指芜城柳。休暂住，谭天口。　　当年处仲东来后。断江流、楼船铁锁，落星如斗。七十九年尘土梦，才向青门沽酒。更谁是、嘉荣旧友。天宝琵琶宫监在，诉江潭、憔悴人知否。今昔恨，一搔首。

康熙十年（1671）间在京师首倡之作，借以"淘洗前朝之恨"（《珂雪词》附陈维崧评曹贞吉咏物词语）。在所有"赠柳"词中，寄慨最深远，包蕴最丰富，"一时盛传京邑"（《珂雪词》附曹禾《词话》）。又如《蝶恋花》：

  五月黄云全覆地。打麦场中，咿轧声齐起。野老讴歌天籁耳。那能略辨宫商字。 屋角槐阴耽美睡。梦到华胥，蝴蝶翩翩矣。客至夕阳留薄醉。冷淘饦馎穷家计。

词有总序："读《六一集》十二月鼓子词，嫌其过于富丽。吾辈为之，正不妨作酸馅语耳。闲中试笔，即以故乡风物谱之。"这首词写农村麦收季节的情景，以及悠闲的村居生活。不雕琢，不学古，却也正好和苏、辛的同类词风相近，所谓能与古人"离而得合"。

顾贞观所作也有特点。如《青玉案》：

  天然一帧荆关画。谁打稿、斜阳下。历历水残山剩也。乱鸦千点，落鸿孤咽，中有渔樵话。 登临我亦悲秋者。向蔓草平原泪盈把。自古有情终不化。青娥冢上，东风野火，烧出鸳鸯瓦。

写秋士易感、黍离之悲的常见主题，疏朗厚实，寥廓凝重，别具面目。又如《一丛花·并蒂莲》：

  一篙轻碧众香浮。月艳淡于秋。双成本是无双伴，汉皋佩、知倩谁收。浴罢孤鸳，背花飞去，花外却回头。 合欢消息并兰舟。生未识离愁。相怜相妒浑多事，料团扇、不耐飕飗。金粉飘残，野塘清露，各自悔风流。

一反常态，指出并蒂莲纵使各自得意，相怜相妒，最后都是一样地凋残败落，自悔风流，寓托深长。又如《南柯子·为某小侯题照》：

> 选胜轻装出，分行小对齐。珠鞭阑过凤城西。一字沿流，同解锦鞯泥。　玉爪看调鹘，花冠簇斗鸡。应弦斜拂柳圈底。薄醉归来，纤手个人携。

运用漫画手法描摹，庄谐相济，清新诡谲。又如《南乡子》：

> 绣榻近来闲。似整如欹欲卸鬟。自把毛诗教小凤，关关。鹦鹉偷传唤阿蛮。　湘管泪痕斑。掷罢金钱弄玉环。身似离爻中断也，单单。欲展双眉又拆难。

使用俗语、卦象等写相思之情，极见特色。又如《双双燕·本意，用史梅溪韵》：

> 单衣小立，正秋雨槐花，鬓丝吹冷。镜函如水，长忆画眉人并。残叶暗飘金井。问燕子、归期未定。伤心社日辞巢，不是来年双影。　香径。芹泥犹润。只一缕红丝，误他娇俊。几多恩怨，絮彻杏梁烟暝。传语别来安稳。待二十四番风信。那时重试清狂，肯放雕栏独凭。

人燕合写，以人为主，从独自相思，写到燕归人滞，又复回忆旧日情事，悬想来春燕归情境，句句咏燕，句句传情，却是旧调新唱，并且在篇章结构上挑战南宋咏物高手史达祖。最为引人注目的，是康熙十五年（1676）冬为安慰因科场案流放宁古塔的朋友吴兆骞而写的《金缕曲》（季子平安否）（我亦飘零久），以词代书，虽非首创，但运用极其成功，语语发自真情，沁人心脾，堪称"纯以性情结撰而成"（陈廷焯《白雨斋词话》卷三）的千秋绝调。

顾贞观与陈维崧、朱彝尊有"词家三绝"（张鎏《今词初集重刊本跋》）之称。他在作词方面是很自信的："吾词独不落宋人圈襀，可信必传。尝见谢康乐春草池塘梦中句，曰：吾于词曾至此境。"（诸洛《弹指词序》）谢灵运《登池上作》有"池塘生春草，园柳变鸣禽"二名句，妙在清新自然，不着斧削（叶梦得《石林诗话》卷中）。可见，这也是顾贞观的追求。所谓清新自然，即出于己意，"不着心源傍古人"（元稹《酬李甫见赠十首》之二）。他曾自述学词历程："余受知香岩，而于词尤服膺倦圃。容若尝从容问余两先生意指云何，余为述倦圃之言曰：'词境易穷。学步古人，以数见不鲜为恨；变而谋新，又虑有伤大雅。子能免此二者，欧秦辛陆何多让焉！'容若盖自是益进。"（《与栩园论词书》）以古人为法，却避免数见不鲜；变而谋新，又坚持词的本色，是顾贞观的追求，也是他对挚友纳兰性德的期盼。他们能够合选《今词初集》，确有志同道合的成分在；顾绥珊跋《弹指词》云顾贞观编有"《唐五代词删》、《宋词删》"，顾贞观还曾参与编选叶光耀所著《浮玉词初集》，集中长调即由顾氏与王庭一同选定，并对叶词进行过评点（胡可先《〈浮玉词初集〉与清初东南词坛》），又说明也与二人"自唐、五代以来诸名家词皆有选本"（徐乾学《通议大夫一等侍卫进士纳兰君墓志铭》）有关。

康熙十六年（1677），《今词初集》刊行，这是纳兰和顾贞观以选本的形式对清朝开国三十年以来的词坛发言，借以建构"当代"词史。《今词初集》中渗透了两人独抒性灵的共同审美追求——如纳兰《渌水亭杂识》卷四有云："诗乃心声，性情中事也⋯⋯昌黎逞才，子瞻逞学，便与性情隔绝。"顾贞观《弹指词》被杜诏推崇为"极情之至，出入南北两宋，而奄有众长"——因而，尽管顾贞观对朱彝尊的词学见解很不以为然，纳兰对《词综》也颇有微词——据朱氏《水村琴趣序》记载："予尝持论小令当法汴京以前，慢词则取诸南渡，锡山顾典籍不以为然也。"纳兰在《与梁药亭书》中说,《词综》太"务博",不免"黄茅白苇"之讥——他们还是选了不少朱彝尊的词,其中的咏物词,也正是一些虽然多用典,尚能体现出真性情的作品,如《满江红·塞上咏苇》(绝塞凄清);陈维崧从京师开始专力为词,对真性情的追求,与两位编者并没有什么不同,但所作有过于粗豪、一览无余的瑕疵,所以在入选篇数上就有所控制。《今词初集》还收入毛际可、阎场次与"江南科场案"有关的作品,意在表明,词还有另外一种更加直接的心灵抒写方式。《今词初集》的出现,意味着京城词坛中心地位的进一步确认,后来《四库全书》于清词别集独收曹贞吉《珂雪词》,也可以看做是一种整体追认。

京师作为清初词坛高地,对其他地域词坛发挥过强劲的辐射作用,自龚鼎孳去世,始稍稍消歇。康熙十七年(1678),浙派北移,以京城一地为中心迅速形成以朱彝尊为核心的词人群体,"京华三绝"等与之共同彰显京都词苑风采。可惜,这个被严迪昌先生称为词坛"性灵派"的群体(其他学者的提法还有"饮水词派"。至于曹贞吉是否不属于此派,还可以再讨论),没过多久,便由于纳兰的过早离世而"风流云散"了,正如顾贞观在《与栩园论词书》中所云:"国初辇毂诸公,尊前酒边,借长短句以吐其胸中。始而微有寄托,久则务为谐畅。香岩、倦圃,领袖一时。唯时戴笠故交,担簦才子,并与谯游之席,各传酬和之篇。而吴越操觚家闻风竞起,选者作者,妍媸杂陈。渔洋之数载广陵,实为斯道总持,二三同学,功亦难泯。最后吾友容若,其门地才华,直越晏小山而上之。欲尽招海内词人,毕出其奇,远方骎骎,渐有应者。而天夺之年,未几辄风流云散。渔洋复位高望重,绝口不谈。于是向之言词者,悉去而言诗古文辞,回视

《花间》、《草堂》，顿如雕虫之见耻于壮夫矣。虽云盛极必衰，风会使然，然亦颇怪习俗移人，凉燠之态，浸淫而入于风雅，为可太息。"当然，综合各种情况判断，这一派即使能够独立生存下来，其最终的命运恐怕也不会比阳羡词派好到哪里去。

本书诞生于"纳兰热"中——严格说来，"纳兰热"似乎只能算是纳兰词的热，想要全面完整地研讨纳兰的文学乃至文学理论贡献，除了纳兰的词和词论外，还需要涉及他的诗和诗论、赋和赋论等。在这方面，可以参考的主要是几位港台学者的著作，如李惠霞《纳兰容若及其词研究》、徐照华《纳兰性德与其词作及文学理论之研究》、卓清芬《纳兰性德文学研究》、甘翘宁《纳兰性德及其饮水词研究》等——幸运的是，或许能够为之添砖加瓦；不幸的是，前修时彦的众多研究成果摆在那里，想再弄出一点新意，谈何容易。而且，根据传播接受的一般规律，一千个读者就有一千个哈姆雷特，每一种做法，在不同的读者那里，并不总是那么容易获得认同。我们的做法是，以注释和评析相结合的传统方式，力争通过所选的160首作品，协助读者处理纳兰词阅读中三个方面的问题，即好不好、为什么好和好在哪里的问题。选目与正文补叙相结合，力求囊括名篇，排序大致上依据《饮水词笺校》，只是为了叙述方便，将《梦江南》（昏鸦尽）前提至开篇第一首。注释不厌其烦，主要参考赵、冯笺校本、张草纫先生的《纳兰词笺注》和张秉戍先生的《纳兰词笺注》，择善而从，首先解决好"我注纳兰"的问题。这里面，有一些问题应该是笔者首次说明，如据康熙十九年（1680）五月无三十日，定《金缕曲·亡妇忌日有感》（此恨何时已）作期为五月二十九日（6月25日）；陈淏《精选国朝诗余》所录《减字木兰花》（相逢不语），并非纳兰词的"初稿面貌"；《水调歌头·题岳阳楼图》（落日与湖水）纳兰手书扇面尾署中提到的"孟公"，可考为安璿；等等。评析则注重艺术特色发掘，尤其强调贯注史识，适度发挥，通过局部的但也是尽可能充分的纵横比较，力求从整体上把握纳兰的词史贡献，进而判断其词史地位，算是抛砖引玉。

值得补充指出的是，纳兰词何以未能入选《四库全书》？四库馆臣是通过总纂词类典籍与撰写书目提要来表达词史观念的，例如《四库全书》未收入朱彝尊的词别集，倘从其个人别集中已部分收录词集，因而无须再行单列来理解，只是说明了问题的一个方面。据《曝书亭集》提要所云，可能恰恰是因为《静志居琴趣》中"宴嬉逸乐"的欢愉之辞，加上扑朔迷离的"风怀"传闻，四库馆臣对朱氏及其词的看法才发生了微妙的变化。陈维崧的词别集未入四库（仅于《十五家词》中收其《乌丝词》四卷），并且四库馆臣的这种选择，在很大程度上成为阳羡词派进一步没落的推手，大约也是传统价值观与正统词学观共同发挥作用的结果。《四库全书》收入《珂雪词》，究其原因，除了陈廷焯所说的"取径较正"（《白雨斋词话》卷三）之外，文廷式《云起轩词序》将曹贞吉列为不受朱彝尊"笼绊"而"斐然有作者之意"的极少数词人之一，也能说明这一问题。当然，对于四库馆臣的去取意图，还要作更为深入的研究。即如纳兰词，却也未能收入其中，至少从一个方面表明，乾隆年间以四库馆臣为代表的一些人对纳兰其人其词的看法，与之前和之后的很多人还是有很大的不同。个中缘由，比较乐观地看，也许是由于同为"京华三绝"之一的曹贞吉已被收录，才会有所选择的吧。考四库仅收录纳兰《合订删补大易集义粹言》八十卷，认为该编"理数兼陈，不主一说，宋儒微义，实已略备于斯"，而将《通志堂集》打入"别集类存目",说明纳兰的文学创作,不仅仅是词,都有不符合四库馆臣要求的地方。张之洞撰、范希曾补正《书目答问补正》所列清初词坛"五虎上将"依次为曹贞吉、陈维崧、朱彝尊、顾贞观、纳兰性德,应该是受到了《四库全书总目》的影响。

据《清词别集知见目录汇编》统计,纳兰词在不同时期的版本共有38种,其中,乾隆朝未见纳兰词别集刊行,嘉庆朝只有袁枚之子袁通选刻的《饮水词钞》二卷本,从一个侧面表明,乾嘉时代是纳兰词传播接受史上的低谷。当然,所谓低谷只是意味着时人对纳兰词少闻少问,词创作中表现出来的情况就是这样。如姚尚桂《种月词》中尚有《水龙吟·题纳兰侍卫〈饮水词〉后》:"翩翩绝世风流,群瞻长白高门第。君才俊甚,豪华净扫,尘凡敛避。紫禁朝回,黄门直罢,董帷深闭。把金荃兰畹,重修恨谱,秦柳后,斯人耳。　饶尔词源无底。怕难消、胸中意气。情丝万轴,心花一片,春蚕欲死。银烛烧残,红牙拍遍,曷胜清泪。奈梅花早发,一枝无力,趁东风坠。"吴骞《万花渔唱》中也有《貂裘换酒·和秦少寇,用〈侧帽〉集中韵》:"霜冷蛩初咽。正衡门、风凄木落,寂寥生业。昐得南来双鸿足,传与新词秀杰。知禀志、百回难折。检点朝衫何时挂,剩箧中、数点勤民血。焚谏草,避人彻。　冰壶肯羡熏天热。计他年、归来履道,春生桃叶。还忆西湖从游侣,零落秋丛蛱蝶。又何况、沧江逋客。脉脉离怀凭谁恤,把停云、诉与空梁月。更欲断,风回雪。"还有一些词作间接关涉纳兰,如熊宝泰《藕颐类稿》中《金缕曲·题吴汉槎〈秋笳集〉后》(绝塞愁无奈)自注有云:"顾梁汾寄《金缕曲》二阕忆之,示成容若,音节凄惋,成为感动。"吴锡麒《有正味斋词续集》中《琵琶仙·送金手山从漕帅许秋崖先生北上,兼怀东甫》(回首东华)上片结三句云:"饮水词传,梦回鼓角,愁远沙碛。"

纳兰的光芒经由康熙时期的灿烂辉煌急剧黯淡下来,显然是与浙派词学观念在当时词坛的定于一尊分不开的,当师法南宋成为词坛主流导向,自然会造成唐五代北宋一路词人的"失语"。不过,随着诗坛"性灵派"的崛起与渗透等,嘉庆词人的词学倾向开始渐渐发生变化,论词力主自然纯真,所复之古有颠倒浙派之意,唐五代北宋词因而得到重新评价,以唐五代北宋词为创作旨归的纳兰词的复出就是一个重要信号。于是,自道光十二年(1832)汪元治刊行纳兰词以降,各种版本层出不穷,其中,嘉庆二十四年(1819)汪世泰辑《八家词钞》就已收入的袁通选刻本也被不断重刊,纳兰词的传播接受史进程重新进入"高峰状态"。如果考虑到这一总体进程中的两个关键时间点位,即前引杨芳灿作序的袁通本《饮水词钞》刊行的嘉庆二年(1797),正是张惠言编定《词选》并将温庭筠推向词史"最高"(《词选序》)位置之时;纳兰词"复显于是"(赵函序汪刻本《纳兰词》引彭桐桥语)的道光十二年(1832),也正是常州词派已经取代浙派词坛主流地位之时——标志性的词史事件是,道光十年(1830),张琦重刊《词选》;道光十二年(1832)前后,周济的《词辨》、《宋四家词选》刊刻——我们就能够发现,纳兰词之所以风靡后世,实际上主要是词坛风会发生作用的结果。其中,嘉庆词坛非主流词人的努力倡导不容忽视。及至当下,纳兰词的大热,从理论上讲,也还是因为统制词界词学思想的仍然是常州派的核心观念。

纳兰的经历也是促成"纳兰热"的一个要素。不过,就清词而言,如果从阐释学的角度讲,后来的读者所接受的往往是之前的接受者重新构筑的词学视界,换句话说,清词的经典化主要是由读者中的部分批评者建构的。基于种种非文学因素积淀而形成的读者尊崇,与相关作家文学史真实地位的判断之间,往往也存在隔膜。在很大意义上,文学批评史其实也是一部"层累"的历史。这是由于作为文学批评史研究的骨干,也是文学批评的对象——对作家与作品的评价,自后而前,总是免不了出现不同信息的层层附着、累积,形成表象与真实之间的种种隔膜。从这个角度来看,通常所说的经典化进程,其实也包括了泯除或者解构类似的隔膜的环节,只是最终的结果往往使得研究者忽视了对这一环节的考察。不仅如此,如果从更广大的范围着眼,检讨和反思类似的文学批评史现象,还可以为审视与探寻文学批评发展史提供有益的认知角度。这样一来,一种单一个案性质的词史与词学批评史现象,如"纳兰热",也就相应地具备了某种认知意义上的普遍性。

  限于水平,书中一定存在着这样那样的不足之处,衷心希望读者批评指正。必须说明的是,这本小书在编写过程中,对一些学者的相关论著多有参考,除上文已经指出的以外,主要还有严迪昌先生和业师宏生先生的有关著作。所有这些,都尽可能在正文中以随文作注的方式加以说明,另于书末依照文中出现的先后顺序列举主要参考引用文献,以为读者提供方便。责任编辑卢欣欣女士付出了辛勤的劳动。谨此一并致谢。

谢永芳

2011 年 6 月 7 日

于黄冈师范学院

目 录

梦江南（昏鸦尽） —— 25
梦江南（江南好，城阙尚嵯峨） —— 26
梦江南（江南好，虎阜晚秋天） —— 28
梦江南（江南好，真个到梁溪） —— 29
梦江南（新来好） —— 31
江城子（湿云全压数峰低） —— 34
如梦令（正是辘轳金井） —— 36
采桑子（谁翻乐府凄凉曲） —— 38
采桑子（深秋绝塞谁相忆） —— 40
采桑子（非关癖爱轻模样） —— 42
采桑子（凉生露气湘弦润） —— 45
采桑子（谢家庭院残更立） —— 47
台城路（阑珊火树鱼龙舞） —— 50
台城路（白狼河北秋偏早） —— 52
玉连环影（何处） —— 55
谒金门（风丝袅） —— 56
点绛唇（五夜光寒） —— 59

浣溪沙（消息谁传到拒霜） 60
浣溪沙（睡起惺忪强自支） 61
浣溪沙（谁道飘零不可怜） 63
浣溪沙（微晕娇花湿欲流） 65
浣溪沙（伏雨朝寒愁不胜） 67
浣溪沙（记绾长条欲别难） 68
浣溪沙（谁念西风独自凉） 70
浣溪沙（十八年来堕世间） 71
浣溪沙（莲漏三声烛半条） 73
浣溪沙（身向云山那畔行） 74
浣溪沙（燕垒空梁画壁寒） 76
浣溪沙（杨柳千条送马蹄） 78
浣溪沙（败叶填溪水已冰） 79
浣溪沙（万里阴山万里沙） 81
浣溪沙（肠断斑骓去未还） 83
浣溪沙（桦屋鱼衣柳作城） 84
浣溪沙（海色残阳影断霓） 85
风流子（平原草枯矣） 87
画堂春（一生一代一双人） 89
蝶恋花（辛苦最怜天上月） 91
蝶恋花（眼底风光留不住） 93
蝶恋花（又到绿杨曾折处） 95
蝶恋花（萧瑟兰成看老去） 96
蝶恋花（今古河山无定据） 98
蝶恋花（尽日惊风吹木叶） 100
河传（春残） 101

河渎神（凉月转雕阑） 103
金缕曲（德也狂生耳） 105
金缕曲（谁复留君住） 109
金缕曲（洒尽无端泪） 111
金缕曲（生怕芳樽满） 113
金缕曲（何事添凄咽） 116
金缕曲（此恨何时已） 118
红窗月（燕归花谢早因循） 120
南歌子（翠袖凝寒薄） 123
南歌子（古戍饥乌集） 124
一络索（野火拂云微绿） 126
眼儿媚（重见星娥碧海槎） 128
荷叶杯（帘卷落花如雪） 130
梅梢雪（星球映彻） 132
木兰花令（人生若只如初见） 134
长相思（山一程） 136
寻芳草（客夜怎生过） 138
秋千索（垆边唤酒双鬟亚） 140
秋千索（药阑携手销魂侣） 142
秋千索（游丝断续东风弱） 143
好事近（马首望青山） 144
太常引（西风乍起峭寒生） 146
太常引（晚来风起撼花铃） 147
山花子（欲话心情梦已阑） 149
山花子（小立红桥柳半垂） 150
菩萨蛮（朔风吹散三更雪） 152

菩萨蛮（问君何事轻离别） ……………………………… 153

菩萨蛮（新寒中酒敲窗雨） ……………………………… 155

菩萨蛮（白日惊飙冬已半） ……………………………… 156

菩萨蛮（雾窗寒对遥天暮） ……………………………… 158

菩萨蛮（春云吹散湘帘雨） ……………………………… 160

菩萨蛮（为春憔悴留春住） ……………………………… 161

菩萨蛮（黄云紫塞三千里） ……………………………… 163

菩萨蛮（晶帘一片伤心白） ……………………………… 165

菩萨蛮（乌丝画作回纹纸） ……………………………… 167

菩萨蛮（阑风伏雨催寒食） ……………………………… 168

昭君怨（深禁好春谁惜） ………………………………… 170

琵琶仙（碧海年年） ……………………………………… 171

清平乐（将愁不去） ……………………………………… 174

清平乐（风鬟雨鬓） ……………………………………… 175

清平乐（泠泠彻夜） ……………………………………… 177

清平乐（塞鸿去矣） ……………………………………… 178

满宫花（盼天涯） ………………………………………… 180

唐多令（丝雨织红茵） …………………………………… 181

秋水（谁道破愁须仗酒） ………………………………… 183

虞美人（峰高独石当头起） ……………………………… 184

虞美人（凭君料理花间课） ……………………………… 186

虞美人（曲阑深处重相见） ……………………………… 189

虞美人（银床淅沥青梧老） ……………………………… 190

潇湘雨（长安一夜雨） …………………………………… 192

临江仙（长记碧纱窗外语） ……………………………… 194

临江仙（六曲阑干三夜雨） ……………………………… 196

临江仙（绿叶成阴春尽也） ———————————— 198

临江仙（飞絮飞花何处是） ———————————— 200

临江仙（夜来带得些儿雪） ———————————— 202

临江仙（别后闲情何所寄） ———————————— 204

临江仙（独客单衾谁念我） ———————————— 205

鬓云松令（枕函香） ———————————————— 207

于中好（独背斜阳上小楼） ———————————— 208

于中好（雁帖寒云次第飞） ———————————— 210

于中好（握手西风泪不干） ———————————— 211

南乡子（鸳瓦已新霜） ——————————————— 213

南乡子（泪咽却无声） ——————————————— 214

南乡子（飞絮晚悠飏） ——————————————— 216

南乡子（何处淬吴钩） ——————————————— 217

南乡子（烟暖雨初收） ——————————————— 218

踏莎行（春水鸭头） ———————————————— 220

踏莎行（倚柳题笺） ———————————————— 222

鹊桥仙（乞巧楼空） ———————————————— 224

望江南（挑灯坐） —————————————————— 225

百字令（片红飞减） ———————————————— 228

百字令（绿杨飞絮） ———————————————— 230

百字令（人生能几） ———————————————— 232

沁园春（试望阴山） ———————————————— 234

沁园春（瞬息浮生） ———————————————— 237

摸鱼儿（问人生、头白京国） —————————— 239

相见欢（微云一抹遥峰） —————————————— 241

忆秦娥（山重叠） —————————————————— 242

减字木兰花（相逢不语） …… 244

海棠春（落红片片浑如雾） …… 246

少年游（算来好景只如斯） …… 247

满庭芳（堠雪翻鸦） …… 249

忆王孙（西风一夜剪芭蕉） …… 250

卜算子（娇软不胜垂） …… 251

青玉案（东风卷地飘榆荚） …… 253

满江红（问我何心） …… 254

满江红（代北燕南） …… 256

诉衷情（冷落绣衾谁与伴） …… 258

水调歌头（落日与湖水） …… 259

天仙子（水浴凉蟾风入袂） …… 261

天仙子（梦里蘼芜青一剪） …… 262

浪淘沙（蜃阙半模糊） …… 263

浪淘沙（红影湿幽窗） …… 266

南楼令（金液镇心惊） …… 268

生查子（短焰剔残花） …… 269

生查子（惆怅彩云飞） …… 271

忆桃源慢（斜倚熏笼） …… 272

青衫湿遍（青衫湿遍） …… 274

酒泉子（谢却荼蘼） …… 276

凤凰台上忆吹箫（荔粉初装） …… 278

渔父（收却纶竿落照红） …… 280

望海潮（汉陵风雨） …… 281

满江红（籍甚平阳） …… 283

浣溪沙（一半残阳下小楼） …… 286

菩萨蛮（梦回酒醒三通鼓） 287

相见欢（落花如梦凄迷） 289

昭君怨（暮雨丝丝吹湿） 290

霜天晓角（重来对酒） 292

鹊桥仙（倦收缃帙） 293

水龙吟（须知名士倾城） 295

鹧鸪天（背立盈盈故作羞） 297

临江仙（昨夜个人曾有约） 298

如梦令（万帐穹庐人醉） 299

浣溪沙（已惯天涯莫浪愁） 301

采桑子（嶰周声里严关峠） 302

清平乐（参横月落） 304

参考引用文献举要 307

梦江南

昏鸦尽,小立恨因谁。急雪乍翻香阁絮①,轻风吹到胆瓶②梅。心字③已成灰。

[注释]

①"急雪"句:《世说新语·言语》:"谢太傅寒雪日内集,与儿女讲论文义。俄而雪骤,公欣然曰:'白雪纷纷何所似?'兄子胡儿曰:'撒盐空中差可拟。'兄女曰:'未若柳絮因风起。'公大笑乐。"②胆瓶:形如悬胆,长颈大腹之花瓶。杨无咎《点绛唇》:"小阁清幽,胆瓶高插梅千朵。"③心字:心形熏香。杨慎《词品》卷二:"范石湖《骖鸾录》云:'番禺人作心字香,用素馨、茉莉半开者,著净器中。以沉香薄劈,层层相间,密封之。日一易,不待花蔫。花过香成。'所谓心字香者,以香末萦篆成心字也。心字罗衣,则谓心字香熏之尔。或谓女人衣曲领如心字,又与此别。"黄机《沁园春》:"玉漏声沉,银潢影泻,蝉酒犹烧心字香。"

[评析]

这首小令在纳兰词中很有代表性,因为它通篇只有一个"情"字,又非一个情字了得。

纳兰去世十余年后,曹寅写过一首《题楝亭夜话图》,其中有两句是这样说的:"家家争唱饮水词,那兰小字几曾知。"(《楝亭集·楝亭诗钞》卷二)今存图画墨迹"小字"作"心事"。"家家争唱",表明了纳兰词在当时受欢迎的程度;"几曾知",又说明并不是每一个喜欢他的人都真正了解他。其实,只要通读纳兰近350首词,就会发现,"愁"、"泪"、"恨"等字眼出现的频率很高,这可以比较直观地帮助我们了解纳兰"心事"。反过来,如果了解了纳兰"心事",对纳兰词的理解,想必也会更加深刻。就像这首

《梦江南》，冬日黄昏，鸦群飞尽，雪花飘洒，小风轻拂，是什么人，站在那里，痴痴地望？其中，"急雪乍翻"与"轻风"徐来，写来如见内心的情感起伏。全首借助寻常闺怨题材，抒发一种抑郁怨怅的情怀。而使得词中抒情主人公如此惆怅迷惘的，当然又不必只限于闺情。它可以是"男子而作闺音"，也可以是借闺音而抒一己怆然涕下之情。因为，生活中的纳兰本就多情如斯。至于语带双关因而耐人寻味的"心字""成灰"，对于这位英年早逝的才子而言，理解为更大范围的心灰意冷，也未尝不可。就此而言，纳兰词的婉雅凄美，黯然魂销，也就在卓越的特殊性中，体现出了某种普遍意味与超越。

类似的情愫，幽微深隐，摇曳多姿，在其他文学体裁中，也许很难得到如此完美的表现，但却能够借助词这种文学样式，很好地表达出来，并留给读者发挥想象的空间。这是由词的文体特质所决定的。"能言诗之所不能言，而不能尽言诗之所能言"（王国维《人间词话》）的词，它的文体特征何在？王国维说是"要眇宜修"，跟缪钺先生后来概括的几个要点可以互通，即"文小"、"质轻"、"径狭"、"境隐"（《诗词散论·论词》）。这些特征，主要是把词跟诗相比较，同时又把它当做广义的抒情诗来看待的结果。纳兰词的非凡与美丽，很大程度上是由于能够极大地焕发词体的美感特质。

梦江南

江南好，城阙尚嵯峨①。故物陵前惟石马②，遗踪陌上有铜驼③。玉树④夜深歌。

[注释]

①嵯（cuó）峨：高峻状。沈约《昭君解》："衔涕试南望，关山郁嵯峨。"李商隐《咸阳》："咸阳宫阙郁嵯峨，六国楼台艳绮罗。"②陵前惟石马：陵，南京明太祖孝陵。杜甫《玉华宫》："当时侍金舆，故物独石马。"韦庄《闻再幸梁汴》："兴庆玉龙寒自跃，昭陵石马夜空嘶。"③铜驼：《晋书·索靖传》："靖有先识远量，知天下将乱，指洛阳宫门铜驼，叹曰：会见汝在荆棘中耳。"④玉树：曲名。《隋书·乐志》："陈后主于清乐中造《黄鹂留》及《玉树后庭花》、《金钗两鬓垂》等曲，与幸臣等制其歌词，绮艳相高，极于轻荡，男女唱和，其音甚哀。"杜牧《泊秦淮》："商女不知亡国恨，隔江犹唱后庭花。"

[评析]

这是一首江南闻见之作。康熙二十三年（1684）九至十一月，清圣祖爱新觉罗·玄烨首次南巡，纳兰随扈，写下了十首《梦江南》。前三首写南京，第四首写苏州，第五、六两首写无锡，第七首写扬州，第八、九两首写镇江，最后一首可以看成是总写江南之异于京华的好。整组词作大体分合有致。本书顺序选录其第二、四、五等三首作品。

这组联章之作，跟前言所引曹贞吉词总序中交代的一样，显然是仿效欧阳修吟咏颍州西湖《采桑子》的写法，只是目的和结果未必相同。欧词主动向民歌学习，借鉴和吸取民间说唱文艺形式中的"定格联章"之法，是其通俗化尝试中的创变之举；也未必不是渐渐感觉令词篇幅过隘，不足以资发抒，而采取的变通之法。此后，元代的欧阳玄和明代的杨慎都有过成功的模拟之作。尤其是杨慎的《渔家傲·滇南月节》，分别抓住云南十二个月的节候、景物以及民俗风情来写，无异于描摹一幅幅生动活泼的风俗画，表达出了对被自己当做第二故乡的云南的拳拳之爱。纳兰的模仿，却并不只是表现在形式上以相同的首句发端而已。即如这首《梦江南》，在一如既往的隽秀超逸中，也有别样的风采，即能将自己禁不住激起的兴亡之感传达给读者，发人深省。

清词复兴，首在清初，其中的一大发展或表现，即是长调之联章或叠韵，但纳兰并未追随这一潮流。这跟他"好观北宋之作，不喜南渡诸家"（徐乾学《通议大夫一等侍卫进士纳兰君墓志铭》）的词学趣尚大有关系。当然，据纳兰《与梁药亭书》，成、梁二人于康熙二十三年（1684）酝酿辑编词选时，将辛弃疾、姜夔、史达祖、吴文英、王沂孙、张炎等作为"专取精诣"的对象。如果选目是集中在这些南宋词人的长调作品上，似乎又表明纳兰的词学视野并不狭窄。不过，文献资料往往具有多方面的价值，关键要看操选政者用什么样的理论来统合这些材料。比如，戈载《宋七家词选》和周济《宋四家词选》虽然同样选择了王沂孙的咏物词，甚至连篇目也相同，但走出的却是不同的道路，前者从咏物和骚雅的角度入手，是浙派的观点；后者从比兴寄托的角度出发，是常派的看法。（张宏生《创作的厚度与时代的选择——王沂孙词的后世接受与评价思路》）每一个人都是历史的存在，纳兰和他的词的独特魅力之一，也在于此。

梦江南

江南好，虎阜①晚秋天。山水总归诗格秀，笙箫恰称语音圆。谁在木兰船②。

[注释]

①虎阜：虎丘，在苏州西北阊门外，以形如蹲虎得名。②木兰船：柳宗元《酬曹侍御》："破额山前碧玉流，骚人遥驻木兰舟。"潘阆《酒泉子》："长忆西湖，湖上春来无限景。吴姬个个是神仙。竞泛木兰船。"

[评析]

南宋词人罗椅曾经写过一首《清平乐》："明虹收雨。两桨能吴语。人在江南荷叶浦。采得蘋花无数。　梦中舞燕栖鸾。起来烟渚风湾。一点愁眉天末,凭谁划却春山。"况周颐对罗氏此篇评价不低,解读也很是到位:"罗子远《清平乐》'两桨能吴语'五字甚新。杨柳渡头,荷花荡口,暖风十里,剪水咿哑,声愈柔而景愈深。尝读饮水词《望江南》云云。'笙箫'句与此'两桨'句,同一妙于领会。"(《蕙风词话》卷二)既然是"同一妙于领会",也就说明,纳兰的词也可作类似理解,所谓美妙歌吹共柔润吴语一色,秀丽山水助澎湃诗情腾飞。

据《清圣祖实录》记载,康熙二十三年(1684)十月二十七日,爱新觉罗·玄烨游虎丘,曾经对侍臣们说:"向闻吴阊繁盛,今观其风土,大略尚虚华,安佚乐,逐末者众,力田者寡。遂致家鲜盖藏,人情浇薄。为政者,当使之去奢反朴,事事务本,庶几家给人足,可挽颓风。渐摩既久,自有熙皞气象。"政教意味非常浓重,又颇有自我标榜之嫌,当然也是"为政者"的题中应有之义。不过,在纳兰眼中,吴地的风土民情是那样令人陶醉,以至于忍不住时时用手中如椽的彩笔将其描绘一番。于是,我们就看到,正像这首《梦江南》所写的,纳兰将眼中、心中碰触到的一些东西提炼、净化及至审美外化,成为一种盎然、鲜明的美学情怀的诗性发露。纳兰终归是一个诗人,而极为令人倾倒的,也恰恰是他这种似乎与生俱来的浪漫气质。

梦江南

　　江南好,真个到梁溪[①]。一幅云林高士画,数行泉石故人题[②]。还似梦游非。

[注释]

①梁溪：水名，在无锡西门外，代称无锡。②"一幅"二句：倪瓒，号云林居士，元末画家，无锡人。所绘山水，幽远简淡。性高洁，人称高士。严绳孙（1623~1702），字荪友，号藕荡渔人。康熙十二年（1673）结识纳兰，十四年（1675），曾客居其家。康熙十八年（1679）荐举鸿博。著有《秋水集》。兼工书画，"梁溪之人争以倪云林目之"（法式善《槐厅载笔》卷十四引《高澹人文稿》）。

[评析]

大自然对诗人的馈赠是慷慨的，对此，刘勰有过这样的表述："然屈平所以能洞监风骚之情者，抑亦江山之助乎？"（《文心雕龙·物色》）主要是说大自然能激发诗情，陶冶人格。这跟社会阅历影响诗歌创作的所谓"穷而后工"说，既相联系，又有区别。这首《梦江南》，传达给读者的不仅是美不胜收的梁溪山水图景，更有一种如梦似幻的感觉，夹杂着一见之下即袭上心头的浓重惊喜之情，所以感染力非常强，使人如身临其境。对于纳兰而言，这种审美效果的成功制造，也是"江山之助"在一个方面的生动诠释。

词中间接提到的"故人"严绳孙，如果将考察范围扩展到他所隶属的梁溪一地词人群体，也还会有其他的收获。严绳孙、秦松龄以及后面将要介绍的顾贞观，他们的创作，代表了康熙年间梁溪词人群的成就。衍至乾、嘉时期，无锡顾、杨两姓词人辈出。其中，顾翰与中表杨夔生在清代山水词的创作上都有新的拓展，堪称双璧。山水词的创作，之所以出现如此显著的跨越，与无锡一地浓郁的人文氛围以及各自的家学渊源，都是分不开的。而像严绳孙这样的乡先辈兼擅诗词书画，时不时地打通多种文艺创作形式，其示范效应不可低估。至于纳兰，在与严绳孙等人交游的过程中，在一些方面相互发生影响，也是很自然的事情。

一直以来，纳兰都被认为是清代旗人词人中的翘楚，有"男中成容若,女中太清春"(况周颐《蕙风词话》续编卷二引)之谓;也是清代词史上的佼佼者,被认为可与蒋春霖、项鸿祚"二百年中,分鼎三足"(谭献《箧中词》今集卷五。《清史稿》卷四八四《文苑一》附项鸿祚、蒋春霖传于纳兰性德传后,当系受此论影响);还是通代词史上的奇迹,所谓"重光后身"[谭献《箧中词》今集卷一引周之琦语。其实,谭献自己认为,"重光后身惟卧子(即陈子龙)足以当之",语载《复堂日记》卷二]。柳亚子也将纳兰视为可与苏、辛并举以代表"千古词人"的词人:"算黄州太守,犹输气概,稼轩居士,只解牢骚。更笑胡儿,纳兰容若,艳想秾情着意雕。"(《沁园春·次韵和毛润之初到陕北看大雪之作,不能尽如原意也》)纳兰何以能在汉族文人于创、评两端均占据统治地位的领域取得如此之高的成就,并获得如此一致的认同?恐怕不全是王国维《人间词话》中所说的"初入中原,未染汉人风气",而恰恰是因为入主中原后,接受汉文化的熏陶,深深地浸染了"汉人风气"之故。

梦江南

新来好,唱得虎头①词。一片冷香惟有梦,十分清瘦更无诗②。标格早梅知③。

[注释]

①虎头:晋代画家顾恺之,无锡人,小字虎头。借指友人顾贞观。贞观(1637~1714),初名华文,字华封,一作华峰,号梁汾。顾宪成曾孙。康熙初入京,受知于魏裔介,擢秘书院典籍。十年(1671),落职归里。十五年(1676)复入京,馆于纳兰明珠家。晚岁还里,构积书岩,坐拥万卷,吟咏不辍。著有《舻塘集》、《积书岩集》、《弹指词》,编有《宋诗删》等。②"一

片"二句：顾贞观《浣溪沙·梅》："物外幽情世外姿。冻云深护最高枝。小楼风月独醒时。　一片冷香惟有梦，十分清瘦更无诗。待他移影说相思。"
③"标格"句：陈善《扪虱新话》下集卷一："诗有格有韵……格高似梅花，韵胜似海棠花。"王彦泓《题徐云闲故姬遗照》："未许丹青浣玉颜，天然标格小梅边。"

[评析]

这首《梦江南》可以看做是一首论词词。况周颐就说："容若《梦江南》云云，即以梁汾咏梅句喻梁汾词。赏会若斯，岂易得之并世。"（《蕙风词话》续编卷一）以其人词句还喻其词，做得最称人意的，似乎是王国维，如在《人间词话》中以"画屏金鹧鸪"（《更漏子》）、"弦上黄莺语"（《菩萨蛮》）、"和泪试严妆"（《菩萨蛮》）、"映梦窗，零乱碧"（《秋思》）、"玉老田荒"（《祝英台近》）分别形容温庭筠、韦庄、冯延巳、吴文英、张炎的词。如果没有超强的审美嗅觉和综合判断力，这些结论是很难得到认可的。

纳兰与顾贞观最为相知，在并世词人中最有条件论定其词。他们合选过《今词初集》，以独特的审美眼光建构当代词史，其中便渗透了两人独抒性灵的共同追求。比如，尽管顾贞观对朱彝尊的词学见解很不以为然，纳兰对《词综》也颇有微词，他们还是选了不少朱彝尊的词，其中的咏物词，也正是一些虽然多用典，尚能体现出真性情的作品，如《满江红》（绝塞凄清）；陈维崧从京师开始专力为词，对真性情的追求，与两位编者并没有什么不同，但所作有过于粗豪、一览无余的瑕疵，所以在入选篇数上就有所控制。《今词初集》还收入毛际可、阎场次与"江南科场案"有关的作品，即毛氏《金缕曲》（惟我与君耳）与阎氏《金缕曲》（且住为佳耳），意在表明，词的写作，还有另外一种"更加直接的心灵方式"（张宏生《清词探微》）。

《今词初集》的出现，意味着京城词坛中心地位的进一步确认，后来《四库全书》于清初词人独收曹贞吉,也可以看做是一种追认。(按:葛恒刚博士《从曹贞吉怀古词的主题取向看四库馆臣的选词标准》提出,从一定意义上讲,"《珂雪词》的幸运却是中国文学的不幸"。未免有些言重了。事实上,四库但登《珂雪词》并未颠覆人们对清初词坛的基本认知。)号称"京华三绝"的这三位词人,在浙西词派尚未笼及全局的时段内,以自抒情怀、不主一格的面貌,联袂构筑起一道亮丽的词坛景观,是京华词苑中心地位得以确立的柱石之一。其中,顾贞观曾自言"吾词独不落宋人圈渍"(诸洛《弹指词序》),所作也名副其实。如《青玉案》(天然一帧荆关画),写秋士易感、黍离之悲的常见主题,疏朗厚实,寥廓凝重,别具面目。《一丛花》(一篙轻碧众香浮),一反常态,指出并蒂莲纵使各自得意,相怜相妒,最后都是一样地凋残败落,自悔风流,寓托深长。《南柯子》(选胜轻装出),运用漫画手法描摹,庄谐相济,清新诡谲。《南乡子》(绣榻近来闲),使用俗语、卦象等写相思之情,极见特色。(详参张秉成先生《弹指词笺注》)《双双燕》(单衣小立),人燕合写,以人为主,从独自相思,写到燕归人滞,又复回忆旧日情事,悬想来春燕归情境,句句咏燕,句句传情,却是旧调新唱,并且在篇章结构上挑战南宋咏物高手史达祖。最为引人注目的,是康熙十五年(1676)冬为安慰因科场案流放宁古塔的朋友吴兆骞而写的《金缕曲》(季子平安否)(我亦飘零久),以词代书,虽非首创,但运用极其成功,语语发自真情,沁人心脾,堪称"纯以性情结撰而成"(陈廷焯《白雨斋词话》卷三)的千秋绝调。对这些,纳兰自然是了然于胸的,所以,他选用了历来在文人心目中占有无尚崇高地位的梅意象,来评价挚友和他的词,兼以夫子自道。所谓"夫子自道",从纳兰另一首《眼儿媚·咏梅》(莫把琼花比淡妆)中"别样清幽,自然标格,莫近东墙"等句亦可见出。唐圭璋先生即云,此数句"皆一面写花,一面自道也"(《词学论丛·纳兰容若评传》)。

借助创作中所体现的倾向来发表见解,一向是中国传统的文学批评的基本形式之一,只是没有引起治文学批评者应有的重视。在论词词出现之前,这种现象在文学的多个领域就已经大量存在。其中,陶渊明的诗之所以在宋代开始成为经典,主要的缘由和表现是出现了群体性的模仿创作,苏轼遍和陶诗,又在宋代诗坛形成普遍性的和陶风气中起到了决定性的作用。北宋中期伊始,以欧阳修为首的宋代散文六大家以示范性作品推动创作风气,正是因为如此,韩柳散文的星星之火终成燎原之势,获得了远较中晚唐时期为显著的社会影响。苏轼与周邦彦的词,在词学批评空气相当稀薄的情况下能够产生重大影响,也是因为分别有黄庭坚、晁补之、辛弃疾、元好问和姜夔、方千里、杨泽民、陈允平、吴文英等人的学习性创作和创造性继承。所有这些,不仅让人认识到陶诗、韩柳散文、苏词和周词的魅力,也在创作与评论的良性互动中,推动了相关的研究进程。就清词而言,从阐释学的角度讲,后来的读者所接受的往往是之前的接受者所构筑的清词视界,换句话说,清词的经典化主要是由读者中的部分批评者建构的。当然,其中不可忽略的是,很多人(包括批评者如纳兰等在内)也以词体创作的方式参与了这一漫长、复杂的过程(包括《弹指词》的经典化过程在内),从而丰富了词学理论批评的载体形式,也丰富了文学的经典化所具有的美学途径和形式。

江城子

湿云全压数峰低①。影凄迷。望中疑。非雾非烟②,神女欲来时。若问生涯原是梦③,除梦里,没人知。

[注释]

①"湿云"句：李贺《巫山高》："古祠近月蟾桂寒，椒花坠红湿云间。"范成大《巫山高》："湿云不收烟雨霏，峡船作滩梢庙矶。"陆游《入蜀记》："巫山峰峦上入霄汉，然十二峰不可悉见。所见八九峰，惟神女峰最为纤丽奇峭，宜为仙真所托。"②非雾非烟：《史记·天官书》："若烟非烟，若云非云，郁郁纷纷，萧索输囷，是谓卿云。"唐彦谦《贺李昌时禁苑新命》："万户千门迷步武，非烟非雾隔仪形。"③"若问"句：宋玉《高唐赋》："昔者楚襄王与宋玉游于云梦之台，望高唐之观，其上独有云气，崪兮直上，忽兮改容，须臾之间，变化无穷。王问玉：'此何气也？'玉对曰：'所谓朝云者也。'王曰：'何谓朝云？'玉曰：'昔者先王尝游高唐，怠而昼寝，梦见一妇人，曰：妾巫山之女也，为高唐之客。闻君游高唐，愿荐枕席。王因幸之。去而辞曰：妾在巫山之阳，高丘之阻。旦为朝云，暮为行雨。朝朝暮暮，阳台之下。'"宋玉《神女赋》："楚襄王与宋玉游于云梦之浦，使玉赋高唐之事。其夜，王寝，果梦与神女遇，其状甚丽。"李商隐《无题二首》之二："神女生涯元是梦，小姑居处本无郎。"

[评析]

据成书于康熙五十四年（1715）的《钦定词谱》，《江城子》"唐词单调，以韦庄词为主，余俱照韦词添字。至宋人始作双调"。具体而言，韦词三十五字，七句，五平韵；欧阳炯三十六字，七句，五平韵，"开宋词衬字之法"；牛峤三十七字，七句，五平韵，"开宋词添字之法"；尹鹗三十六字，八句，五平韵，"开宋词减字摊破之法"。比《钦定词谱》早成书二十八年的《词律》，分别录取牛峤三十五字体、张泌三十六字体、欧阳炯三十七字体，其实与《钦定词谱》并无不同，或者应该说，《钦定词谱》比较忠实地继承了《词律》的编纂思路，杜文澜就在《校记》中说："万氏虽未列原词，核所注可仄可平，即校端己词也。"当然，万树也特别强调，唐调《江城子》第四、五两句"本九字句，故语气或于四字断，或于六字断，不拘。而宋词，俱依后所载谢无逸体矣。作双调者勿误",以引起作词者的重视。纳兰没有选择宋人常用的双调《江城子》,从一个方面说明他的确是对唐五代词情有独钟。从当时的情况看,纳兰这样做,或者是借助明人词谱如《诗余图谱》、《啸余谱》等,或者就是从直接阅读唐五代名家词集而来。

  这首词,原刻本有词题"咏史"。但是读过之后,感觉词本文与词题之间似乎是风马牛的关系,了不相及,至少跟纳兰另外一首直接标明"咏史"的《于中好》有所不同:

    马上吟成鸭绿江。天将闲气付闺房。生憎久闭金铺暗,花笑三韩玉一床。 添哽咽,足凄凉。谁教生得满身香。至今青海年年月,犹为萧家照断肠。

《江城子》末尾虽然有世间一切美好转瞬即逝的深沉慨叹,但全篇并没有按照咏史诗词的惯常路数,从具体的历史人物或事件切入,因而与一般的即景咏怀之作,在格局和命意上并没有根本的区别。稍有不同的只在于,通篇弥漫着一种纳兰词独有的悲感,又由于借助了神女阳台的典故,使得梦幻般的外物与悸动的心灵感应之间对流交融,因而词境更为惝恍凄迷。可以进行多重解读,诸如襄王有意、神女无情的无奈之感之类,但作品本身的厚度似嫌不够,也是一种遗憾。

如梦令

  正是辘轳金井①。满砌落花红冷。蓦地一相逢,心事眼波难定②。谁省。谁省。从此簟纹灯影③。

[注释]

①辘轳金井：辘轳汲水摇动有声，常用为清晨意象。李煜《采桑子》："辘轳金井梧桐晚，几树惊秋。"周邦彦《蝶恋花》："更漏将阑，辘轳牵金井。"②"心事"句：韩偓《偶见背面是夕兼梦》："眼波向我无端艳，心火因君特地燃。"王彦泓《戏和子荆春闺》："懒得闲行懒得眠，眼波心事暗相牵。"③簟（diàn）纹灯影：曲写幽独难眠之状。簟，竹席。苏轼《南堂》五首之五："扫地焚香闭阁眠，簟纹如水帐如烟。"杜甫《大云寺赞公房》四首之三："灯影照无睡，心清闻妙香。"

[评析]

纳兰另外还有两首《如梦令》，其一：

黄叶青苔归路。屟粉衣香何处。消息竟沉沉，今夜相思几许。秋雨。秋雨。一半因风吹去。

后三句化用朱彝尊《转应曲·安丘客舍对雨》："秋雨。秋雨。一半回风吹去。晚凉依旧庭隅。此夜愁人睡无。无睡。无睡。红烛也飘秋泪。"其二：

纤月黄昏庭院。语密翻教醉浅。知否那人心，旧恨新欢相半。谁见。谁见。珊枕泪痕红泫。

作年不应晚于康熙十六年（1677），以见载初刻于本年的《今词初集》之故。三首词词意仿佛，内容相关，都极写相思爱恋之苦，追忆怀想之痛，还有可能是作于同时，应该合起来读。

依据纳兰词中使用朱彝尊成句等情况综合考察，这三首词确实可能与朱氏有关。不过，以纳兰的情感经历，及其一贯的作风，即便果真与朱彝尊有所关联［也许是朱氏与其妻妹冯寿常（字静志）之间扑朔迷离的"风怀"传闻。按：类似的著名揣测对象还有龚自珍（与顾春）。谢桃坊先生《词学辨·清代词学复兴述评》甚至认为，龚氏"纯写艳情，情意极为缠绵"的一卷《无著词》"肯定与其香艳轶事'丁香花公案'有关"。此疑案虽事出有因，又特别是经过曾朴的《孽海花》推波助澜，一时影响甚大，但查无实据，孟森先生《丁香花》一书早已力辨其非]，更为可能的还是，借他人之酒杯，浇一己胸中块垒。从词作本身来看，同为一段美好回忆，不惑之年的朱彝尊表现出的是清雅幽婉，情辞相称，沉静空灵，虽然他直到晚年仍不免为此"绕几回旋，终夜不寐"（丁绍仪《听秋声馆词话》卷二引翁方纲语）；弱冠之年的纳兰同样五内纠结，念念难忘，词表凄丽婉媚，但直探心灵深处，不稍假借于物象。就此而言，深入探究浙派领袖朱彝尊的某些作品，在异量之美的兼容与赏识中，也可以找到开启纳兰词迷人之门的一把金钥匙。

如果再往前追溯，能够与纳兰词对读的作品还有晁冲之的《如梦令》："墙外辘轳金井。惊梦蕾腾初省。深院闭斜阳，燕入阴阴帘影。人静。人静。花落鸟啼风定。"结句点化孟浩然《春晓》整篇诗意："春眠不觉晓，处处闻啼鸟。夜来风雨声，花落知多少。"使得全词的情感主流为之进一步化动为静，在翻腾中趋于和谐。与纳兰迥异的心境，也同样明显地表现在了词篇的措辞用语上。

采桑子

谁翻①乐府凄凉曲，风也萧萧。雨也萧萧。瘦尽灯花又一宵②。　　不知何事萦怀抱，醒也无聊。醉也无聊。梦也何曾到谢桥③。

[注释]

①翻：依曲制词。刘禹锡《杨柳枝》："请君莫奏前朝曲，听唱新翻杨柳

枝。"欧阳修《蝶恋花》："红粉佳人翻丽唱。惊起鸳鸯，两两飞相向。"②"瘦尽"句：曹溶《采桑子》："忆弄诗瓢，落尽灯花又一宵。"吴绮《南乡子》："月暗吴天夜沈寥。瘦尽灯花红不语，长宵。风弄琅玕影自敲。"③谢桥：所恋之人的居所。晏幾道《鹧鸪天》："梦魂惯得无拘检，又踏杨花过谢桥。"

[评析]

谭莹跋粤雅堂本《饮水集》有云："容若词固自哀感顽艳，有令人不忍卒读者。至如《采桑子》句云'瘦尽灯花又一宵'，《浣溪沙》句云'生怜瘦减一分花'，《浪淘沙》句云'红影湿幽窗，瘦尽春光'等，窃谓《词苑丛谈》称沈江东嘲毛稚黄有'三瘦'之目，故当以移赠容若耳。""瘦"字句写得好的，王世贞《艺苑卮言》认为有程垓《摊破江城子》中"一夜无眠连晓角，人瘦也，比梅花，瘦几分"，秦观《水龙吟》中"名缰利锁，天还知道，和天也瘦"，李清照《醉花阴》中"莫道不消魂，帘卷西风，人比黄花瘦"。徐釚在《词苑丛谈》卷四中加上了李清照《如梦令》中"应是绿肥红瘦"，毛滂《感皇恩》中"宝熏浓炷，人共博山烟瘦"；在同书卷五中又添上了毛先舒的"三瘦"：《玉楼春》中"月明背著陡然惊，不信我真如影瘦"，《踏莎行》中"空闺寂寂念相闻，书来墨淡知伊瘦"，《临江仙》中"鹤背山腰同一瘦，且看若个诗仙"。仅就纳兰与毛先舒"瘦"词相比，谭莹"移赠"之评是颇有见地的。情到深处人孤独，衣带渐宽终不悔，身体的瘦，往往是精神状态的外在表现，因此，用于灯花，便使之带上强烈的感情色彩，进一步深化了前人所开创的这一意境。这种创造，与"三影"词人张先体物细腻、情意朦胧诸作不同，亦非毛词之溺于《花间》、《草堂》门径者可比，更从用字炼意这样一个典型的侧面，集中展现了纳兰词公认的"哀感顽艳"之美。一字之下，撩乱人情，的确"令人不忍卒读"。纳兰喜于词中上、下片收束处用力，这首

《采桑子》可为显例。

然而,如果只是把该阕理解为一首缠绵悱恻、凄切哀婉的爱情词,则未免低估了大家及其经典名篇的不可穷尽性。梁启超曾有一个判断:"容若小词,直追后主。后主有亡国苦痛,容若有时代哀音,因此二人为词,眼界大而感慨深。"(《饮冰室文集》卷七十七《渌水亭杂识跋》)要说纳兰的词里面有"时代哀音",这首词略可当之。风飘雨潇,凄寂无聊,半梦半醒,孤苦连宵,沉郁悲情,翻为乐府凄凉之调,彷徨哀鸣,是伤心人别有怀抱。至于纳兰词是否只能追步李煜,还可以讨论。王国维认为,像李煜"问君能有几多愁。恰似一江春水向东流"(《虞美人》)、"自是人生长恨水长东"(《乌夜啼》)这样的句子,其中的意蕴,"俨然有释迦、基督担荷人类罪恶之意"(《人间词话》),亦即对人生的大悲哀有着具有普遍性的体验。这种崇高评价得到后世不少人的认同,并不是无缘无故的。梁启超所谓纳兰词"直追"李煜,似乎主要也是就这方面而言的。不过,也正是在这个方面,已足以暴露纳兰词与后主词之间的差距。

采桑子　九日

深秋绝塞谁相忆,木叶萧萧。乡路迢迢①。六曲屏山②和梦遥。　　佳时倍惜风光别,不为登高③。只觉魂销。南雁归时更寂寥。

[注释]

①乡路迢迢:王彦泓《归途自叹》:"纵使到家仍是客,迢迢乡路为谁归。"②六曲屏山:屏风曲折若重峦叠嶂,或绘有山水图画,故称屏山,代指家园。李贺《屏风曲》:"团回六曲抱膏兰,将鬟镜上掷金蝉。"王琦注:"六

曲,十二扇也,以十二扇叠作六曲。"龚鼎孳《罗敷媚》:"分明六曲屏山路,那得朦胧。"③登高:重阳旧俗。王三聘《古今事物考》:"九月九日,九为阳数,而日月并应。俗嘉其名,以为宜于长久,故燕享高会。汉费长房谓桓景作绢囊,盛茱萸悬臂,登高山,饮菊花酒,可消家厄。"

[评析]

边塞词,唐代已经开始萌芽,宋时正式形成,出现了一些著名的作家、作品,是边塞词发展过程中的一个高峰。不过,正如唐宋词在词史上所表现的那样,由于观念尚未更新,参与者不够多,境界也不够开阔,因而给后人留下了很大的开拓空间。金元时期,边塞词的创作处于停滞状态。明代以来,词学不振,边塞词的创作也很少有人问津。一直到成化以后,随着词学渐有复兴之势,以及时代的现实需求,才出现了一些边塞词人和词作,最重要的代表是孙承宗。延续到清初,无论从作者队伍的广泛多元,创作主题既基于文学史上对边塞文学的规定,又有符合时代特色的表达,还是从表现方式的多样性来看,边塞词都开始有了很大的突破。其中,纳兰的成就最高,贡献也最大,作品不仅多,而且有深度,在历代边塞文学中,占有非常突出的地位。康熙二十一年(1682),纳兰随副都统郎坦等"觇梭龙",即赴梭龙(唆龙、索伦)侦察,这首《采桑子》便作于其时。

塞上重阳,是边塞与重阳两个重要传统题材的复合体,表现方式自然大多从前代相关诗词或直接或间接地获得资源。如王缙《九日作》:"莫将边地比京都,八月严霜草已枯。今日登高樽酒里,不知能有菊花无。"就是这种复合型题材的作品。王缙之兄王维《九月九日忆山东兄弟》的着眼点则有所不同:"独在异乡为异客,每逢佳节倍思亲。遥知兄弟登高处,遍插茱萸少一人。"《诗·魏风·陟岵》有云:"陟彼冈兮,瞻望兄兮。兄曰:'嗟!予弟行役,夙夜必偕。上慎旃哉,犹来无死。'"王维诗后二句从对面着笔,写诗人自己的想象，突出思念之情，即沈德潜所谓"陟岵诗意"(《唐诗别裁集》卷十九)。又如李清照《醉花阴》："薄雾浓云愁永昼。瑞脑消金兽。佳节又重阳，玉枕纱厨，半夜凉初透。　东篱把酒黄昏后。有暗香盈袖。莫道不消魂，帘卷西风，人比黄花瘦。"写相思寂寥，一结妙用譬喻，可谓凄苦绝伦。不过，就全篇而言，词体文学本身尚有一定的限制，主要体现在习惯于比较多地从侧面着笔，包括从女性的角度，或者物象的角度来写。即如本阕过片三句，在似乎不经意间点化王维诗意和易安词意，以萧瑟凄清的绝塞深秋景象，牵出寂寥悲苦的佳节思亲乡情，妙手转接，显出纳兰词创作技巧高超的一面。所以，尽管不太可能从中直接领略到杜牧交织着抑郁之情的疏俊旷达："江涵秋影雁初飞，与客携壶上翠微。尘世难逢开口笑，菊花须插满头归。但将酩酊酬佳节，不作登临恨落晖。古往今来只如此，牛山何必独沾衣。"(《九日齐山登高》)悠悠千载之下，仍然令人魂销不已。

采桑子　塞上咏雪花

非关癖爱轻模样[①]，冷处偏佳。别有根芽。不是人间富贵花[②]。　谢娘[③]别后谁能惜，飘泊天涯。寒月悲笳。万里西风瀚海[④]沙。

[注释]

①轻模样：雪花飘飞之态。孙道绚《清平乐·雪》："悠悠飏飏，做尽轻模样。"(此首别作赵彦端词，见《宝文雅词》卷四) ②富贵花：周敦颐《爱莲说》："牡丹，花之富贵者也。"陆游《留樊亭三日王觉民检详日携酒来饮海棠下比去花亦衰矣》："何妨海内功名士，共赏人间富贵花。" ③谢娘：谢道韫。见前《梦江南》(昏鸦尽)。 ④瀚海：戈壁沙漠，泛指塞外。陶翰《出萧

关怀古》：“孤城当瀚海，落日照祁连。”周祈《名义考》：“以飞沙若浪，人马相失若沉，视犹海然，非真有水之海也。”

[评析]

  这首《采桑子》，借咏物抒怀明志。全篇雪、人合一，夹叙夹议，由表及里，层层推进，句句咏雪，处处关情。而于体雪一端，基本上不持寸铁，即尽量避免使用直接形容对象外部特征、比喻对象外部特征、比喻对象特征及其动作和直陈对象动作的一些字（程千帆、张宏生《被开拓的诗世界·火与雪：从体物到禁体物——论白战体及杜、韩对它的先导作用》），在塞上咏物一门中殊为别致。相比而言，纳兰另外一首《洛阳春·雪》便不完全是如此着笔：

  密洒征鞍无数。冥迷远树。乱山重叠杳难分，似五里、濛濛雾。　　惆怅琐窗深处。湿花轻絮。当时悠飏得人怜，也都是、浓香助。

  纳兰与禁体物诗词间接相涉，例证其一，是曹寅的《咏荷述事》（戏用白战体），出自《楝亭诗别集》卷一，纳兰与曹寅有过往还。其二，是高不骞的《金缕曲·和容若侍卫咏水仙花，禁用湘妃、汉女、洛神事》：“岁事将残了。在长安、沉吟那复，一枝花袅。曲槛重帏幽香散，偏有亭亭碧草。问甚日、欧盆携到。素晕黄围凌波影，似银桦、配入金卮小。罗袖捧，鹅儿倒。　　昔游频倚山塘棹。记家家、齐翻旧根，曝乾秋杪。细擘花砖匀排后，贪看青芽苗早。自路遥、南园晴沼。谁分风霜尘土外，见重抽、冻萼迎人笑。须信是，更娟妙。”和韵对象也许是纳兰的《谒金门》（风丝袅），也有可能是《点绛唇》（一种蛾眉）、《天仙子》（月落城乌啼未了）。不骞少时亲炙朱彝尊，而朱彝尊与纳兰颇有词学交往。朱氏曾在纳兰致张纯修手简跋语中说，"容若好填小词，有作必先见寄"(《饮水词笺校·附录》),集中也有《台城路·夏日同对岩、苏友、西溟、其年舟次见阳,饮容若渌水亭》、《临江仙·和成容若见寄秋夜词》(朱氏跋语所附该阕题作"和容若秋夜词,在通潞作")。此前,明清之际的女词人朱中楣曾作过一首《千秋岁·春雪》:"琼花飘砌。点额新妆媚。微雨间,轻风起。同云迷雁杳,绣阁添香沸。囊罄也,惟余薄酿还堪醉。　幸识贫滋味。衙舍清如水。冰已泮,寒应已。心随残梦远,意搅繁英碎。春又也,人归不似春归易。"只第一句紧扣题面,随即空际转身,放开笔墨,多方烘托,"似从欧阳修、苏轼以禁体写雪获取资源,能够宕出远神"(张宏生《经典确立与创作建构——明清女词人与李清照》),略可与纳兰此阕相参。

其实,词史上最早明确标示"禁体"的作品,远在明初就已出现,如杨基的《水调歌头》(风色夜来紧),其序云:"咏雪禁体。尝爱欧阳及苏公禁体雪诗,而自古雪词无禁体者。十月晦,余归龙江,风雪连日,因赋《水调歌头》一曲,仍不用盐、梅、玉、洁、皓、白、飞、舞字。"顺康年间,曹溶(有《声声慢·七夕,峨雪、敬可过,用禁体》)、朱彝尊(有《金缕曲·水仙花,禁用湘妃、汉女、洛神事》四首)将禁体范围从咏雪拓展至七夕、水仙花,引起雍乾时期陈沆、查学、吴烺、张宗橚等人的响应。嘉道以降,张景祁(有《暗香·梅魂。按石帚旁谱协四声,禁用招、返、销、断等字》和《疏影·菊影。禁用水、月、灯、镜等语》)等将其进一步扩展至吟咏梅魂、菊影,梁鼎芬也有一首《点绛唇·同香雪赋。词赠梅花,禁用雪、月、香、影等字》。明清禁体物词的形成与发展,是对唐宋以还禁体诗法的回应,也可能是基于周邦彦、姜夔的部分咏物词对它的先导。词中白战体,咏物而竭力追求挑战传统体物手段,创造出了词体创作中一种崭新的表现手法,总体而言,也取得了"不用之用"的审美效果,可见一时词学趣尚。从禁体词史演进的角度看纳兰的这首词，不仅有益于领会其词在创作思路和艺术表现上的求新求变，或许也对确定它到底作于何年另有帮助。

文学史上，有相当一部分作家的作品，都会不由自主地写出富贵气。比较有代表性的，一是白居易的《宴散》："小宴追凉散，平桥步月回。笙歌归院落，灯火下楼台。残暑蝉催尽，新秋雁带来。将何迎睡兴，临卧举残杯。"二是晏幾道的《鹧鸪天》："彩袖殷勤捧玉钟。当年拼却醉颜红。舞低杨柳楼心月，歌尽桃花扇底风。从别后，忆相逢。几回魂梦与君同。今宵剩把银釭照，犹恐相逢是梦中。"《蓼园词选》认为："'舞低'二句，比白香山'笙歌归院落，灯火下楼台'更觉浓致。词愈浓，情愈深，今昔之感，更觉凄然。"黄苏据以对比的两篇作品，宋人早就已经注意到了，所谓"善言富贵"（胡仔《苕溪渔隐丛话》前集卷二十六）。不过，从意象上来看，晏词具体写唱歌、跳舞的环境，出语确是更加"浓致"；从表现手法上看，白诗是写公退生活，富贵闲暇而又心满意足，晏词是写别后追忆，魂牵梦绕但却充满惆怅。因此，尽管同样是写富贵，晏词的内涵无疑更为深厚。纳兰以一介贵胄公子，不言富贵，反言少人怜惜，西风万里，漂泊天涯，"不是人间富贵花"，悲戚郁结，借机宣泄。内涵是一样的深厚，但迥异于常情常轨，这是诵读纳兰词时另一个需要着力把握的地方。

采桑子

凉生露气湘弦[①]润，暗滴花梢。帘影谁摇。燕蹴风丝上柳条[②]。　　舞鹍[③]镜匣开频掩，檀粉[④]慵调。朝泪如潮。昨夜香衾觉梦遥。

[注释]

①湘弦：琴瑟之弦，代指琴瑟。《楚辞·远游》："使湘灵鼓瑟兮，令海若舞冯夷。"贺铸《雁后归》："湘弦弹未半，凄怨不堪听。"②"燕蹴"句：杜甫《城西陂泛舟》："鱼吹细浪摇歌扇，燕蹴飞花落舞筵。"秦观《满庭芳》："古台芳榭，飞燕蹴红英。"别本张炎《南浦》："溪燕蹴游丝，漾郯郯、鸭绿光动晴晓。"③舞鹍（kūn）：镜背镌刻的装饰。刘敬叔《异苑》："山鸡爱其毛羽，映水则舞。魏武时，南方献之，公子苍舒令置大镜其前，鸡鉴形而舞，不知止，遂乏死。"范泰《鸾鸟诗序》载类似故事，唯山鸡为鸾鸟，云鸾鸟"睹影悲鸣，哀响冲霄，一奋而绝"。公孙乘《月赋》："月出皎兮，君子之光。鹍鸡舞于兰渚，蟋蟀鸣于西堂。"李商隐《破镜》："秦台一照山鸡后，便是孤鸾罢舞时。"④檀粉：沈自南《艺林汇考》引《画谱》："七十二色有檀色，浅赭也，与妇人晕眉。"鹿虔扆《虞美人》："不堪相望病将成。钿昏檀粉泪纵横。不胜情。"

[评析]

这首《采桑子》，上片的凉润湘弦，露滴花梢，帘影摇摇，燕蹴游丝，写客观物象，动静相宜，句句写景，处处含情。下片的镜匣开掩，檀粉慵调，朝泪如涌，香衾梦遥，写慵倦情态，注重细节，情意幽独，令人神伤。

明末清初的闺情词作者中，男性的身影似乎正在渐渐淡去，女性的介入迅速填补了这一暂时被遗弃的话语真空。尽管她们仍免不了要按照男性所设定的传统进行吟哦，甚至于制造出来的成品，总体质量也未见得比男性虚拟式的代言体高，然而，那一份解脱了性别悖反后凸显出的细腻、真实、朴拙、稚嫩，终究散发着无可替代的关于生活的真美。从这种意义上讲，男子而作闺音，跟女子而作闺音相比，至少从理论上看，的确是"隔"了一层。虽然如此，一些高明的艺术家也可以写出同样的效果，而且还有不同的写法。此前，"花间鼻祖"温庭筠作过一首《菩萨蛮》，追叙昔日欢会情景："翠翘金缕双鸂鶒。水纹细起春池碧。池上海棠梨。雨晴红满枝。

绣衫遮笑靥。烟草粘飞蝶。青琐对芳菲。玉关音信稀。"上片以鲜亮的景物描写衬出人情欢欣,下片先虚写往日幽会,再实写今日孤寂,最后揭出本旨,在章法上,确如周济所云"字字有脉络"(《介存斋论词杂著》)。另外一首《菩萨蛮》稍有不同:"小山重叠金明灭。鬓云欲度香腮雪。懒起画娥眉。弄妆梳洗迟。　照花前后镜。花面交相映。新贴绣罗襦。双双金鹧鸪。"写梦醒时分情事,不是直白地表现情思,而是通过诉诸感官直觉,以密集、艳丽的意象、词藻,去描写动作、衣饰、器物,含蓄隐晦地暗示出一种空虚孤独之感。"学女儿腔"(启功《启功韵语·论词绝句》,载《启功丛稿·诗词卷》))的纳兰词,结构分明,情调相对疏朗,与温词之秾丽殊途而同归。

采桑子

谢家①庭院残更立,燕宿雕梁②。月度银墙。不辨花丛那辨香③。　此情已自成追忆④,零落鸳鸯。雨歇微凉。十一年前梦一场。

[注释]

①谢家:张泌《寄人》:"别梦依依到谢家,小廊回合曲栏斜。多情只有春庭月,犹为离人照落花。"②"燕宿"句:李中《燕》:"喧觉佳人昼梦,双双犹在雕梁。"③"不辨"句:元稹《杂忆五首》之三:"寒轻夜浅绕回廊,不辨花丛暗辨香。"④"此情"句:李商隐《锦瑟》:"此情可待成追忆,只是当时已惘然。"

[评析]

从首句"谢家庭院残更立"、过片二句"此情已自成追忆,零落鸳鸯"及结句"十一年前梦一场"等,并结合纳兰的情感经历来看，这首《采桑子》很可能是一首悼亡词。但如果换一个角度，对照顾贞观与之"咏事则一，句意又多相似"（张任政《纳兰性德年谱·丛录》）的同调词——"分明抹丽开时候，琴静东厢。天样红墙。只隔花枝不隔香。　　檀痕约枕双心字，睡损鸳鸯。孤负新凉。淡月疏棂梦一场"来读，则它也可能只是一首对往昔情爱的沉痛追忆之作，追怀对象不必仅限于卢氏。顾词上片"只隔"句，化用自王彦泓《无题》之一首二句："几层芳树几层楼，只隔欢娱不隔愁。"王诗有自注："诗本不工，存其深恨，聊当共泣，何忍长歌。"可以为理解顾词和纳兰词提供间接帮助。

一首词的成功创作，能否成功点化前人作品是比较重要的标志之一。作为后来者，点化在一定程度上意味着继承前代文学遗产的能力。被誉为"词人之甲乙"（陈振孙《直斋书录解题》卷二十一）的周邦彦，词作强烈追求词艺的规范，其中之一便是既能自铸伟辞，又善于融化前人诗句。周邦彦的化用，与一般人只是或全句嵌用，或句法不变而略改数字不同，不仅经常数句同时化用，更从意境上点化，创造出新的意境，从而将其发展为一种可资取法的语言技巧。如果考虑到黄庭坚之前已对有宋诗法按照自己的理解予以规范，因而跻身于唐宋规范诗学家行列的话（"规范诗学"的概念，假自张伯伟先生的《论唐代的规范诗学》，而所指与其有别），那么，周邦彦的规范词学，示人矩矱，表明自唐代以来，诗词二体从此都已相继进入规范时代。从"写什么"到"怎么写"的转变，蕴涵其中的是一种学术发展趋势。

纳兰词上片"不辨"句，元稹的《杂忆五首》可能是其化用对象，王彦泓《和孝仪看灯》中的一首也许更为直接："欲换明妆自忖量，莫教难认暗衣裳。忽然省得钟情句，不辨花丛却辨香。"关于王彦泓，朱彝尊曾指出："风怀之作……存者，玉溪生最擅场，韩东郎次之，由其缄情不露，用事艳逸，造语新柔，令读之者唤奈何,所以擅绝也。后之为艳体者,言之惟恐不尽,诗焉得工?故必琴瑟钟鼓之乐少,而寤寐反侧之情多,然后可以追韩轶李。金沙王次回,结撰深得唐人遗意。"(《静志居诗话》卷十九)将王彦泓视为李商隐、韩偓之后又一位优秀的香奁体作家,这或许应该是公论。比如《和孝仪看灯》中的另一首:"灯街试走断红鞯,新嫁桥南第几辰。夫婿欲扶伴不要,一回低媚一回嗔。"写尽少妇观灯情态和微妙心理,真切细腻,温馨活泼,与上举一首同样不乏动人之句,精彩成功。所以,朱彝尊总评其诗为"感心愕目,回肠荡气"。

王彦泓诗中的清词丽句,朱彝尊在诗话中还举出了不少。这是吸引后世作家关注并化用其秀句的关键因素。这首《采桑子》算是纳兰点化得比较成功的一首作品,尽管其化用手法相比于两宋诸贤而言,并不见得有什么新的创造。当然,客观地讲,失败的例子也是有的。比如同样是化用王彦泓《寒词》之一:"从来国色玉光寒,昼视常疑月下看。况复此宵兼雪月,白衣裳凭赤阑干。"纳兰另一首《采桑子》中尤其是首句对它的点化,有学者就认为基本上接近于化神奇为腐朽:

  白衣裳凭朱阑立,凉月趖西。点鬓霜微。岁晏知君归不归。 残更目断传书雁,尺素还稀。一味相思。准拟相看似旧时。

既无原作的清雅绮丽,似乎还造成了主题认知上的混乱,更遑论"化浊为雅"。

王彦泓也是词坛有名之辈,《今词初集》卷一就收有他的《满江红》(眼角眉端)、《念奴娇》(帘栊午寂)两首,说明编者顾贞观和纳兰还是比较了解并看重他的词,编成于康熙晚期的《御选历代诗余》卷五十六也收了这首《满江红》。总的来看,词如其诗然远逊于诗。王彦泓研究已经引起学界重视，如耿传友博士的《一个被文学史遗忘的重要作家——王次回及其诗歌研究》、邱江宁博士的《明清江南消费文化与文体演变研究》等，均可资参酌。

台城路　上元①

阑珊火树鱼龙舞②，望中宝钗楼③远。靺鞨余红，琉璃剩碧④，待嘱花归缓缓⑤。寒轻漏浅。正乍敛烟霏，陨星如箭。旧事惊心，一双莲影藕丝断。　　莫恨流年逝水，恨销残蝶粉，韶光忒贱⑥。细语吹香，暗尘笼鬓，都逐晓风零乱⑦。阑干敲遍⑧。问帘底纤纤⑨，甚时重见。不解相思，月华今夜满⑩。

[注释]

①上元：正月十五日夜（元夜、元宵、元夕）有观灯之俗。②"阑珊"句：阑珊，灯火将尽。火树，叠灯如树。鱼龙舞，舞鱼灯或龙灯。苏味道《观灯》："火树银花合，星桥铁锁开。"辛弃疾《青玉案》："东风夜放花千树。更吹落、星如雨。宝马雕车香满路。凤箫声动，玉壶光转，一夜鱼龙舞。　蛾儿雪柳黄金缕。笑语盈盈暗香去。众里寻他千百度。蓦然回首，那人却在，灯火阑珊处。"③宝钗楼：泛指京中楼阁。蒋捷《女冠子》："春风飞到，宝钗楼上，一片笙箫，琉璃光射。"④"靺鞨（mò hé）"二句：靺鞨、琉璃，宝石名。《旧唐书·肃宗纪》："上元二年壬子，楚州刺史崔侁献定国宝玉十三枚……七日红靺鞨，大如巨栗，赤如樱桃。"《汉书·西域传》注："孟康曰：'流离青色如玉。'"⑤花归缓缓：苏轼《陌上花》："遗民几度垂垂老，游女长歌缓缓归。"苏诗有引云："游九仙山，闻里中儿歌《陌上花》。父老言：吴越王妃每岁必归临安，王以书遗妃曰：陌上花开，可缓缓归矣。吴人用其语为歌。"⑥"恨销残"二句：周邦彦《满江红》："蝶粉蜂黄都褪了，枕痕一线红生肉。"汤显祖《牡丹亭·惊梦》："雨丝风片，烟波画船，锦屏人忒看的这韶光贱。"⑦"都逐"句：卢炳《冉冉云》："挤对花、满把流霞频劝，怕逐东风

零乱。"顾贞观《望梅》："怕佩声钗影,俱逐晓风零乱。"⑧阑干敲遍:晁冲之《感皇恩》："绮窗犹在,敲遍阑干谁应。断肠明月下,梅摇影。"⑨纤纤:辛弃疾《念奴娇》："闻道绮陌东头,行人曾见,帘底纤纤月。"⑩"月华"句:周邦彦《水调歌头》："今夕月华满,银汉泻秋寒。"

[评析]

  元夕之作,写得精彩绝伦的,当属上引辛弃疾的《青玉案》。王国维甚至以非凡的眼光,从中读出了人生境界:"古今之成大事业、大学问者,必经过三种之境界:'昨夜西风凋碧树。独上高楼,望尽天涯路',此第一境也。'衣带渐宽终不悔,为伊消得人憔悴',此第二境也。'众里寻她千百度,回头蓦见,那人正在灯火阑珊处',此第三境也。此等语皆非大词人不能道。"(《人间词话》)从征引诸作本身来讲,王国维的"以意逆志"颇具启发性。不过,他也承认:"然遽以此意解释诸词,恐为晏、欧诸公所不许也。"

  生为后代词人,其实有幸与不幸两面。最为不幸的,倒不是再后来的后来者不断地对词作本意剥蕉抽笋般的解剖与辨诘,而是经典作品及其审美定势横亘于前,难乎双重凌跨。纳兰的这首《台城路》比较显著地继承了辛词的思路,写灯事阑珊,心底涌起的另一番情味反而愈加缱绻,挥之难去。不完全相同的是,婉曲幽怨之意而出以直致畅快语,同样是借景语铺叙、抒怀,但不像辛词那样景、情几乎绝然上下两分,又能交融至于浑然无迹,而是忍不住早早地将景中之人与景外之情袒露出来(此殆李慈铭《越缦堂日记》所谓"每露底蕴"耶?),虽然也以含蓄语绾结全篇,但留给读者发挥想象的空间已经十分有限。这也许跟小令、长调在写法上本来就有区别有关。小令比较容易把构思上的细腻精微处写出来,凝练含蓄,而以小令之法为长调,总体感觉就难免不那么大气(亦朱庸斋先生《分春馆词话》卷三所谓"气格薄弱"之意)。如此前张先的一首《谢池春慢》:"缭墙重院,时闻有、啼莺到。绣被掩余寒,画阁明新晓。朱槛连空阔,飞絮知多少。径莎平,池水渺。日长风静,花影闲相照。　　尘香拂马,逢谢女、城南道。秀艳过施粉,多媚生轻笑。斗色鲜衣薄,碾玉双蝉小。欢难偶,春过了。琵琶流怨,都入相思调。"这类慢词长调被周济评为"无大起落"(《介存斋论词杂著》),也说明了培养驾驭长调的综合能力的重要性。当然,张先的词所展现的是长调技法稚嫩时期的常态,并非有意为之。

姜夔也有吟咏节序之作,如分咏丁巳元日、正月十一日观灯及元夕不出的三阕《鹧鸪天》:"柏绿椒红事事新。隔篱灯影贺年人。三茅钟动西窗晓,诗鬓无端又一春。　　慵对客,缓开门。梅花闲伴老来身。娇儿学作人间字,郁垒神荼写未真。""巷陌风光纵赏时。笼纱未出马先嘶。白头居士无呵殿,只有乘肩小女随。　　花满市,月侵衣。少年情事老来悲。沙河塘上春寒浅,看了游人缓缓归。""忆昨天街预赏时。柳悭梅小未教知。而今正是欢游夕,却怕春寒自掩扉。　　帘寂寂,月低低。旧情惟有绛都词。芙蓉影暗三更后,卧听邻娃笑语归。"这些词体现出的是又一种写法,景实情真,别有一缕缕动人之处。纳兰离合于辛、姜两种风格之间,虽才有偏至,力有未逮,但努力创造,是其转益多师的一种表现。

台城路　塞外七夕

白狼河[①]北秋偏早,星桥又迎河鼓[②]。清漏频移,微云欲湿,正是金风玉露[③]。两眉愁聚[④]。待归踏榆花,那时才诉[⑤]。只恐重逢,明明相视更无语。　　人间别离无数,向瓜果筵[⑥]前,碧天凝伫。连理[⑦]千花,相思一叶[⑧],毕竟随风何处。羁栖良苦。算未抵空房,冷香[⑨]啼曙。今夜天孙[⑩],笑人愁似许。

[注释]

①白狼河:《清史稿·地理志》:(直隶朝阳府)"建昌,东有布祐图山,汉白狼山,白狼水出焉,今曰大凌河。"②"星桥"句:星桥,鹊桥。李商隐《七夕》:"鸾扇斜分凤幄开,星桥横过鹊飞回。"李清照《行香子》:"星桥鹊驾,经年才见,想离情、别恨难穷。"河鼓,何鼓,古谓之黄姑。《史记·天官书》张守节《正义》:"河鼓三星,在牵牛北,自昔传牵牛织女七月七日相见,此星也。"③金风玉露:李商隐《辛未七夕》:"由来碧落银河畔,可要金风玉露时。清漏渐移相望久,微云未接过来迟。"④两眉愁聚:柳永《甘草子》:"中酒残妆慵整顿。聚两眉离恨。"⑤"待归"二句:曹唐《织女怀牵牛》:"欲将心就仙郎说,借问榆花早晚秋。"⑥瓜果筵:《荆楚岁时记》:"七月七日为牵牛织女集会之夜。是夕,人家妇女结彩缕,穿七孔针,或金银鍮石为针,陈几筵酒脯瓜果于庭中以乞巧。有蟢子网于瓜上,则以为符应。"⑦连理:白居易《长恨歌》:"七月七日长生殿,夜半无人私语时。在天愿作比翼鸟,在地愿为连理枝。"⑧相思一叶:刘斧《青琐高议》:"唐僖宗时,于祐于御沟中拾一叶,上有诗。祐亦题诗于叶,置沟上流,宫人韩夫人拾之。后遣帝放宫女,韩氏嫁祐成礼,各于箧中取红叶相示曰:可谢媒矣。"他书所记,与此略有不同。⑨冷香:代指女子。侯方域《梅宣城诗序》:"'昔年别君秦淮楼,冷香摇落桂华秋。'冷香者,余栖金陵所狭斜游者也。"⑩天孙:《史记·天官书》司马贞《索隐》:"织女,天孙也。"

[评析]

传统题材,之所以成为题材书写上的传统,是因为这一领域往往能够极大限度地展示文人的创造力。以七夕词为例,秦观的《鹊桥仙》:"纤云弄巧,飞星传恨,银汉迢迢暗度。金风玉露一相逢,便胜却、人间无数。　柔情似水,佳期如梦,忍顾鹊桥归路。两情若是久长时,又岂在、朝朝暮暮。"咏牛郎织女而作翻案文章,一反《古诗十九首》"迢迢牵牛星"中之悲切,表现对感情质量的追求,将之升华到崇高的精神境界,从而提升了词品。衍至后代,一些有才华的女性词人也秉承了这种创造精神。如杨琇的《西江月》:"镜里双蛾时蹙,枕边香泪长抛。邻姬事事爱吹箫。不管旁人潦倒。　露下野莲有子,风凉秋燕离巢。银河千丈也填桥。天上原来忒巧。"将喜鹊之同情、牛女之深情都带过不提,却以妒忌的语气,突出"千丈"及"巧"字,看似纯粹站在旁观者的角度,实则暗示自己与情人相距并不远,却难得一见。意似不忠厚,正是感伤身世的"过激之辞"(张宏生《清代词学的建构》)。其他如邓瑜的《鹊桥仙·七夕词索和璞斋》(凉风瑟瑟)、张玉珍的《鹊桥仙·七夕》(香消碧篆)和黄婉璩的《七娘子·七夕》(闲庭永夜金风细),也都转换不同的角度来写,自出机杼,争奇斗艳,继响少游。至于男性作家,就纳兰而言,这首《台城路》下片后五句的构思,就与同时代的董元恺《浪淘沙·七夕》(新月一弓弯)下片很相近:"莫为见时难。锦泪潸潸。有人犹自独凭栏。若果一年真一度,还胜人间。"都体现出了一定的创造性。

将七夕与边塞题材结合起来,意味着作家在分别汲取前代相关领域文学遗产的同时,在新的机遇面前也将面临新的挑战,他们的努力,决定着这一新的题材类型能够在多大程度上成为一种新的"传统"。纳兰的这首词,从所思念的闺中人一面来写,不仅写"只恐重逢,明明相视更无语",而且具体点出"算未抵空房,冷香啼曙",从而显出了自己的特色,也成为谭献所评"逼真北宋慢词"(《箧中词》今集卷一)之一端。纳兰"是有意识地在这个方面用力"(张宏生《论清初边塞词》),所以总能变换出不同的花样。又如《一络索》:

过尽遥山如画。短衣匹马。萧萧木落不胜秋,莫回首、斜阳下。　别是柔肠萦挂。待归才罢。却愁拥髻向灯前,说不尽、离人话。

预设相逢情形，显系从李商隐《夜雨寄北》而来。不过，纳兰也有自己的独特角度。如果只是"拥髻向灯前，说不尽、离人话"，那么还没有跳出李商隐的藩篱，可是，纳兰以"却愁"二字，写出现在想象中已是难以为怀，真的相见，实在不知该如何应对那悲喜交集的场面，这样就显得比李商隐的写法还要深曲了。

玉连环影

何处。几叶萧萧雨。湿尽檐花，花底人无语。掩屏山。玉炉寒①。谁见两眉愁聚倚阑干②。

[注释]

①玉炉：熏炉的美称。孙光宪《生查子》："玉炉寒，香烬灭。还似君恩歇。"②"谁见"句：萧纲《赋乐名得筌篌》："欲知心不平，君看黛眉聚。"

[评析]

纳兰还写了一首《玉连环影》：

才睡。愁压衾花碎。细数更筹，眼看银虫坠。梦难凭。讯难真。只是赚伊终日两眉颦。

跟这首一样，都是寻常闺怨之什。谢章铤指出："容若颇多自度曲，《玉连环影》（三十一字）、《落花时》（五十二字）、《添字采桑子》（五十字，与《促拍采桑子》字同句异）、《秋水》（一百一字）、《青衫湿遍》（一百二十二字，一曰《青衫湿》）、《湘灵鼓瑟》（一百三十二字，一曰《剪字梧桐》）是也。若《踏莎美人》（六十二字）、《剪湘云》（八十八字），则梁汾所度，取而填者。"（《赌棋山庄词话》卷七）这里面涉及了一个比较大的问题，即清初自度曲。

清初词人虽然对明词中的自度曲甚不以为然，如《词律》、《钦定词谱》即对之概不收录，但他们自己对于自度曲的热衷程度却远远超过明人。据闵丰《清初清词选本考论》统计，有清一代曾自度新腔的词人约有130人，其中清初超过70人。其所自度之曲，出于完全的原创者较少，取不同词调句法组合而成者，即所谓犯曲（犹南北曲中集曲）者较多。后期"吴派"词人朱和羲甚至辑编过一部清人自度曲的专题选本《新声谱》，徐乃昌汇刻《怀豳杂俎》十二种，将之收入，反映出这种探索已经引起后来者相当程度的关注。有志于斯道者，可循此进一步扩大搜索范围，深入研究。

　　自度，其实是一个古老的话题，两宋精通音律的词人如柳永、周邦彦、姜夔等都勇于创调，长于自度。需要特别提出的是姜夔，他的17首注明了工尺旁谱的词中有12首属于自度曲。（遗憾的是，旁谱里都没有板眼符号，所以无法完全恢复宋时歌唱真相。）而且，姜夔的有些自度曲，与传统的因声制词不同，是先词后曲："予颇喜自制曲，初率意为长短句，然后协以律，故前后阕多不同。"（《长亭怨慢》词序）先作词，固然可以少受固定格律的限制，舒卷自如地抒发情感，比拘谱盲填相对自由一些，但并不意味着下笔之时就一定毫无遵循格律之意。按照一定的规则组合字句，充分发挥其内在的音乐性，暗含的其实也是一种格律意识。当然，因词制曲，音乐节奏往往更能与情感律动协调配合，所以，姜夔的自度曲大都音节谐婉。而后代的"自度"曲，大抵曲之不存，不得不流为文字上的模拟与变化，就显然不可与此同日而语。纳兰的自度曲，也当作如是观。

谒金门

　　风丝①袅。水浸碧天清晓②。一镜湿云青未了③。雨晴春草草④。　　梦里轻螺⑤谁扫。帘外落花红小⑥。独睡起来情悄悄⑦。寄愁⑧何处好。

[注释]

①风丝：柳丝随风飘拂。萧纲《三月三日率尔成诗》："绮花非一种，风丝乱百条。"②"水浸"句：张昪《离亭燕》："水浸碧天何处断，翠色冷光相射。"③青未了：杜甫《望岳》："岱宗夫如何，齐鲁青未了。"④草草：匆促。晁补之《金凤钩》："春辞我，向何处。怪草草、夜来风雨。"⑤轻螺：淡眉。李煜《长相思》："淡淡衫儿薄薄罗。轻颦双黛螺。"⑥红小：齐己《春日感怀》："落苔红小樱桃熟，侵井青纤燕麦长。"⑦悄悄：忧愁貌。《诗·邶风·柏舟》："忧心悄悄，愠于群小。"⑧寄愁：李白《闻王昌龄左迁龙标遥有此寄》："我寄愁心与明月，随风直到夜郎西。"

[评析]

这首《谒金门》，用的是反衬手法。上片写景，雨霁清晓，天青水碧，柔风习习，柳丝飘拂，尽情描摹大好风光，在不动声色中嵌入"春草草"三字，绾结上文，领起下文，所谓良辰美景奈何天。下片借景言情，脉脉温情，原是梦中厮守的回想；愁绪难解，醒来却见帘外的落花。全篇在较为强烈的情景反差中，表现哀怨离怀，尽显纳兰一派雅人深致。

诗歌创作中，很早就有这种贯穿着艺术辩证法的表现方式。《诗·小雅·采薇》即云："昔我往矣，杨柳依依。今我来思，雨雪霏霏。"是说依依杨柳，惹人沉醉，却是黯然别离之时；霏霏雨雪，寒意袭人，竟是征人还乡之际。后来，这种写法慢慢成为一种传统，也被词人们很好地继承下来了。如李煜的《采桑子》："亭前春逐红英尽，舞态徘徊。细雨霏微。不放双眉时暂开。　　绿窗冷静芳音断，香印成灰。可奈情怀。欲睡朦胧入梦来。"末二句写万般无奈，蒙眬入睡，却见伊人入梦来。对此，王夫之在《姜斋诗话》中作了理论性的总结和提升："以乐景写哀，以哀景写乐，一倍增其哀乐。"

王夫之在诗话中接着说:"知此,则'影静千官里,心苏七校前',与'唯有终南山色在,晴明依旧满长安',情之深浅宏隘见矣。况孟郊之乍笑而心迷,乍啼而魂丧者乎?"意思是,相比而言,反衬手法往往比陪衬手法更为有力。他举出的几个例子,首例出自杜甫《喜达行在所三首》之三:"死去凭谁报,归来始自怜。犹瞻太白雪,喜遇武功天。影静千官里,心苏七校前。今朝汉社稷,新数中兴年。"杜甫当时终于从沦陷的长安逃到凤翔,惊魂稍定,所以心情是愉快的。次例出自李拯《退朝望终南山》:"紫宸朝罢缀鸳鸾,丹凤楼前驻马看。惟有终南山色在,晴明依旧满长安。"山色美丽,长安晴明,也都是好的。孟郊的例子,"乍笑"、"心迷"都是喜,"乍啼"、"魂丧"都是悲。这些,都是以乐景写乐,或者以哀景写哀,是陪衬,而不是反衬,所以,审美效果要打一些折扣。诗作中的"反"例,有助于从正面理解包括纳兰词在内的一些作品的妙处。

可以讨论的还不只这一点。摘句评赏固然是极富民族特色的古代文学批评方法之一,但如果从《采薇》整篇着眼,看法可能就会稍微有一些变化。原文在"杨柳"、"雨雪"之后,是这样结束全篇的:"行道迟迟,载饥载渴。我心伤悲,莫知我哀。"漫漫征程,饥寒交迫,哀感深沉,主旨分明。当然,这跟前面讨论的不是一个层面的问题。只是,从中多少也能够明了,或者说终归需要明了,摘句所取之"义"既然是来自于"断章",是攻其一点的结果,有时就难免对其他的一些东西造成遮蔽。另外,同样是在《姜斋诗话》中,王夫之对杜诗"影静"二句,还从以乐景写乐以外的角度发表过意见:"得主矣,尚有痕迹。"说的是作品中的主宾关系问题,正面的是主,反面的是宾。周振甫先生在《诗词例话》中说,类似的看法也有一定的道理,但不能流于绝对化。可以理解为要尽量避免过度阐释,以及阐释中的神秘化倾向。纳兰词也应作如是观。

点绛唇　黄花城^①早望

五夜^②光寒，照来积雪^③平于栈。西风何限。自起披衣看。对此茫茫^④，不觉成长叹。何时旦^⑤。晓星欲散。飞起平沙雁^⑥。

[注释]

①黄花城：今北京怀柔北长城内侧。②五夜：五更。陆倕《新刻漏铭》："六日无辨，五夜不分。"李善注《文选》引卫宏《汉旧仪》："五夜者，甲夜、乙夜、丙夜、丁夜、戊夜也。"③积雪：祖咏《望蓟门》："燕台一去客心惊，笳鼓喧喧汉将营。万里寒光生积雪，三边曙色动危旌。"④对此茫茫：《世说新语·言语》："卫洗马初欲渡江，形神惨悴，语左右云：'见此茫茫，不觉百端交集。苟未免有情，亦复谁能遣此！'"⑤何时旦：《史记·邹阳列传》裴骃《集解》引宁戚《饭牛歌》："从昏饭牛薄夜半，长夜曼曼何时旦。"贺铸《秋风叹》："白云联度河汉。长宵半。参旗烂烂。何时旦。"⑥"飞起"句：柳永《迷神引》："孤城暮角，引胡笳怨。水茫茫，平沙雁、旋惊散。"

[评析]

这首《点绛唇》勾绘作者"黄花城早望"的情景，诸如积雪平栈、西风浩荡、晓星欲散、平沙飞雁等，线条简洁，景象清奇，借以抒发苍凉意绪与茫茫浩叹。全篇韵致盎然，情味十足，让我们不由自主地联想到前代著名诗篇。

阮籍曾经写过82首《咏怀》，其中第一首是："夜中不能寐，起坐弹鸣琴。薄帷鉴明月，清风吹我襟。孤鸿号外野，翔鸟鸣北林。徘徊将何见，忧思独伤心。"和纳兰词一样，都是在景观的描绘中充分包蕴内心的情绪，也就是将无形无尽的感喟化入直观清凛的意象群,"言在耳目之内,情寄八荒之表",情境清落,耐人寻味。不过,人与世的绝然迥殊,特别是正始时期无往而不在的政治高压,直接导致阮籍诗中情感的复杂程度远较纳兰词为甚,愤懑、悲凉、落寞与忧虑混融交织,忧伤嗟叹,言近旨远。再有,就是陈子昂的《登幽州台歌》:"前不见古人,后不见来者。念天地之悠悠,独怆然而涕下。"这首感奋之作,大气磅礴,慷慨深沉如云海舒卷,被认为"尽削浮靡,一振古雅"(胡应麟《诗薮·内篇》卷二评陈子昂《感遇》语),也远为纳兰词所不及。其实,纳兰词的好处主要也在于"令人慷慨生哀"(唐圭璋《纳兰容若评传》),这也是它与上述篇章能够历时性地联系起来考察的基点,尽管一结"飞起平沙雁",又似乎在不经意间稍稍消解了这种情感基调。

浣溪沙

消息谁传到拒霜①。两行斜雁碧天长。晚秋风景倍凄凉。银蒜押帘人寂寂,玉钗敲竹信茫茫②。黄花开也近重阳。

[注释]

①拒霜:李时珍《本草纲目·木三》:"木芙蓉八月始开,故名拒霜。"洪咨夔《赠石室朱修行两绝》其一:"响泉一派落天风,人在浮云柳絮中。亭午柴关犹未启,碧玲珑底拒霜红。"②"银蒜"二句:银蒜,银质蒜形帘押。苏轼《哨遍》:"睡起画堂,银蒜押帘,珠幕云垂地。"高适《听张立本女吟》:"自把玉钗敲砌竹,清歌一曲月如霜。"孙光宪《浣溪沙》:"春梦未成愁寂寂,佳期难会信茫茫。"

[评析]

这是一首情词。重阳来临,菊花已开,但是信茫人寂,所以,秋水长天,雁阵惊寒,倍觉风景凄凉。一曲歌罢,一种异常强烈而深挚的怀想之情透过纸背,扑面而来。严迪昌先生以为乃悼亡之作,可备一说。吴世昌先生则认为:"此必有相知名'菊'者为此词所属意,惜其本事已不可考。"(《词林新话》卷五)所言过于坐实,并不可取。

不过,吴先生所言通过考知本事进而帮助解读词作,倒也一直是一个基本的诠释思路,不能因此而轻言放弃。当一些歌词广为传唱之后,为了配合并帮助读者了解作品背景,加深对作品内容的理解,以不同层次读者的需求为基础,词作本事便应运而生。草创时期的宋人词话著作如杨绘的《时贤本事曲子集》等,便严肃认真地辑录了一定数量的词作本事(尽管多为风流韵事),本意也许只是希望作为谈资之用,但客观上却也与这些本事一道,是可以作为词在传播与接受过程中不可忽视的一个环节而存在的。当这些本事在作为故事再次流布时,它们又能够带动受众对原词作的选择、理解与判断,进而强化对词人的认识,形成关于词人及其作品的特点的比较固定的看法,从一个方面为后世研究者判定词人词史贡献和地位提供依据。从理论上讲,词体文学本事研究可以借鉴唐诗本事研究的思路,从本事的渊源流别、体制类型、漫衍分化、故事生成、故事类型、文本构成、对词创作的影响,以及本事的解评方式,本事词评的思维方式,本事中的文学习尚和词学观念等方面展开。(参余才林《唐诗本事研究》及李剑亮《宋词诠释学论稿》)人的一生会有很多遗憾,读其词,思其人,纳兰尤其堪称一个享年不永但却可能颇有故事的人,所以,他的情词不但多而且质量一般都比较高。至于其中有些词本事考无可考,也就未必一定要去刨根问底了。

浣溪沙

睡起惺忪强自支。绿倾蝉鬓①下帘时。夜来愁损小腰肢。

远信不归空伫望,幽期细数却参差②。更兼何事耐寻思。

[注释]

①绿倾蝉鬓:崔豹《古今注·杂注》:"魏文帝宫人绝所宠者,有莫琼树、薛夜来、田尚衣、段巧笑四人,日夕在侧。琼树乃制蝉鬓,缥眇如蝉翼,故曰蝉鬓。"苏轼《浣溪沙》:"未应春阁梦多情。朝来何事绿鬟倾。"②"幽期"句:李商隐《樱桃花下》:"他日未开今日谢,嘉辰长短是参差。"赵令畤《蝶恋花》:"屈指幽期惟恐误。恰到春宵,明月当三五。"

[评析]

这首《浣溪沙》写闺中伤离苦况,远信不归,睡起强支,蝉鬓绿倾,衣带渐宽,念想伫望,细数归期。其中尤以在"幽期细数却参差"的细节描写中抒情为传神,也颇为令人神伤。

细节的价值,主要在于既有利于艺术性地揭明作品主旨,又能与作品的其他部分有机地融合在一起。这样的例子不胜枚举。如陶渊明《归园田居》其一:"少无适俗韵,性本爱丘山。误落尘网中,一去三十年。羁鸟恋旧林,池鱼思故渊。开荒南野际,守拙归园田。方宅十余亩,草屋八九间。榆柳荫后檐,桃李罗堂前。暧暧远人村,依依墟里烟。狗吠深巷中,鸡鸣桑树颠。户庭无尘杂,虚室有余闲。久在樊笼里,复得返自然。"以"狗吠"二句的典型细节描绘出乡村生活的恬静闲适。金昌绪《春怨》:"打起黄莺儿,莫教枝上啼。啼时惊妾梦,不得到辽西。"以"打起"句的细节深刻揭示出了一种哀怨的情绪。贺知章《回乡偶书》:"少小离家老大回,乡音无改鬓毛衰。儿童相见不相识,笑问客从何处来。"以"儿童"二句的细节表达出百感交集的心情。金、贺之作,脱口一气呵成,纯是天籁。杜甫《北征》,以"天吴及紫凤,颠倒在短褐"的细节表现其家庭生活的艰难。李端《听筝》:"鸣筝金粟柱,素手玉房前。欲得周郎顾,时时误拂弦。"以"时时"句的细节传达微妙的心理动态。俞陛云先生所云可参:"梅瓣偶飞,点额效寿阳之饰;

柳腰争细，息肌服楚女之丸。希宠取怜，大率类此。不独因病致妍以贡媚也。"(《诗境浅说》)白居易《邯郸冬至夜思家》："邯郸驿里逢冬至，抱膝灯前影伴身。想得家中夜深坐，还应说着远行人。"以"抱膝"句的细节反映游子思家之情。刘禹锡《和乐天春词》："新妆宜面下朱楼，深锁春光一院愁。行到中庭数花朵，蜻蜓飞上玉搔头。"以"蜻蜓"句的细节描摹出伊人沉浸在痛苦中的情态。元稹《行宫》："寥落古行宫，宫花寂寞红。白头宫女在，闲坐说玄宗。"在看似轻轻带过的细节描写——"闲坐说玄宗"中，蕴涵无穷慨叹。张籍《秋思》："洛阳城里见秋风，欲作家书意万重。复恐匆匆说不尽，行人临发又开封。"以"行人"句的细节表达出思念亲人的复杂感情。张祜《咏内人》："禁门宫树月痕过，媚眼惟看宿燕窠。斜拔玉钗灯影畔，剔开红焰救飞蛾。"以"剔开"句的细节写尽宫女的哀怨。杜牧《过华清宫》："长安回望绣成堆，山顶千门次第开。一骑红尘妃子笑，无人知是荔枝来。"以"一骑"句的细节为全诗主题画龙点睛，有褒姒烽火一笑倾周之慨。辛弃疾《清平乐》："茅檐低小。溪上青青草。醉里吴音相媚好。白发谁家翁媪。

大儿锄豆溪东。中儿正织鸡笼。最喜小儿亡赖，溪头卧剥莲蓬。"结以"溪头卧剥莲蓬"的细节描写，更增添了浓郁的农家生活气息。纳兰置身于这样的书写传统中，努力创造，也取得了应有的成绩。

浣溪沙　西郊冯氏园看海棠，因忆《香严词》有感[①]

谁道飘零不可怜。旧游时节好花天。断肠人去自今年。一片晕红才著雨[②]，几丝柔绿乍和烟[③]。倩魂销尽夕阳前。

[注释]

①词题：西郊冯氏园，明万历大太监冯宝园林，在北京阜成门外。龚鼎孳（1615～1673），字孝升，号芝麓，安徽合肥人。崇祯七年（1634）进士。入清，官至礼部尚书。康熙十二年（1673）再任会试主考时，纳兰出其门下。谥端毅，乾隆三十四年（1769）诏削其谥。与吴伟业、钱谦益并称"江左三大家"。著有《定山堂集》、《香严词》等。②"一片"句：《妆台记》："美人妆面，既傅粉，复以胭脂调匀掌中，施之两颊，浓者为酒晕妆，浅者为桃花妆。"宋代无名氏失调名词句："海棠著雨透胭脂。"③"几丝"句：郑谷《小桃》："和烟和雨遮敷水，映竹映村连灞桥。"

[评析]

这首《浣溪沙》，徐釚在《词苑丛谈》卷五中称其见于《侧帽词》，若此，则必作于康熙十五年（1676）之前。徐釚又称此词"盖忆《香严词》有感作也"，并指出，王鸿绪对它评价不低："柔情一缕，能令九转肠回，虽山抹微云君不能道也。"纳兰的词能否在某些方面胜出淮海词一筹，可以再行讨论。不过，此篇写得极其迷离惝恍，婉媚空灵，令人荡气回肠，惆怅莫名，与汪刻本所缀副题适相契合，也的确是事实。又上片第三句中"今年"，汪刻本作"经年"。

龚鼎孳是清初京师词坛的领袖人物，开始作词从云间派入，善写小令。今集中存西郊海棠词五首，胪列如次。《菩萨蛮·上巳前一日西郊冯氏园看海棠》："春花春月年年客。怜春又怕春离别。只为晓风愁。催花扑玉钩。　娟娟双蛱蝶。宛转飞花侧。花底一声歌。疼花花奈何。"《菩萨蛮·同韶九西郊冯氏园看海棠》二首："年年岁岁花间坐。今来却向花间卧。卧倚璧人肩。人花并可怜。　轻阴风日好。蕊吐红珠小。醉插帽檐斜。更怜人胜花。""锦香阵阵催春急。旧花又是新相识。纨扇一声歌。流莺争不多。　紫丝围步𡲆。小立朱楼侧。帘外斗腰身。垂杨软学人。"《罗敷媚·朱右君司马招集西郊冯氏园看海棠》："今年又向花间醉，薄病探春。火齐才匀。恰是盈盈十五身。　　春苔过雨风帘定,天判芳辰。莺燕休嗔。白首看花更几人。"《菩萨蛮·西郊海棠已放,风复大作,对花怅然》:"爱花岁岁看花早。今年花较年时老。生怕近帘钩。红颜人白头。　　那禁风似箭。更打残花片。莫使踏花归。留他缓缓飞。"彭孙遹《金粟词话》论龚词有"芊绵温丽"之语,正可移评以上诸篇。不过,将龚氏与纳兰之作联系起来稍加推究,还是能够发现两者的细微差别,那就是,纳兰词以花拟人,倾诉思念的意向要更为明显。纳兰还写过一首《锦堂春·秋海棠》:

　　帘际一痕轻绿,墙阴几簇低花。夜来微雨西风软,无力任欹斜。　　仿佛个人睡起,晕红不著铅华。天寒翠袖添凄楚,愁近欲栖鸦。

大致上也是如此构思立意。

浣溪沙　咏五更,和湘真①韵

微晕娇花湿欲流。簟纹灯影一生愁。梦回疑在远山楼②。残月暗窥金屈戌③,软风徐荡玉帘钩。待听邻女唤梳头。

[注释]

①湘真:陈子龙(1608~1647),字卧子,号大樽,松江华亭人。崇祯十年(1637)进士。后欲结义兵抗清,事泄被获,乘间投水死。乾隆间,追谥忠裕。著有《陈忠裕全集》,附诗余一卷。词原有《湘真阁存稿》、《江蓠槛》两种,早经散佚,今所传为王昶辑本。②远山楼:借指女子居处。汤显祖《紫钗记·泣玉》:"则他远山楼上费精神,旧模样直恁翠眉颦。"王彦泓《梦游》:"绣被鄂君仍眺赏,篷窗新署远山楼。"③金屈戌:见后《浣溪沙》

(万里阴山万里沙)。

[评析]

这首《浣溪沙》借写闺中拂晓情景,如簟纹灯影愁,娇晕湿欲流,残月窥屈戍,软风荡帘钩,梦回远山楼,邻女唤梳头,景象朦胧,情态娇慵,以发抒无奈心绪。"簟纹灯影一生愁",是说为了爱,梦一生,愁一生,堪称纳兰情感世界的缩影。《浣溪沙》这个词调跟《玉楼春》一样,都能比较典型、直观地展示出词之形体由齐言句演变至长短句所遗留的痕迹,因为全篇无一不是整齐的七言句式,所以尤其是过片二句,容易写出工整的对句来,类似于七律中的颔联或颈联,如此词中的"残月暗窥"二句。

纳兰所和之作是陈子龙《幽兰草》中的《浣溪沙·五更》:"半枕轻寒泪暗流。愁时如梦梦时愁。角声初到小红楼。　风动残灯摇绣幕,花笼微月淡帘钩。陡然旧恨上心头。"陈子龙是"开三百年来词学中兴之盛"(龙榆生《近三百年名家词选》陈氏小传)的重要词史人物。以他为代表的云间词派,是明清之交特定的社会环境和词学背景中涌现出的文学流派,在词学上以复古为革新,具体而言,是指他们有鉴于明词创作中"时复近曲"的现象,追本穷源,梳理词史,推奖五代、北宋,贬抑南宋,正如陈氏《幽兰草·题词》所云:"晚唐语多俊巧而意鲜深至,比之于诗,犹齐梁对偶之开律也。自金陵二主以至靖康,代有作者,或秾纤婉丽,极哀艳之情;或流畅淡逸,穷盼倩之趣。然皆境由情生,辞随意启,天机偶发,元音自成,繁促之中尚存高浑,斯为最盛也。南渡以还,此声遂渺。寄慨者亢率而近于伧武,谐俗者鄙浅而入于优伶,以视周、李诸君,即有彼都人士之叹。"陈子龙所作,是这些观念的忠实体现。现存《幽兰草》55首,成于明亡以前,意欲回归五代词风,却"更多接过的是《花间》传统"(张宏生《清词探微》)。不过,时代毕竟不同,身份也大异,作为爱国志士,面对即将分崩离析的天下大势，即使倚红偎翠，也不可能无动于衷，所以，在承接晚唐五代词风的同时，也会有意无意注入由作者本身的学养、抱负所决定的某些志意，从而开阔作品的境界。上述《浣溪沙·五更》正是如此，内涵复杂，寄慨遥深。同理，世易时移，纳兰词虽称和韵，实仅为泛泛艳丽之曲，不可与原作等量齐观。陈廷焯对纳兰这首词总体评价较高："（上片）秀绝矣，亦自凄绝。结句从旁面生情。"（《云韶集》卷十五）"调和意远，似此真不愧大雅矣，古今艳词亦不多见也。惜全篇平平。"（《词则·闲情集》）其中"全篇平平"之语，或即指不及陈子龙词远甚。

浣溪沙

伏雨①朝寒愁不胜。那能还傍杏花行。去年高摘斗轻盈②。
漫惹炉烟双袖紫，空将酒晕一衫青。人间何处问多情。

[注释]

①伏雨：见后《菩萨蛮》（阑风伏雨催寒食）。②"去年"句：吴伟业《浣溪沙》："断频微红眼半醒。背人蓦地下阶行。摘花高处赌身轻。　细拨薰炉香缭绕，嫩涂吟纸墨欹倾。惯猜闲事为聪明。"

[评析]

这首《浣溪沙》描绘出一种多情无奈之感，伏雨朝寒，懒傍花行，炉烟紫袖，酒晕青衫，原是"杏花"依旧，人面不再，往岁欢愉，而今惘然，写来清丽空濛，不胜情愁，读之有崔护重来对花伤情之意。汪刻本以异文颇多，另录作一首：

酒醒香销愁不胜。如何更向落花行。去年高摘斗轻盈。
夜雨几番销瘦了，繁华如梦总无凭。人间何处问多情。

其实大可不必,尽管改动之处并不涉及关键的点明情伤缘由的第三、六两句。

文学史上,类似的修订初稿的情形比较多见,有的甚至差不多就是重写一过,这代表的主要是一种精益求精的精神。王安石对"春风又绿江南岸"之"绿"字的反复推敲,是一个众所周知的典型。词史上的情况也许更为常见。况周颐《蕙风词话·附录》即有过这样的记载:"一词作成,当前不知其何者须改,粘之壁上,明日再看,便觉有未惬者。取而改之,仍粘壁上。明日再看,觉仍有未惬,再取而改之。如此者数四,此陈兰甫(即陈澧)改词法也。"后来者从改稿的过程中,不仅能够总结出后出转精的一般规律,更重要的是,可以获得一些在创作上值得借鉴的东西。黄庭坚《题子瞻枯木》的定稿和任渊注文所引初稿,是又一个著名的例证:"折冲儒墨阵堂堂,书入颜杨鸿雁行。胸中元自有丘壑,故作老木蟠风霜。""文章日月与争光,书入颜杨鸿雁行。笔端放浪有江海,临深枯木饱风霜。"纳兰词亦当作如是观,求真更兼其善。

浣溪沙

记绾长条欲别难[①]。盈盈自此隔银湾[②]。便无风雪也摧残。青雀几时裁锦字[③],玉虫连夜剪春幡[④]。不禁辛苦况[⑤]相关。

[注释]

①"记绾(wǎn)"句:折柳赠别。张乔《维扬故人》:"离别河边绾柳条,千山万水玉人遥。"②"盈盈"句:银湾,银河。《古诗十九首》:"迢迢牵牛星,皎皎河汉女。盈盈一水间,脉脉不得语。"朱彝尊《风入松》:"穿针纵有他生约,怅迢迢、路断银湾。"③"青雀"句:青雀,青鸟,借指信使。

锦字，书信。《汉武故事》："七月七日，上于承华殿斋。日正中，忽见有青鸟从西方来，集殿前。上问东方朔，朔对曰：西王母暮必降尊像。……有顷，王母至。"李商隐《汉宫词》："青雀西飞竟未回，君王长在集灵台。"李璟《摊破浣溪沙》："青鸟不传云外信，丁香空结雨中愁。"④"玉虫"句：玉虫，灯花。杨万里《和范至能参政寄二绝句》："锦字展开看未足，玉虫挑尽不成眠。"《岁时风土记》："立春之日，士大夫之家，剪彩为小幡，或悬于家人之头，或缀于花枝之下。"⑤况：张相《诗词曲语辞汇释》："况，犹正也，适也。与况且之本义异。"

[评析]

这首《浣溪沙》写离情别怨，模拟顾敻同调之作的痕迹比较明显："惆怅经年别谢娘。月窗花院好风光。此时相望最情伤。青鸟不来传锦字，瑶姬何处锁兰房。忍教魂梦两茫茫。"纳兰词学唐五代词，词格清丽婉雅是一个方面的表现。更为重要的是，通过对上、下片绾结之句痛下锻炼工夫，以收腾挪跌宕之效，甚至使之成为一种相对固定的写法，在类似题材的作品中"屡试不爽"，而又较之花间泛化抒情模式更为明确、具体。这是纳兰在词法探索上的贡献。

纳兰还有一首《临江仙·寒柳》（飞絮飞花何处是），在思路上确实对这首《浣溪沙》多所借鉴。这一点，包括马大勇教授在内的一些学者已经敏锐地指出过。仅就咏柳而言，文学史上的优秀作品可以称得上浩如烟海，其中顶尖之作所彰显的诗法词法，也是层出不穷。纳兰的篇章作为这片诗海中的一朵浪花，既有不避重复，因而不免微受诟病的一面，也有打破桎梏，努力求变的另一面。后者，在纳兰的另外一首《临江仙》（夜来带得些儿雪）中就有所体现。清代作家往往在创作中体现出一种建立在学习之上，同时有所超越的自觉。比如，与这首词下片写盼望重聚相似，后来厉鹗的《杨柳枝词》也在幽怀难遣中写出蜜意浓情："玉女窗前日未曛，笼烟带雨渐氤氲。柔黄愿借为金缕,绣出相思寄与君。"却又不似纳兰词那般明显地哀怨丛生。

浣溪沙

谁念西风独自凉①。萧萧黄叶闭疏窗。沉思往事立残阳②。被酒③莫惊春睡重,赌书消得泼茶香④。当时只道是寻常。

[注释]

①"谁念"句:秦观《减字木兰花》:"天涯旧恨。独自凄凉人不问。"②"沉思"句:李珣《浣溪沙》:"镂玉梳斜云鬓腻,缕金衣透雪肌香。暗思何事立残阳。"③被酒:醉酒,中酒。史达祖《探芳信》:"谢池晓。被酒滞春眠,诗萦芳草。"张先《青门引》:"庭轩寂寞近清明,残花中酒,又是去年病。"④"赌书"句:李清照《金石录后序》:"余性偶强记,每饭罢,坐归来堂烹茶,指堆积书史,言某事在某书某卷第几叶第几行,以中否角胜负,为饮茶先后。中即举杯大笑,至茶倾覆怀中,反不得饮而起。"

[评析]

这是一首悼亡词。西风瑟瑟,黄叶萧萧,死生契阔,独立残阳思往事;被酒春睡,赌书泼茶,执子之手,当时只道是寻常。全篇以景含情,借典为喻,在对一去不返的往日美好的追忆中,写尽今日痛彻心扉的凄怆酸楚与寂寥悲黯,简约而不简单。

易袯有一首《喜迁莺·春感》:"帝城春昼。见杏脸桃腮,胭脂微透。一霎儿晴,一霎儿雨,正是催花时候。淡烟细柳如画,雅称踏青携手。怎知道、那人人,独倚阑干消瘦。　别后。音信断,应是泪珠,滴遍香罗袖。记得年时,胆瓶儿畔,曾把牡丹同嗅。故乡水遥山远,怎得新欢如旧。强消遣,把闲愁推入,花前杯酒。"黄简有一首《眼儿媚》:"画楼濒水翠梧阴。清夜理瑶琴。打窗风雨，逼帘烟月，种种关心。　　当时不道春无价，幽梦费重寻。难忘最是，鲛绡晕满，蝉锦香沉。"况周颐将纳兰此篇与上引二者对读，认为黄词"当时不道"二句，"非深于词不能道，所谓词心也"（《蕙风词话》卷二）。易词"记得年时"三句，"语小而不纤。极不经意之事，信手拈来，便觉旖旎缠绵，令人低徊不尽"（《蕙风词话》续编卷一）。"工于写情"的纳兰词，也可以这样读解。甚是。大凡有万不得已之词心者，所作自能"信手拈来"，摇荡人心，看似寻常最奇崛。

浣溪沙

十八年来堕世间①。吹花嚼蕊弄冰弦②。多情情寄阿谁③边。紫玉钗斜灯影背，红棉粉冷枕函偏④。相看好处却无言⑤。

[注释]

①"十八年"句：李商隐《曼倩辞》："十八年来堕世间，瑶池归梦碧桃闲。"②"吹花"句：李商隐《柳枝五首·序》："柳枝，洛中里娘也。……生十七年，涂妆绾髻，未尝竟，已复起去。吹叶嚼蕊，调丝擫管，作天海风涛之曲，幽忆怨断之音。"刘一止《梦横塘》："念谁伴、涂妆绾结。嚼蕊吹花弄秋色。"冰弦，琴弦。《杨太真外传》：拘弥国琵琶弦，为冰蚕丝所制。③阿谁：谁。晏殊《木兰花》："未知心在阿谁边，满眼泪珠言不尽。"（此首别又见欧阳修《近体乐府》卷二）④"紫玉"二句：蒋防《霍小玉传》："曾令侍婢浣沙将紫玉钗一只诣侯景先家货之。"贺铸《菩萨蛮》："绛纱灯影背。玉枕钗声碎。"周邦彦《蝶恋花》："唤起双眸清炯炯。泪花落枕红棉冷。"枕函，木制或瓷制枕，中空，可收藏物件。韦庄《思帝乡》："髻坠钗垂无力，枕函欹。"⑤"相看"句：汤显祖《牡丹亭·惊梦》："是那处曾相见，相看俨然，早难道好处相逢无一言。"

[评析]

  这首《浣溪沙》，在纳兰的情词中算是一个"异数"。尽管很多学者对词中具体描写对象颇有不同看法，但无论如何，这首词的风格与纳兰词一贯的哀戚伤神迥不相侔，是可以肯定的。或许正是由于词作背景多方面的不同寻常，才带来了写法上的若干变化，对其可能的取法对象——欧阳炯的同调之作："落絮残莺半日天。玉柔花醉只思眠。惹窗映竹满炉烟。 独掩画屏愁不语，斜欹瑶枕髻鬟偏。此时心在阿谁边。"——也不是亦步亦趋。纳兰词最主要的改变是，以充满热情和喜悦的笔调描绘对象的情态以及两人相处的情景，而且似乎也没有试图回避一些什么的意思。事实上，纳兰在康熙二十三年（1684）写给顾贞观的信里就这样说过："昔人言，身后名不如生前一杯酒，此言大是。弟是以甚慕魏公子之饮醇酒、近妇人也。……弟胸中块垒，非酒可浇，庶几得慧心人以晤言消之而已。沦落之余，久欲葬身柔乡，不知得如鄙人之愿否耳。"(《纳兰词笺校·附录》) 这有助于我们更为全面、直观地了解纳兰真实的情感生活。

  使用曲文乃至贯穿作曲的精神于词，是以曲为词的组成部分，在清初一些词作中屡有表现。"西泠十子"之一的沈谦即时时以曲家手眼填词，如《浪淘沙·春恨》："弹泪湿流光。闷倚回廊。屏间金鸭袅余香。有限青春无限事，不要思量。 只是软心肠。蓦地悲伤。别时言语总荒唐。寒食清明都过了，难道端阳。"一般认为，这是仍然未能脱尽明词习气的一种表现。及至晚清，词曲互参似乎更为频繁。如项鸿祚的拟作《菩萨蛮·戏仿元人小令》："夜来风似郎踪恶。晓来云似郎情薄。窗外柳飞绵。问郎心那边。 誓盟全是假。只合将花打。见面说相思。知人知不知。"的确自然显畅。又如黄燮清以轻快语势表现漂泊离愁的《苏幕遮》："客衣单，人影悄。越是天涯，越是秋来早。雨雨风风增懊恼。越是黄昏，越是虫声闹。　　别情浓，归梦渺。越是思家，越是乡书少。一幅疏帘寒料峭。越是销魂，越是灯残了。"别有韵致，似得力于他所擅长的戏曲创作。在这方面，女性词人也不例外。如许德蘋的《一剪梅·秋别》："一阵凉生一片秋。渺渺烟波，轻送扁舟。横空雁影叫西风，望断天涯，更上层楼。　　但见行云逐水流。霜叶千林，尽是离愁。计程犹住古余杭，为避潮头，未过江头。"以《西厢记》中"晓来谁染霜林醉，总是离人泪"入词，在清代严厉批评以曲入词的大环境中，颇能见出胆魄。当然，清人词论对于以曲为词往往表现出评价标准上的双重性，或者理论批评和实际创作之间的悖反，这是词学大环境下的小生态。这首《浣溪沙》，尾句用《牡丹亭》曲文入词，偶一为之，却也跟全篇轻丽的风调很是合拍。化用曲文，在纳兰词中非属仅见，如另一首《菩萨蛮》中"荒鸡再咽天难晓"，也似直接源自《牡丹亭·冥誓》中"梦回远塞荒鸡咽。觉人间风味别"。

浣溪沙

莲漏①三声烛半条。杏花微雨湿红绡②。那将红豆寄无聊③。春色已看浓似酒④，归期安得信如潮⑤。离魂入夜倩⑥谁招。

[注释]

①莲漏：李肇《唐国史补》卷中："初，惠远以山中不知更漏，乃取铜叶制器，状如莲花，置盆水之上，底孔漏水，半之则沉。每昼夜十二沉，为行道之节，虽冬夏短长，云阴月黑，亦无差也。"李彭老《壶中天》："怨鹤知更莲漏悄，竹里筛金帘户。"②"杏花"句：志南《绝句》："沾衣欲湿杏花雨，吹面不寒杨柳风。"③"那将"句：白居易《罢杭州领吴郡寄三相公》："那将最剧郡，付与苦慵人。"韩偓《玉合》："罗囊绣两凤凰，玉合雕双鸂鶒。中有

兰膏渍红豆,每回拈着长相忆。"④"春色"句:葛胜仲《临江仙》:"二月风光浓似酒,小楼新湿青红。"元好问《西园》:"皇州春色浓如酒,醉煞西园歌舞人。"⑤信如潮:李益《江南曲》:"早知潮有信,嫁与弄潮儿。"⑥倩:请。朱敦儒《相见欢》:"试倩悲风吹泪、过扬州。"

[评析]

　　这首词写早春相思别愁。杏花微雨,莲漏三声,红豆记无聊,春色如酒,归信不得,离魂倩谁招。寻常离情,写来颇有耐人咀嚼处。上片结句,用一个生动而又典型的细节,形象地传写出无聊心绪,与欧阳炯《贺明朝》中的"暗抛红豆"异曲同工:"忆昔花间相见后。只凭纤手。暗抛红豆。人前不解,巧传心事,别来依旧。辜负春昼。　碧罗衣上蹙金绣。睹对对鸳鸯,空裏泪痕透。想韶颜非久。终是为伊,只恁偷瘦。"过片二句,写盼断归期。在原本描摹美景、良辰的句子中嵌入"已看"、"安得",透露出一种苦涩、无望之感,是说离人归期无期,即便是春光明媚,也无心欣赏。结句"倩谁招"三字,是期待梦中相逢,以解思念之苦,而正话反说,将凄苦、无奈的心情进一步推向高潮。

　　整篇词作中包蕴的心思,跟陈允平《蝶恋花》接近,而笔路不同:"寂寞长亭人别后。一把垂丝,乱拂闲轩牖。三月春光浓似酒。传杯莫放纤纤手。　金缕依依红日透。舞彻东风,不减蛮腰秀。扑鬓杨花如白首。少年张绪心如旧。"其中比较明显的一点是,纳兰情词喜欢使用室内景致为意象,同时又以跟室内人物活动相关的自然景象为辅,这又跟小山词有相似之处。

浣溪沙

　　身向云山那畔行。北风吹断马嘶声。深秋远塞若为情①。

一抹晚烟荒戍垒，半竿斜日②旧关城。古今幽恨几时平。

[注释]

①若为情：张相《诗词曲语辞汇释》："若为情，犹云何以为情或难以为情也。"李珣《定风波》："帘外烟和月满庭。此时闲坐若为情。"②半竿斜日：张孝祥《眼儿媚》："半竿残日，两行珠泪，一叶扁舟。"

[评析]

这首词作于康熙二十一年（1682）觇梭龙时。深秋远塞，风吼马嘶，荒烟落照，故垒废戍，一派悲凉景象，而苍凉今昔之感无处不在。此时此地的"幽恨"难平，涵盖古今，哀婉动人，基本上就是李华在《吊古战场文》中表达过的意思："浩浩乎平沙无垠，敻不见人，河水萦带，群山纠纷。黯兮惨悴，风悲日曛。蓬断草枯，凛若霜晨。鸟飞不下，兽铤亡群。亭长告余曰：'此古战场也。尝覆三军。往往鬼哭，天阴则闻。'伤心哉！秦欤？汉欤？将近代欤？""苍苍蒸民，谁无父母？提携捧负，畏其不寿。谁无兄弟，如足如手？谁无夫妇，如宾如友？生也何恩？杀之何咎？其存其没，家莫闻知。人或有言，将信将疑。悁悁心目，寝寐见之。布奠倾觞，哭望天涯。天地为愁，草木凄悲。吊祭不至，精魂何依？必有凶年，人其流离。呜呼噫嘻！时耶？命耶？从古如斯。为之奈何？守在四夷。"只是，囿于词体文学样式自身的限制，万般感慨，高度浓缩。就此而言，纳兰的"幽恨"，应该不会只是与明清之际的战事有关。

纳兰同时代的冯云骧有两首《忆秦娥·吊古战场》："烟明灭。战场遥望沙如雪。沙如雪。萧条老木，西风凄烈。　野花黯淡英雄血。惊蓬断草残戈折。残戈折。清霜鬼语，声声幽咽。""斜阳里。浮云惨淡天如水。天如水。战场怀古，荒墩残垒。　西风剪剪红旗死。秋林落叶惊鸦起。惊鸦起。不堪极目，平沙千里。"与纳兰词相似的内容和凄婉之情，其中也有所表现，可以对读。

浣溪沙　大觉寺①

燕垒空梁画壁寒②。诸天花雨散幽关③。篆香清梵有无间④。蛱蝶乍从帘影度,樱桃半是鸟衔残⑤。此时相对一忘言⑥。

[注释]

①大觉寺:京中、河北有数处大觉寺,不详所指。②"燕垒"句:薛道衡《昔昔盐》:"暗牖悬蛛网,空梁落燕泥。"韩愈《山石》:"僧言古壁佛画好,以火来照所见稀。"③"诸天"句:诸天,佛经以神界众神位或护法众天神为诸天。花雨,佛既说法,诸天赞其功德,散花如雨。幽关,佛门深幽。④"篆香"句:篆香,盘香。洪刍《香谱》:"近世尚奇者作香,篆其文,准十二辰,分一百刻,凡燃一昼夜而已。"秦观《减字木兰花》:"欲见回肠。断尽金炉小篆香。"清梵,诵经之声。⑤"樱桃"句:王维《赐百官樱桃》:"才自寝园春荐后,非关御苑鸟衔残。"⑥忘言:《庄子·外物》:"言者所以在意,得意而忘言。"

[评析]

这是一首纪游词。全篇牢牢抓住寺庙内外景致予以刻画,经过"空"、"寒"、"幽"、"清"等字眼连缀,能够突出景观的特殊性,再加上习惯性地(或者是有意识地)以第三、六两句分别收束上、下两片,画龙点睛,所以,令人读来有些许的遗貌取神之感,甚至于还有几分莫名的感伤和隐隐的禅意,悠然而至。

寺庙纪游题咏诗词,常建的《题破山寺后禅院》是一座高峰:"清晨入古寺,初日照高林。曲径通幽处,禅房花木深。山光悦鸟性,潭影空人心。万籁此都寂,但余钟磬音。"首二句点题,以下六句愈转愈静。"山光"二句写优游中的会悟,清警闲雅,堪为千古名句。在词史上,黄庭坚间以禅理入词。如果说,《诉衷情》(一波才动万波随）结三句"水寒江静，满目青山，载月明归"，还只是用自然超妙之景，象征自己觉悟解脱之后由凡入圣的心志襟怀的话，那么，《渔家傲》则近乎以禅为词，阐释至法无法、纯任本然之理："三十年来无孔窍。几回得眼还迷照。一见桃花参学了。呈法要。无弦琴上单于调。　摘叶寻枝虚半老。拈花特地重年少。今后水云人欲晓。非玄妙。灵云合被桃花笑。"相比于黄庭坚的更为自觉和深入，纳兰词的结句"此时相对一忘言"，虽约略有一丝禅理含蕴其中，但也仅此而已，不如其另一首《浣溪沙》中的禅意那么明显：

抛却无端恨转长。慈云稽首返生香。妙莲花说试推详。
但是有情皆满愿，更从何处著思量。篆烟残烛并回肠。

同在清初，较之纳兰，陈维崧的类似作品虽然非关禅理，但在写法上有竭力掘进之势。如《鬲溪梅令》的活泼灵动："花前小寺背春城。不知名。森森夕阳金刹、著波平。风光难画成。　阿师洗钵趁新晴。隔溪行。闲锁阶前梅蕚、一枝横。僧雏学弄笙。"《春云怨》的闲丽沉静："春山六幅。和山前春水，朝来齐绿。指点前村古寺，隔水经幡烟际矗。竟买蜻蜓，斜穿略径，摇皱溪梢一痕玉。隐隐钟声，迢迢僧语，风亚半墙竹。　遥青媚寺添幽独。意中人拾到，吟情倍足。小院松涛又将熟。笑问空王，十载尘襟，一时尽沐。斜日归庄，落红成阵，依旧闲愁万斛。"《念奴娇》则多显叱咤与磅礴："长江之上，看枝峰蔓壑，尽饶霸气。狮子寄奴生长处，一片雄山莽水。怪石崩云，乱岗淋雨，下有鼋鼍睡。层层都挟，飞而食肉之势。　只有铁瓮城南，群山赢秀，画出吴天翠。绝似小乔初嫁与，顾曲周郎佳婿。竹院盘陀，松寮峭蒨，最爱林皋寺。徘徊难去，夕阳烟磬沉未。"张德瀛有云：成、陈两家"诣力","犹之晋侯不能乘郑马,赵将不能用楚兵","固判然各别也"(《词徵》卷六)。从上引陈维崧的最后一首词来看,的确如此。

浣溪沙　古北口①

杨柳千条②送马蹄。北来征雁旧南飞。客中谁与换春衣③。终古闲情归落照,一春幽梦④逐游丝。信回刚道⑤别多时。

[注释]

①古北口:京北长城关隘之一。孙承泽《天府广记》:"古北口在密云县东北一百二十里,两崖壁立,中有路仅容一车。"②杨柳千条:沈佺期《奉和春日幸望春宫应制》:"杨柳千条花欲绽,葡萄百丈蔓初萦。"③"客中"句:陆游《闻雁》:"过尽梅花把酒稀,熏笼香冷换春衣。秦关汉苑无消息,又在江南送雁归。"④一春幽梦:赵彦端《秦楼月》:"为君细拂衾罗馥。衾罗馥。一春幽梦,与君相续。"⑤刚道:偏说。苏轼《水调歌头》:"堪笑兰台公子,未解庄生天籁,刚道有雌雄。"

[评析]

这首词,虽可以"换春衣"句作为推测依据,但作期难定。塞外奔忙,思乡念亲,当此一怀愁绪莫之能解之际,家书来到,偏说北雁南飞,距离当初依依惜别已有时日,未知何人替你操持换季衣裳,念念深情,溢于言表,读之不禁怅然。过片二句工整,"闲情"非等闲之情,"逐游丝"反扣起首句挽柳送别情景,巧妙自然地引出结句"刚道别多时"所包含的情感碰撞,更显跌宕有致,韵味深长。

"古北口"作为一个重要隘口,在某些文学作品中的象征意义似乎要大于它的现实意义,清初的一些文人因而对其情有独钟。顾炎武曾在同题诗作中这样写道:"雾灵山上杂花生,山下流泉入塞声。却恨不逢张少保，碛南犹筑受降城。"明显是伤心人语，别有怀抱。纳兰与之心境迥异，所以着眼点绝然不同，不仅会在词作中抒发"闲情""幽梦"，而且会在同题诗作末尾由衷地表达出喜悦之情：

  乱山如戟拥孤城，一线人争鸟道行。地险东西分障塞，云开南北望神京。新图已入三关志，往事休论十路兵。都护近来长不调，年年烽火报升平。

在同一地点，爱新觉罗·玄烨也有诗作："断山逾古北，石壁开峻远。形胜固难屏，在德不在险。"文学价值也许的确像通常认为的那样不堪，但明确表达出注重修明政治之意，是政治人物高屋建瓴式的口吻。纳兰跟这位同龄人相比，至少在胸怀和气度上，能够见出小大之别。

浣溪沙

败叶填溪水已冰。夕阳犹照短长亭①。何年废寺失题名②。倚马客临碑上字，斗鸡人拨佛前灯③。净消尘土礼金经④。

[注释]

①短长亭：《白孔六帖》："十里一长亭，五里一短亭。"②题名：米芾《山光寺》："一一过僧谈旧事，迟迟绕壁认题名。"③"斗鸡人"句：陈鸿《东城父老传》：贾昌期以善斗鸡享荣华富贵，安史乱起，皈依佛门。李曾伯《满江红》："走马斗鸡年少趣，椎牛酾酒军中乐。"④金经：《金刚经》。

[评析]

  这首词写见到废寺而动感生情。词作先通过简约与组合败叶、寒水、残阳等衰飒意象，描绘出失名废寺破败不堪的景象，再通过运典，写曾经香火兴旺的寺庙竟然荒废至此，正是世间一切繁华转瞬即逝的缩影，就像翩翩佳公子同样也会淹留于此一样。全篇似有勘破滚滚红尘的顿悟，同时也透露出不胜今昔的悲凉感喟。从这种意义上讲，汪刻本结句作"劳劳尘世几时醒"，的确如《饮水词笺校》所云"更见警策"。

因为社会和家庭的影响，纳兰早年受到过佛教思想的熏陶，也接触过一些佛典。比较直接的表现是，《渌水亭杂识》中载有较多的佛寺资料，词集取名"饮水"以及自号"楞伽山人"等。纳兰的汉族友人中，顾贞观、陈维崧分别以"弹指"、"迦陵"名集，也属于类似的情形，并且有可能与纳兰相互产生影响。更为明显的表现是在他的词作中，除前文已涉及者外，还有如《眼儿媚·中元夜有感》：

手写香台金字经。惟愿结来生。莲花漏转，杨枝露滴，想鉴微诚。　欲知奉倩神伤极，凭诉与秋擎。西风不管，一池萍水，几点荷灯。

以及《水调歌头·题西山秋爽图》：

空山梵呗静，水月影俱沉。悠然一境人外，都不许尘侵。岁晚忆曾游处，犹记半竿斜照，一抹界疏林。绝顶茅庵里，老衲正孤吟。　云中锡，溪头钓，涧边琴。此生著几两屐，谁识卧游心。准拟乘风归去，错向槐安回首，何日得投簪。布袜青鞋约，但向画图寻。

后一首，甚至包含了一定的禅隐思想，略如姜宸英挽纳兰诗所云：

"心期如有托,寂寞去尘寰。"不过,总的看来,纳兰似乎只是试图从佛理中获取精神资源,以求解脱,而事实上却又总是不免剪不断,理还乱。这种极其矛盾而又真实的状态——叶昌炽《藏书纪事诗》按语所云有助于理解这种状态:"武进费屺怀(即费念慈)同年藏容若玉印,一面镌'绣佛斋',一面镌'鸳鸯馆'。"——往往极能扣人心弦,从而影响到读者对其作品的解读和接受。

浣溪沙

万里阴山[①]万里沙。谁将绿鬓斗霜华[②]。年来强半在天涯。魂梦不离金屈戍,画图亲展玉鸦叉[③]。生怜瘦减一分花[④]。

[注释]

①阴山:今河套以北、大漠以南诸山统称阴山。《史记·秦始皇本纪》:"自榆中并河以东,属之阴山。"王昌龄《出塞》:"但使龙城飞将在,不教胡马度阴山。"②"谁将"句:李白《怨歌行》:"沉忧能伤人,绿鬓成霜蓬。"③"魂梦"二句:金屈戍,门窗上的铜制环钮。李商隐《骄儿》:"凝走弄香奁,拔脱金屈戍。"玉鸦叉,玉制的叉子。郭若虚《图画见闻志》卷六:(张文懿)"每张画,必先施帘幕,画叉以白玉为之。"李商隐《病中闻河东公乐营置酒口占寄上》:"锁门金了鸟,展幛玉鸦叉。"了鸟即屈戍。④"生怜"句:生怜,甚怜。《牡丹亭·写真》:"春梦暗随三月景,晓寒瘦减一分花。"

[评析]

在以往的边塞之作中,经常会出现女性形象,其手法往往是男性作者从自己的对面写。如王昌龄的《从军行》:"烽火城西百尺楼,黄昏独上海风秋。更吹羌笛关山月,无那金闺万里愁。"不说戍边者思家,偏说家中人愁苦。后来,便慢慢成为既定的格套之一,如耿湋《关山月》:"月明边徼静,戍客望乡时。塞古柳衰尽,关寒榆发迟。苍苍万里道,戚戚十年悲。今夜青楼上,还应照所思。"

清初的边塞词承袭前代边塞诗词而来,也喜欢这样写,其中又以纳兰的词值得大书一笔。纳兰和妻子的感情本来就很深,有了出使边塞的媒介,就更能在这个传统写法中腾挪生新。如这首《浣溪沙》,在艰苦的环境中,本来应该清减的是边塞之人,作品却别出心裁,写梦魂回家,妻子因思念而瘦削,比起王昌龄的作品,显得更加具体。又如《浪淘沙》:

野宿近荒城。砧杵无声。月低霜重莫闲行。过尽征鸿书未寄,梦又难凭。 身世等浮萍。病为愁成。寒宵一片枕前冰。料得绮窗孤睡觉,一倍关情。

不写梦而写想象,其实跟《浣溪沙》是一个意思。词中说征戍在外,环境恶劣,心情孤寂,书难寄达,梦又无凭,因愁成病,孤衾冷清,乃有身世浮萍之感。最后一转,却又写到妻子身上,说是料得此时对方是"一倍关情"。"这个'一倍',并不是说他对妻子的思念就弱于对方,而是写出两人的相知"(张宏生《论清初边塞词》),也就更加具有表现力。

当然,这种从对面去写,因而"一倍关情"的手法,绝非边塞诗人所独擅,一旦出现类似的、特定的情景,有创造力的诗人,甚至能够借以展现出更为摄人心魄的艺术魅力。如杜甫的《月夜》:"今夜鄜州月,闺中只独看。遥怜小儿女,未解忆长安。香雾云鬟湿,清辉玉臂寒。何时倚虚幌,双照泪痕干。"章法紧密,语丽情悲,词旨婉切,是公认的千古卓绝之作。

浣溪沙

肠断斑骓去未还。绣屏深锁凤箫寒[①]。一春幽梦有无间。逗雨疏花浓淡改，关心芳草浅深难[②]。不成[③]风月转摧残。

[注释]

①"肠断"二句：李商隐《对雪二首》之二："关河冻合东西路，肠断斑骓送陆郎。"《风俗通》："《尚书》，舜作《箫韶》九成，凤凰来仪。其形参差，像凤之翼。"辛弃疾《江神子》："绣阁香浓，深锁凤箫声。"②"逗雨"二句：李贺《李凭箜篌引》："女娲炼石补天处，石破天惊逗秋雨。"《楚辞·招隐士》："王孙游兮不归，芳草生兮萋萋。"③不成：犹难道、不料。周紫芝《千秋岁》："春去也，不成不为愁人住。"

[评析]

这首词模拟女性口吻写别恨离愁。征人远行在外，闺中寂寞伤怀，神情恍惚中，面对春雨淅沥，花草娇美，非但没有心情去欣赏，反而更为伤心无奈。全篇缠绵哀怨，尤以过片"逗雨疏花浓淡改，关心芳草浅深难"二句语淡情浓，如果不是特别在意两者包蕴的情感在深广度上的天壤之别，这两句还真有一丝"感时花溅泪，恨别鸟惊心"的味道。

早在南朝清商"西曲"中，《襄阳乐》就曾经站在女性的角度写道："朝发襄阳城，暮至大堤宿。大堤诸女儿，花艳惊郎目。"想象男子在旅途中惊艳于貌美如花的女子，传达对远行者移情别恋的隐忧。而江上聚散作为"西曲"中的常见主题，《那呵滩》又是这样写的："离欢下扬州，相送江津湾。愿得篙橹折，交郎到头还。""篙折当更觅，橹折当更安。各自是官人，那得到头还。"男女对唱，情深而无奈。如果把纳兰的这首《浣溪沙》跟他的另一首同调

"杨柳千条送马蹄"合起来,并对照着《那呵滩》来看,会发现《那呵滩》其实在"男女对唱"一类写法上,可以视为纳兰词的远源。纳兰另有两首《于中好》(雁帖寒云次第飞)(冷露无声夜欲阑),分写两地情思,与这两首《浣溪沙》的情况相似。词的起源问题,作为文体学研究中的一个难点,历来众说纷纭。在讨论过程中,这一问题的要点往往可以简化明确为源于何因、源于何时和源于何人(民间还是文人)三个方面,代表性的理论视角则包括形体说、风格说和音乐说三种。这里所指出的有关纳兰词的情形,自然不能作为风格起源说的例证来对待和使用,但仍然可以见出南朝民歌深刻影响词体风格之一斑。

浣溪沙　小兀喇①

桦屋鱼衣柳作城②。蛟龙③鳞动浪花腥。飞扬应逐海东青④。犹记当年军垒迹,不知何处梵钟声。莫将兴废话分明。

[注释]

①兀喇(lā):小兀喇即吉林乌喇,在今吉林省吉林市松花江畔。又有大兀喇,距小兀喇八十余里,在今永吉县。②"桦屋"句:黑龙江流域民族如赫哲族人旧俗,以桦木、桦树皮筑屋,以鱼皮制衣,植柳如墙。③蛟龙:松花江中大小鱼。④海东青:雕之一种,产于东北。西清《黑龙江外纪》:"海青,一名海东青,身小而健捷异常。见鹰隼以翼搏击,大者力能制鹿。"

[评析]

这首《浣溪沙》作于康熙二十一年(1682)随扈东巡时。纳兰本属叶赫那拉氏,在部族战争中,被爱新觉罗部所灭,来到东北,经过明清战场,经过曾是自己部族所在地的小兀喇一带,尽管到了他这一代,已经完全融入爱新觉罗氏,但以他的善感,对王朝的兴废、人事的变迁，不能没有触动。词先抓住满族人生活中的典型情景——"桦屋"、"鱼衣"、"柳作城"、"蛟龙"、"海东青"等，描绘出小兀喇特异的民俗风情，再由军垒旧迹联想到人世沧桑，油然而生兴亡之叹。不过，这种兴亡之感，不比一般，有不能说、不忍说者，实在是无法"话分明"的。

同样经过这块土地的爱新觉罗·玄烨，心境就大不一样："松花江，江水清，夜来雨过春涛生，浪花叠锦绣縠明。彩帆画鹢随风轻，箫韶小奏中流鸣，苍岩翠壁两岸横。浮云耀日何晶晶，乘流直下蛟龙惊，连樯接舰屯江城。貔貅健甲皆锐精，旌旐映水翻朱缨，我来问俗非观兵。松花江，江水清，浩浩瀚瀚冲波行，云霞万里开澄泓。"（《松花江放船歌》）玄烨的这首感奋之作，宏大雄浑，简朴有力，与纳兰词之幽微要眇不同。叶赫那拉氏另有一知名文人纳兰常安（1684~1755），字履坦，满洲镶红旗人。康熙三十二年（1693）举人，官至浙江巡抚，著有《受宜堂集》五十卷。如果将其作与纳兰性德的同类作品对读，也许会有有意思的发现。

另外，同属描摹边塞风情，西北边陲与东北还是有所不同。如晚清词人沈锽在《摸鱼儿·闻杨南村名府于役西藏，词以代柬》中揭示的情形，可录以对读："问几人、读书捧檄，出门游万千里。星星霜鬓嗟牢落，伴我放歌燕市。投笔起。蓦走马西风，鞭向秦川指。书来一纸。道星宿河源，穹庐部落，此去控雕骑。　　恒河岸，昔日布金宝地。古今风景何似。黄沙白草赢羊卧，塞外玉关迢递。君老矣。有湩酒酪浆，痛饮休辞醉。须眉若此。便拔剑狂歌，草书磨盾，吐尽竖儒气。"

浣溪沙　姜女祠[①]

海色残阳影断霓。寒涛日夜女郎祠。翠钿尘网上蛛丝。

澄海楼②高空极目,望夫石在且留题。六王如梦祖龙非③。

[注释]

①姜女祠:孟姜女庙,在山海关附近。《大清一统志·永平府二》:"姜女祠在临榆县东南并海里许。祠前土丘为姜女坟,傍有望夫石。"②澄海楼:《大清一统志·永平府二》:"澄海楼,在临榆南宁海城上,前临大海。明兵部主事王致中建。"③"六王"句:六王,战国时齐、楚、燕、赵、韩、魏六国之王。杜牧《阿房宫赋》:"六王毕,四海一。"祖龙,秦始皇。《史记·秦始皇纪》:"今年祖龙死。"《集解》:"祖,始也;龙,人君象,谓始皇也。"

[评析]

"古史辨"派曾提出过"层累"的历史的概念,即从很大意义上讲,历史基本上是由对历史人物的评价构成的,但是这些评价,自后而前,却总是免不了出现不同信息的层层附着、累积,形成表象与真实之间的种种隔膜,历史研究者的主要任务之一,就是要逐层拂去笼罩在历史真实上的迷雾,恢复其本来面目。其中,孟姜女哭倒长城的悠久传说,一直是被该派中人作为典型例证来使用的。不过,在文学家笔下,这个传说却几乎都是被当做借题发挥的历史资源来对待的,是不是史有其事,对他们来说并不重要。

保存至今最为完整的姜女题咏碑,可能是出现在北宋仁宗年间的一首七绝诗碑:"哲妇丛祠倚翠岭,哭城遗列可悲吟。秋霜劲节男儿事,何意天钟女子心。"其"悲吟"的主题,堪称典型。当然,吟咏的具体指向也不必局限在"秋霜劲节"一端。爱新觉罗·玄烨的同题诗作正是如此:"朝朝海上望夫还,留得荒祠半初山。多少征人埋白骨,独将大节说红颜。"康熙二十一年(1682)随扈东巡的纳兰所作也是这样。在这首思古忧今的留题之作中,"残阳"、"断霓"、"寒涛"既是实景实写,又可以看做是内心情绪的投射与外化,再经过与"翠钿"意象有意无意的对照,全篇主旨——"祖龙非"也就在一路的层层铺垫与烘托下,最终在楼高目"空"的历史眺望与思考中喷涌而出。

风流子　秋郊即事

平原草枯矣，重阳后，黄叶树骚骚①。记玉勒青丝②，落花时节，曾逢拾翠③，忽忆吹箫。今来是，烧痕④残碧尽，霜影乱红凋。秋水映空，寒烟如织，皂雕飞处，天惨云高⑤。　　人生须行乐⑥，君知否，容易两鬓萧萧⑦。自与东君作别，划地无聊⑧。算功名何许，此身博得，短衣射虎⑨，沽酒西郊。便向夕阳影里，倚马挥毫⑩。

[注释]

①骚骚：风吹草木声。徐凝《莫愁曲》："玳瑁床头刺战袍，碧纱窗外叶骚骚。"②玉勒青丝：马衔及缰绳。庾信《三月三日华林园马射赋》："控玉勒而摇星，跨金鞍而动月。"杜甫《高都护骢马行》："青丝络头为君老，何由却出横门道。"③拾翠：拾取翠鸟羽毛为饰物，代指游春女子。曹植《洛神赋》："或采明珠，或拾翠羽。"纪少瑜《游建兴苑》："踟蹰怜拾翠，顾步惜遗簪。"郑谷《省试春草碧色诗偶赋》："想得寻花径，应迷拾翠人。"④烧痕：苏轼《正月二十日往岐亭郡人潘古郭三人送余于女王城东禅庄院》："稍闻决决流冰谷，尽放青青没烧痕。"⑤"寒烟"三句：李白《菩萨蛮》："平林漠漠烟如织，寒山一带伤心碧。"皂雕，一种黑色大型猛禽。王昌龄《城傍曲》："邯郸饭来酒未消，城北原平掣皂雕。"天惨，日色昏暗。庾信《小园赋》："风骚骚而树急，天惨惨而云低。"⑥"人生"句：杨恽《报孙会宗书》："人生行乐耳，须富贵何时。"⑦萧萧：苏轼《次韵守狄大夫见赠》："华发萧萧老遂良，一身萍挂海中央。"⑧"自与"二句：东君，司春之神。辛弃疾《满江红》："可恨东君，把春去春来无迹。"张相《诗词曲辞语汇释》："划（chǎn）地，犹云只是也。引申之，则犹云依旧或照样也。"⑨短衣射虎：杜甫《曲江》："短衣匹马随李广，看射猛虎终残年。"⑩倚马挥毫：《世说新语·文学》："桓

宣武北征，袁虎时从，被责免官。会须露布文，唤袁倚马前令作，手不辍笔，俄得七纸，殊可观。东亭在侧，极叹其才。"

[评析]

这首《风流子》收入《今词初集》，是纳兰早期的作品。因为是一首秋天行猎词，是对亲身经历的艺术还原，所以起手就能够比较轻松地在今昔对比中抓住景物特点，如草枯叶骚，残碧红凋，寒烟秋水，皂雕飞唳，天惨云高，为下片痛快淋漓地直抒胸臆，如两鬓易萧萧，人生须行乐，功名在何许，沽酒射虎，倚马挥毫等烘托氛围。张秉戍先生认为此篇有稼轩词的味道，是比较敏锐的判断。而此前况周颐的评价要更为具体："意境虽不甚深，风骨渐能骞举，视短调为有进。更进，庶几沉著矣。歇拍'便向夕阳'云云，嫌平易无远致。"（《蕙风词话》卷五）当然，意不甚深，言不甚俗，本来就是纳兰词的共性之一。

田茂遇在与张渊懿合辑的《清平初选后集》卷九中曾评赏纳兰的这首词："豪情云举，相见秋岗盘马时。"跟后来况周颐的评论相比，田氏的肯定尽管未及其余，却在所评之一点上几乎是毫无保留的。不过，更有意思的不是评论本身，而是评论的体式对象。纳兰能够屹立于词史之林的主要依据，一般认为，乃是弥漫于其词作中的哀凄之风，就体式而言，其精品大多不在长调部分。云间派"不欲涉南宋一笔"（王士禛《花草蒙拾》），在这里评论的却是他们一向并不在意的长调作品，这便是值得玩味的地方。《清平初选后集》刊刻于康熙十七年（1678），是云间词派的一部十卷本总结性选本。其中张氏《凡例》与田氏《叙》，扬弃同派前辈观点，反思词学演变历程，与当时竞相推出的多种词籍所体现出的不同词学观点互相影响渗透，可以看出清初词学发展分化又融合的趋势。编者对纳兰这首写作时间不长的长调的肯定，正是这种趋势在一个方面的表现。它表明，云间派其实也一直在慢慢发生着变化，力图改变过去方幅过小、格局不大的弊病，更好地适应词史发展。也许正是因为如此，该派的生命力和影响力才得以尽可能长久地延续，至少波及了乾隆前期词坛。

蒋景祁（1646~1695）字京少，一作荆少，江苏宜兴人。贡生。康熙十八年（1679）荐举鸿博，未遇。官至府同知。著有《东舍集》、《梧月词》、《罨画溪词》，编有《瑶华集》、《辇下和鸣集》等。蒋氏与纳兰颇有词作往还，如《采桑子·答容若》（鳜生生小江南住）（谁知李广功难问）（门风衰飒无能继）（请今懒唱江南好）、《风流子·上元，和容若韵》（沉吟元夜句）、《风流子·读容若塞上诸词书后即用元夜元韵》（新词鸡禄塞），纳兰也有《罗敷媚·赠蒋京少》（如君清庙明堂器）。蒋氏《刻瑶华集述》有云："昔人论长调染指较难，然今作者率多工长句。盖知难而趋，才可以展，学可以副，类能为之。而如温、韦诸公，短音促节，天真烂漫，遂拟于天仙化人，可望而不可即。顾舍人（梁汾）、成进士（容若）极持斯论，吾无以易之。""今作者"、"成进士（容若）"云云，反映出清初词坛风会所发生的改变，即尚在《清平初选后集》刊刻时或刊刻前两年，也是《瑶华集》于康熙二十五年（1686）刊刻之前八到十年，词坛便已出现从云间派的"专意小令"到"今作者率多工长句"的明显转变。而且，跟云间词派中人对待长调的态度性质相同，好为长调、选词亦多长调的阳羡派重要人物蒋景祁，同样也不废小令，指出并肯定了顾贞观、纳兰性德在小令方面的创作成就。可见，在"清词中兴"局面逐步形成的过程中，若干主要词学流派较为宏通的词学视域，是其间甚为重要的一个支撑点。

画堂春

一生一代一双人[①]。争教两处销魂[②]。相思相望不相亲[③]。天为谁春。　　浆向蓝桥④易乞，药成碧海难奔⑤。若容相访饮牛津⑥。相对忘贫。

[注释]

①"一生"句：骆宾王《代女道士王灵妃赠道士李荣》："相怜相念倍相亲，一生一代一双人。"②"争教"句：江淹《别赋》："黯然销魂者，惟别而已矣。"王益《诉衷情》："梦兰憔悴，掷果凄凉，两处销魂。"（此首，《唐宋诸贤绝妙词选》卷四作杜安世词，而《寿域词》不载。）③"相思"句：王勃《寒夜怀友杂体二首》之二："故人故情怀故宴，相望相思不相见。"李白《相逢行》："相见不得亲，不如不相见。"④蓝桥：在陕西蓝田县东南蓝溪上，传说此处有仙窟，为裴航遇仙女云英处。事见裴铏《传奇》。苏轼《南歌子》："卯酒醒还困，仙材梦不成。蓝桥何处觅云英。只有多情流水、伴人行。"⑤"药成"句：《淮南子·览冥训》："羿请不死之药于西王母，姮娥窃之，奔月宫。"高诱注："姮娥，羿妻，羿请不死之药于西王母，未及服之。姮娥盗食之，得仙。奔入月宫，为月精。"李商隐《嫦娥》："嫦娥应悔偷灵药，碧海青天夜夜心。"⑥饮牛津：天河，典出张华《博物志》。刘筠《戊申七夕》："渐渐风微素月新，鹊桥横绝饮牛津。"

[评析]

这首《画堂春》，先写天生一双，相思相望，两处销魂，天不为春，继写蓝桥易乞，药成难奔，若容相访，相对忘贫，在纳兰的爱情词中属于相对直白显豁的一路，却并不简单。虽然所涉对象不曾明言，因而勾起某些学者的猜测与想象，如苏雪林先生即以此中爱恋对象为"入宫女子"（《清代男女两大词人恋史的研究》），但是，词作在针对特定对象的书写中，尽管也适当使用了相关典故，却能够道出两性情感间具有普遍意味的东西，比如对"相对忘贫"的想往，所以一直以来引人赏识，不是偶然的。

词中"相思相望不相亲"句，点化前人相关诗句，但为我所用，极写一种可欲难求的刻骨相思之情，与王勃《寒夜怀友杂体二首》之思念友人，以及李白《相逢行》之深有寄托大不同。对于

《相逢行》，胡震亨的解说颇为精到："《相和歌》本辞，言相逢年少，问知其家之豪盛。太白则言相逢之后，仍不得相亲，恐失佳期，回环致望不已，较古词用意尤为婉转。《离骚》咏不得于君，必托男女致词……太白此篇，诗题虽取之乐府，而诗意实本自《离骚》，盖有已近君而有不得终近之意焉。"（王琦注《李太白全集》引）不过，通过女性题材表达政治之恋的写法，其实在盛唐时期就已经开始有所转变。比较典型的是杜甫的某些作品，黄生这样理解杜甫的《佳人》："偶有此人，有此事，适切放臣之感，故作此诗。"（仇注引）指出在比兴寄托的感喟中，杜诗中的现实性情境得到了强化。再往后，杜诗中女性形象由"美"趋"真"，政治性喻指渐渐消失。

在词的创作和阐释传统中，虽然比兴寄托说在理论上的最终确认与强化，要等到晚清常州派崛起，但这并不妨碍在此之前有一定数量的比兴寄托之作被认为已经出现在了词人笔下，纳兰生活的清代初期，富含骚情雅意的作品便比比皆是。就此而言，纳兰的部分情词既是对一种悠久书写传统的背离，但同时又是对另外一种同样悠久的书写传统的呼唤与回归。

蝶恋花

辛苦最怜天上月。一昔如环，昔昔都成玦①。若似月轮终皎洁②。不辞冰雪为卿热③。　　无那④尘缘容易绝。燕子依然，软踏帘钩说⑤。唱罢秋坟愁未歇⑥。春丛认取双栖蝶⑦。

[注释]

①"一昔"二句：昔，同"夕"。玦（jué），玉玦，有缺口之玉，借指缺月。陆龟蒙、皮日休《寒夜联句》："河光正如剑，月魄方似玦。"②"若

似"句：江淹《感春冰》："冰雪徒皎洁，此焉空守贞。"李商隐《蝶》："并应伤皎洁，频近雪中来。"王彦泓《和孝仪看灯》："可怜心似清宵月，皎洁随郎处处游。"郑云娘《西江月》："一片冰轮皎洁，十分桂魄婆娑。"③"不辞"句：《世说新语·惑溺》："荀奉倩与妇至笃，冬月妇病热，乃出中庭自取冷，还以身熨之。"④无那：无奈。王易简《酹江月》："衰草寒芜吟未尽，无那平烟残照。千古闲愁，百年往事，不了黄花笑。"⑤"软踏"句：李贺《贾公闾贵婿曲》："燕语踏帘钩，日虹屏中碧。"⑥"唱罢"句：李贺《秋来》："秋坟鬼唱鲍家诗，恨血千年土中碧。"⑦"春丛"句：用梁祝或韩凭夫妇典事。李商隐《蜂》："青陵粉蝶休离恨，长定相逢二月中。"又《偶题二首》之一："春丛定是双栖夜，饮罢莫持红烛行。"

[评析]

卢氏去世后，纳兰的痛苦追忆绵绵无绝期。卢氏去世当年，纳兰所作《沁园春》（瞬息浮生）序云：亡妇"临别有云：'衔恨愿为天上月，年年犹得向郎圆'"。本篇即缘此而来。人天永诀，须臾不能忘，"一昔"二句可见尘缘之短，感怀之深。接下来极写浓情，说如果亡妇果真如天上皎洁的圆月，自己也不惧寒冷，愿意夜夜送去温暖，真是痴心奇想。下片以燕语呢喃的温馨情景反衬"尘缘"易绝的"凄淡无聊"（谭献《箧中词》今集卷一），结二句秋坟鬼唱、化蝶双栖皆死别之辞，哀怨凄厉，写尽生死不渝之情，尤觉真挚。

柳永有一首《凤栖梧》："伫倚危楼风细细。望极春愁，黯黯生天际。草色烟光残照里。无言谁会凭栏意。　拟把疏狂图一醉。对酒当歌，强乐还无味。衣带渐宽终不悔。为伊消得人憔悴。""衣带"二句是说甘愿为思念伊人日渐憔悴，可谓柔情健笔。类似的例子，还有冯延巳《鹊踏枝》中的"日日花前常病酒。镜里不辞朱颜瘦"，只是稍觉颓唐而已。唐圭璋先生认为，纳兰此篇"若似"二句与柳词结二句"同合风骚之旨"（《纳兰容若评传》）。此处所谓"风骚之旨"，可以简单地理解成一种异常执著的态度，即但求付出。如此说来，难怪纳兰词于清初传到朝鲜之后，令彼邦人士有柳永重生之叹："同时有以成容若《侧帽词》、顾梁汾《弹指词》寄朝鲜者，朝鲜人有'谁料晓风残月后，而今重见柳屯田'句，惜全首不传。"（徐釚《词苑丛谈》卷五。按：时徐釚《菊庄词》为人一同携去，为朝鲜人仇元吉、徐良崎购去。后来，吴锡麒等人词集，亦曾传入朝鲜。据张伯伟先生《清代诗话东传略论稿》，在清代，除词集外尚有小量词话东传，《词苑丛谈》即是东传日本的词话之一种。又，据冯金伯《词苑萃编》卷十八，徐良崎所题此诗，并非"全首不传"，首二句为"使车昨渡海东偏，携得新词二妙传"。）又，贺裳提出，相比于韦庄《思帝乡》中"纵被无情弃，不能羞"、牛峤《菩萨蛮》中"须作一生拚。尽君今日欢"的"作决绝语而妙"，柳词二句无非"气加婉矣"（《皱水轩词筌》）。这是从小令词法本应以含蓄蕴藉为佳的角度，指出柳词，亦即纳兰词所本。

蝶恋花

眼底风光留不住①。和暖和香②，又上雕鞍去。欲倩烟丝遮别路③。垂杨那是相思树④。　　惆怅玉颜成间阻。何事东风，不作繁华主。断带依然留乞句⑤。斑骓一系无寻处⑥。

[注释]

①"眼底"句：辛弃疾《蝶恋花》："有底风光留不住。烟波万顷春江橹。"有底，意谓所有的。②"和暖"句：王彦泓《骊歌二叠》："怜君辜负晓衾寒，和暖和香上马鞍。"③别路：温庭筠《送李亿东归》："别路青青柳弱，前溪漠漠苔生。"④相思树：干宝《搜神记》：战国时宋康王舍人韩凭娶妻何氏，甚美，康王夺之。凭怨，王囚之，沦为城旦。凭自杀。其妻乃阴腐其衣，

王与之登台，妻遂自投台下，左右揽之，衣不中手而死。遗书于带，愿以尸骨赐凭合葬。王怒，弗听，使里人埋之，冢相望也。宿昔之间，便有大梓木生于二冢之端，旬日而大盈抱，屈体相就，根交于下，枝错于上。又有鸳鸯，雌雄各一，恒栖树上，晨夕不去，交颈悲鸣，音声感人。宋人哀之，遂号其木曰"相思树"。左思《吴都赋》："楠榴之木，相思之树。"李善注："相思，大树也。材理坚，邪（斜）斫之则文可做器。其实如珊瑚，历年不变。东冶有之。"⑤"断带"句：李商隐《柳枝五首·序》："……余从昆让山，比柳枝居为近。他日春曾阴，让山下马柳枝南柳下，咏余《燕台诗》，柳枝惊问：'谁人有此，谁人为是？'让山谓曰：'此吾里中少年叔耳。'柳枝手断长带，结让山为赠叔乞诗。"⑥"斑骓"句：斑骓，青白色的马。李商隐《无题》："斑骓只系垂杨岸，何处西南待好风。"晏几道《玉楼春》："斑骓路与阳台近。前度无题初借问。"

[评析]

这首词写又一次深情的离别。"和暖和香"、"又上雕鞍去"两句，点明主旨，以乐景写哀。被顺势带出的"欲倩"二句，以看似无理之辞照应起首"留不住"，是说垂杨本来可以挽住行人的脚步，但是终归不如相思树那般坚韧有力，因而令送者无可奈何。下片的情感流程与行文措语是上片的翻版，运典也是一致的，通过正话反说，继续从无情无理处写出无尽的缠绵哀怨。

朱庸斋先生提出，纳兰词纯以天分胜，更为重要的是，因为有非同一般的个人遭际、生平家世和灌注于作品中的一往情深，才使得所作不流为"乍读之颇觉轻茜纤婉，再三读之，终不耐人寻味"（《分春馆词话》卷三）的侧艳小慧之什。在颇为"耐人寻味"的作品中，有一些虽然写来凄婉怆痛，但含蕴其中的无非相思阻隔，恋情怆伤，以及经历风波曲折之意而已，并不都是悼念亡妻。这首《蝶恋花》（与后二首均和韵冯延巳同调"几日行人何处去"词）便是一例，不可误二为一。类似的例证还有如《采桑子》：

桃花羞作无情死，感激东风。吹落娇红。飞入窗间伴懊
侬。　　谁怜辛苦东阳瘦，也为春慵。不及芙蓉。一片幽情冷
处浓。

结语出自王彦泓《寒词》中"个人真与梅花似，一片幽香冷处浓"，可以视为纳兰词标志性的审美特征。

蝶恋花

又到绿杨曾折处①。不语垂鞭②，踏遍清秋路③。衰草连天④无意绪。雁声远向萧关⑤去。　　不恨天涯行役⑥苦。只恨西风，吹梦成今古⑦。明日客程还几许。沾衣况是新寒雨。

[注释]

①"又到"句：吴文英《桃源忆故人》："潮带旧愁生暮。曾折垂杨处。"②"不语"句：温庭筠《赠知音》："晋阳宫里钟初动，不语垂鞭上柳堤。"③"踏遍"句：李贺《马诗》："何当金络脑，快走踏清秋。"④衰草连天：秦观《满庭芳》："山抹微云，天连衰草，画角声断谯门。"⑤萧关：古关名，此或为泛指。《汉书》颜师古注："在上郡北。"⑥行役：《周礼·地官》贾公彦疏："行谓巡狩，役谓役作。"《诗·魏风·陟岵》："予子行役，夙夜无已。"⑦"只恨"二句：毛滂《七娘子》："云外长安，斜晖脉脉。西风吹梦来无迹。"

[评析]

这首词写塞上行役之情。词写又到了当日作别之地，衰草连天，雁声阵阵，西风漫卷，前程荒远，不禁触景伤怀，默默无语。"只恨"二句异常醒目，不是因为"西风""吹梦"对《杂曲歌辞·西洲曲》中"南风知我意，吹梦到西洲"在语词上的翻新，而

是因为经过改造后的"成今古"一语对词作在意境乃至境界上的提升,将一种深刻的历史感悟强力灌注于作品中,意含骚雅,尺幅万里,从而与众多的羁旅行役词拉开了一定的距离。可惜的是,结二句似乎在绚烂已极之后重归于平淡,略嫌收束不住。

在历代羁旅行役词系列中,秦观和陈维崧的写法对柳永既有继承,又有革新,都值得一提。前者如《减字木兰花》:"天涯旧恨。独自凄凉人不问。欲见回肠。断尽金炉小篆香。 黛蛾长敛。任是春风吹不展。困倚危楼。过尽飞鸿字字愁。"打并身世之感于艳情,寄寓天涯羁旅的凄凉苦恨。后者如《夜游宫·秋怀》其四:"一派明云荐爽。秋不住、碧空中响。如此江山徒莽苍。伯符耶,寄奴耶,嗟已往。 十载羞厮养。孤负煞、长头大颡。思与骑奴游上党。趁秋晴,蹴莲花,西岳掌。"客游北方时所作,借怀古抒发事业无成之慨,但不见一毫意气消沉之色,结三句廉悍如"干将出匣,寒光逼人"(陈廷焯《词则·放歌集》)。纳兰词在外在风貌上适得其中。作品的意义往往大于文本本身,所以,纳兰这首《蝶恋花》里是否包含对亡妻的思念之情,也就并不是显得特别重要了,或亦钱钟书先生所谓"阐释之循环"(《管锥编·左传·隐公元年》)具体运用之一例。

蝶恋花

萧瑟兰成①看老去。为怕多情,不作怜花句②。阁泪③倚花愁不语。暗香飘尽知何处。 重到旧时明月路。袖口香寒,心比秋莲苦④。休说生生⑤花里住。惜花人去花无主⑥。

[注释]

①兰成:陆龟蒙《小名录》:"庾信幼而俊迈,聪敏绝伦,有天竺僧呼信

为兰成,因以为小字。"杜甫《咏怀古迹》:"庾信平生最萧瑟,暮年诗赋动乡关。"②怜花句:刘克庄《贺新郎》:"料得花怜侬消瘦,侬亦怜花憔悴。"③阁泪:含泪。夏竦《鹧鸪天》:"尊前只恐伤郎意,阁泪汪汪不敢垂。"(此据《词林万选》卷二。词末"不如饮待奴先醉,图得不知郎去时"二句,《后村先生大全集》卷一七五作宋无名氏词中语。)④"袖口"二句:晏几道《西江月》:"醉帽檐头风细,征衫袖口香寒。"晏几道《生查子》:"遗恨几时休,心抵秋莲苦。"高观国《喜迁莺》:"香锁雾扃,心似秋莲苦。"⑤生生:世世代代。袁去华《鹊桥仙》:"牛郎织女,因缘不断,结下生生世世。"⑥"惜花"句:辛弃疾《定风波》:"毕竟花开谁作主。记取。大都花属惜花人。"

[评析]

  这是一首悼亡词。上片说时光荏苒,思念不减,但又怕睹花思人,因此不再作"怜花句",倚花添愁,也只有含泪不语,任由暗香飘零。下片说寒月之下,徘徊在曾经一同走过的香径小道上,虽然袖口似乎还留有余香,但"惜花人去",自己已成孤另,当年"生生花里住"的信誓化为泡影,心比莲心还苦。谭献以"势纵语咽"(《箧中词》今集卷一)评论这首词,非常恰当。势纵是指"情感积蕴既多,发之于词,自有纵放之势,可以开阖自如"。语咽是指"欲语不语,言短意长,有含蓄不尽之妙"(盛冬铃《纳兰性德词选》)。意思是悲情席卷,得意脉通畅、转接无痕之妙;又感怀细腻,收潜气内转、往复回环之效。

  篇中念念哀情,离合于人、花之间,哀怨缠绵,令人由身后想到生前事。在这方面,元稹的《离思五首》(《才调集》题作《离思六首》,第一首是《莺莺诗》:"殷红浅碧旧衣裳,取次梳头暗淡妆。夜合带烟笼晓日,牡丹经雨泣残阳。依稀似笑原非笑,仿佛闻香不是香。频动横波娇不语,等闲教见小儿郎。")可以参读:"自爱残妆晓镜中,环钗漫篸绿云丛。须臾日射胭脂颊,一朵红苏旋欲融。""山泉散漫绕街流,万树桃花映小楼。闲读道书慵未起,水晶帘下看梳头。""红罗着压逐时新,杏子花纱嫩麹尘。第一莫嫌才地弱,些些纰缦最宜人。""曾经沧海难为水,除却巫山不是云。取次花丛懒回顾,半缘修道半缘君。""寻常百种花齐发,偏摘梨花与白人。今日江头两三树,可怜枝叶度残春。"其中尤以第四首"曾经沧海"二句为千古绝唱。又,据郑玄笺,《诗·唐风·葛生》为妇悼夫之作:"葛生蒙楚,蔹蔓于野。予美亡此,谁与独处。葛生蒙棘,蔹蔓于域。予美亡此,谁与独息。角枕粲兮,锦衾烂兮。予美亡此,谁与独旦。夏之日,冬之夜,百岁之后,归于其居。冬之夜,夏之日,百岁之后,归于其室。"从葛藤触动情思写起,反复抒写无法承受的独处之怀,以反衬生前的美好相亲,因而发出死后同穴的悲号。从中,既可见出后世悼亡诗词在某些表达方式上的源头,也可与自《诗·邶风·绿衣》发展下来的夫悼妇之作对照参酌。

蝶恋花　出塞

今古河山无定据①。画角②声中,牧马③频来去。满目荒凉谁可语。西风吹老丹枫树。　　从前幽怨应无数。铁马金戈④,青冢⑤黄昏路。一往情深深几许⑥。深山夕照深秋雨。

[注释]

①无定据:无凭准。黄庭坚《昼夜乐》:"其奈冤家无定据。约云朝、又还雨暮。"②画角:徐广《车服仪制》:"角,本出羌,欲以惊中国之马也。"③牧马:贾谊《过秦论》:"胡人不敢南下而牧马。"唐无名氏《胡笳曲》:"汉家自失李将军,单于公然来牧马。"④铁马金戈:辛弃疾《永遇乐》:"想当年,金戈铁马,气吞万里如虎。"⑤青冢:杜甫《咏怀古迹》其三:"一去紫台连朔漠,独留青冢向黄昏。"仇注引《归州图经》:"边地多白草,昭君冢独青。"⑥"一往"句:《世说新语·任诞》:"桓子野每闻清歌,辄唤奈何。

谢公闻之，曰：子野可谓一往有深情。"

[评析]

这是一首塞上咏怀词。西风老树，青冢黄昏，塞外秋来，满目荒凉，一种兴亡之感油然而生；金戈铁马，画角声声，往日纷争，叠印脑海，留下的何止是幽怨深深。全篇景语凄怆，含婉流畅，确如吴世昌先生《词林新话》中"通体俱佳"之评。其中，结二句连用四个"深"字，可与朱淑真《减字木兰花》起首二句"独行独坐。独倡独酬还独卧"之连下五个"独"字相媲美，而更显自然天成之妙。

清初边塞词无疑是历代边塞词创作中的一座高峰。如果说，丁介的《贺新凉·和扶荔出塞词》（出塞春无力），以及蒋景祁的《风流子·读容若塞上诸词书后即用元夜元韵》："新词鸡禄塞，鲛绡写、千里暮云来。正鞭勒荒城，笳声吹断，烟销古碛，剑气横裁。长征路，江随鸿影度，岭向马头开。暗验刀环，阴山风雪，看题锦字，燕月楼台。　盈箱堆红豆，旗亭句，早已传唱铜街。更约小园春好，花底徘徊。待有酒如渑，衔杯休放，含毫欲下，击钵频催。他日南湖夜色，东阁官梅。"是以读后感的形式，反映出了当时词坛对边塞主题和若干边塞词人的认同感的话，那么，董元恺的一首《沁园春·出塞》，则为我们提供了一个别样的观察角度，尤其是观察纳兰边塞词的角度："跨马西征，极望长城，无限苍凉。正金风万里，濛濛草白，穹庐千帐，历历榆黄。狮子屯空，九龙沟冷，落日孤鸿俯大荒。英雄恨，洒无边血泪，老尽沙场。　当年顺义降王。指晾马、台倾古道旁。任臂鹰牵犬，紫髯碧眼，鸣鞭挟弹，绿鹿红羊。觱篥横吹，琵琶倒载，重酪旃裘锦绣香。真无外，只八埏一统，安用边墙。"词作慷慨激昂，尤其是结末"真无外"三句，表现出江山一统的豪迈，是"伴随着改朝换代激发的情思"（张宏生《论清初边塞词》）。本来更应如此着笔的纳兰边塞词，却反而绝少表现出这样的情思,而是强调"今古河山无定据",思接千载,视通万里,实在耐人寻味。

蝶恋花

尽日惊风吹木叶。极目嵯峨,一丈天山雪①。去去丁零②愁不绝。那堪客里还伤别。　　若道客愁容易辍。除是朱颜,不共春销歇。一纸乡书和泪折③。红闺此夜团圞月。

[注释]

①"一丈"句:天山,祁连山,这里是代称。李端《雨雪曲》:"天山一丈雪,杂雨夜霏霏。"②丁零:汉代匈奴属国。《史记·匈奴列传》:"后北服浑庾、屈射、丁零、鬲昆、薪犁之国。"《正义》:"已上五国在匈奴北。"《索隐》引《魏略》:"丁零在康居北,去匈奴庭接习水七千里。"李涉《六叹》:"汉臣一没丁零塞,牧羊两过阴沙外。"③"一纸"句:孟郊《闻夜啼赠刘正元》:"愁人独有夜灯见,一纸乡书泪滴穿。"苏轼《江城子》:"携手佳人,和泪折残红。"

[评析]

词作于康熙二十一年(1682)与友人经纶等随副都统郎坦受命率兵赴唆龙侦察时,《瑶华集》有词题:"十月望日与经岩叔别。"经岩叔即经纶,姚江人,《图绘宝鉴续纂》(收入于安澜编《画史丛书》第二册)谓其工于仕女。经纶因故返回,纳兰赋此阕与之话别,并请他捎带家书。

纳兰在写这首《蝶恋花》之前,还有一首《唆龙与经岩叔夜话》:

绝域当长宵,欲言冰在齿。生不赴边庭,苦寒宁识此。草白霜气空,沙黄月色死。哀鸿失其群,冻翻飞不起。谁持花间集，一灯毡帐里。

两者并读，有助于进一步探求纳兰心境。纳兰另外还有两首诗——
《龙泉寺书经岩叔扇》：

> 雨歇香台散晚霞，玉轮轻碾一泓沙。来春合向龙泉寺，方便风前检较花。

《与经生夜话》：

> 率意元无咎，经心始自疑。昔人犹有恨，今我竟何期。客与齐书帙，人来问画师。若无心赏在，愁绝更从谁。

是考察他与经纶之间交谊的重要材料。

纳兰羁旅天涯，别绪离情挥之不去，所以，常常将"无计相回避"的"相思泪"融入苍凉边景笼罩下的茫茫边愁。这种写法，是对范仲淹所创辟的边塞词境在一定取向上的开掘。早前，明万历四十六年（1618）举人柴世尧次女、"蕉园五子"之一的柴静仪有一首《风入松·拟塞上词》："少年何事远从军。马首日初曛。关山隔断家乡路，回首处、但见黄云。带月一行哀雁，乘风万里飞尘。　茫茫塞草不知春。画角那堪闻。金闺总是书难寄，又何用、归梦频频。几曲琵琶，送酒沙场，自有红裙。"就可以看成是类似的、在文学史意识驱动下的尝试。

河　传

春残。红怨。掩双环①。微雨花间昼闲。无言暗将红泪弹。

阑珊。香销轻梦还②。　　斜倚画屏思往事。皆不是。空作相思字③。记当时。垂柳丝。花枝。满庭蝴蝶儿。

[注释]

①"春残"三句：首二句，《今词初集》、《瑶华集》等作"春暮。如雾"，《百名家词钞》、汪刻本等作"春浅。红怨"。此调二十余体中凡首句押韵者，皆非平韵。"双环"，《词汇》作"双镮"，门环。汪元量《玉楼春》："帝乡春色浓于雾。谁遣双环堆绣户。"或解"双环"为"双鬟"，"掩双环"为女子愁苦状，似可再细加斟酌。②"香销"句：李清照《念奴娇》："被冷香销新梦觉，不许愁人不起。"③相思字：韦应物《效何水部二首》之二："反覆相思字，中有故人心。"张炎《水龙吟》："几番问竹平安，雁书不尽相思字。"

[评析]

这是一首相思词。按理说，这样的传统题材在纳兰笔下是经常出现的，如果"千篇一律，无所取裁"（陈锐《袌碧斋词话》），不厌其烦地反复书写，很容易形成思维惯性，也是惰性，就不免给读者带来审美疲劳。不过，纳兰的这首词却并不完全是这样。缘由之一是跟所使用的词调有关。《河传》是一个促节繁音的调子，但并不像同样句短韵密的《六州歌头》那样特别适合表现壮阔意境，而是以二、三、五、七字等几种长短不同的句式错杂而出，收放自如，犹如大珠小珠落玉盘，声情曲折婉转，比较适宜于抒发缠绵悱恻的幽幽情思。

这首《河传》荡漾着一种画面感，将这组内在相关、动静相宜的画面串联起来的，正是作者希望表达的刻骨铭心的寂寞相思。这就引出了缘由之二，即全篇直到结末几句，才通过描绘明显带有亮色的往日欢处情景，以略近于倒叙的手法揭明相思哀愁之由，在今昔对比中倒扣同时也写尽"思往事"的主旨。试与温庭筠的同调名作对读："湖上。闲望。雨萧萧。烟浦花桥路遥。谢娘翠蛾愁不销。终朝。梦魂迷晚潮。　　荡子天涯归棹远。春已晚。莺语空肠断。

若耶溪。溪水西。柳堤。不闻郎马嘶。"湖上闲望,烟雨蒙蒙,梦迷眉锁,盼断归棹,堤上怅望,郎马不嘶,写来笔意动宕,层次分明。温庭筠在音乐方面的修养是很高的,所以,这样的词调使用起来得心应手,所谓"解其声,故能制其调"(吴梅《词学通论》)。当词不再能够歌唱,而只能流为案头阅读文字时,其与音乐与生俱来的血缘关系,烙刻在按照不同规程组合起来的文字上,也能在很大程度上保证作品内在的音乐审美属性。

河渎神

凉月转雕阑。萧萧木叶声乾①。银灯飘落琐窗闲。枕屏②几叠秋山。　朔风吹透青缣被③。药炉火暖初沸④。清漏⑤沉沉无寐。为伊判得憔悴⑥。

[注释]

①"萧萧"句:乾,脆响。岑参《虢州西亭陪端公宴集》:"开瓶酒色嫩,踏地叶声乾。"柳永《倾杯》:"空阶下、木叶飘零,飒飒声乾,狂风乱扫。"②枕屏:赵彦卫《云麓漫钞》卷三:"绍兴末,宿直,中官以小竹编联,笼以衣,画凤云鹭丝作枕屏。"欧阳修《赠沈遵》:"有时醉倒枕溪石,青山白云为枕屏。"③青缣(jiān)被:白居易《冬夜与钱员外同直禁中》:"连铺青缣被,对置通中枕。"④"药炉"句:王彦泓《述妇病怀》:"无奈药炉初欲沸,梦中已作殷雷声。"⑤清漏:王昌龄《长信秋词》:"熏笼玉枕无颜色,卧听南宫清漏长。"⑥"为伊"句:柳永《凤栖梧》:"衣带渐宽终不悔。为伊消得人憔悴。"张相《诗词曲语辞汇释》:"判,割舍之辞,亦甘愿之辞。"杜甫《曲江对酒》:"纵饮久判人共弃,懒朝真与世相违。"周邦彦《解连环》:"拚今生,对花对酒,为伊泪落。"

[评析]

这首《河渎神》写相思之情,情在景中,如凉月雕阑,木叶萧萧,琐窗银灯,枕屏秋山,朔风吹被,药炉初沸,清漏沉沉,而且景随人动,因而景物之间的串接也就并不显得毫无逻辑关联。纳兰之善言情,尤其表现在结句。经过之前所写凄清之景的烘托与铺垫,以"为伊"句的无怨无悔点明主旨,绾结全篇,在戛然而止中道出无尽的相思怀念。

纳兰还有一首《河渎神》,题材非同,而写法有相近之处:

  风紧雁行高。无边落木萧萧。楚天魂梦与香消。青山暮暮朝朝。 断续凉云来一缕。飘堕几丝灵雨。今夜冷红浦溆。鸳鸯栖向何处。

如果把后面这首《河渎神》跟《菊花新·用韵送张见阳令江华》(愁绝行人天易暮)对读,发现它可能也是康熙十八年(1679)秋寄张纯修词,其结句中"鸳鸯"一语,读来颇觉暧昧,实际上在两雄相悦之作中也非罕见。后来袁枚所记,似可为一旁证:"两雄相悦,如变风变雅,史书罕见。余在粤东,有少艾袁师晋,见刘霞裳而悦之,誓同衾枕;忽为事阻,两人涕泗涟如。余赋诗咏之。不料事隔十载,偕严小秋(即严文俊)秀才游广陵,遇计五官者,风貌儒雅,亦慕严不已,竟得交欢尽意焉。为严郎贫故,转有所赠。余书扇赠云:'计然越国有精苗,生小能吹子晋箫。哺啜可观花欲笑,芳兰竟体笔难描。洛神正挟陈思至,严助刚为宛若招。自是人天欢喜事,老夫无分也魂消。'临别,彼此洒泪。小秋作《离别难》词:'花落鸟啼日暮,悲流水西东。悔从前、意挚情浓。问东君、仙境许侬通。为底事、玉洞桃花,才开三夕,偏遇东风。最堪怜、任有游丝十丈,留不住飞红。 春去也,五更钟。隔云烟、十二巫峰。恨春波、一色摇绿,曲江头、明月挂孤篷。偏逢着、杜宇啼时,将离花放,人去帷空。断肠处、洒尽相思红泪,明月二分中。'"(《随园诗话》补遗卷九)有一点需要特别说明,施晔女士《中国古代文学中的同性恋书写研究》认为,如果进一步扩大考察范围,会发现袁枚、刘霞裳师生间颇有断袖之情。盖即诗话中所言"两雄相悦"之意的另一面。

金缕曲　赠梁汾

德也狂生耳。偶然间、缁尘京国,乌衣门第①。有酒惟浇赵州土②,谁会成生此意。不信道③、遂成知己。青眼高歌俱未老,向樽前、拭尽英雄泪④。君不见,月如水。　　共君此夜须沉醉。且由他、蛾眉谣诼⑤,古今同忌。身世悠悠⑥何足问,冷笑置之而已。寻思起、从头翻悔⑦。一日心期千劫在,后身缘、恐结他生里⑧。然诺⑨重,君须记。

[注释]

①"偶然"二句:陆机《为顾彦先赠妇》:"京洛多风尘,素衣化为缁。"吕延济注:"言尘染衣黑也。"谢朓《酬王晋安》:"谁能久京洛,缁尘染素衣。"乌衣,南京乌衣巷。刘禹锡《乌衣巷》:"朱雀桥边野草花,乌衣巷口夕阳斜。旧时王谢堂前燕,飞入寻常百姓家。"②赵州土:李贺《浩歌》:"买丝绣作平原君,有酒惟浇赵州土。"王琦注:"古之平原君虚己下士,深可敬慕。今日既无其人,惟当买丝绣其形而奉之,取酒浇其墓而吊之已矣。深叹举世无有能得士者。"③不信道:道,竟。欧阳修《梁州令》:"谁教薄幸轻相误。不信道、相思苦。如今却悔空追悔,元来也会忆人去。"④"青眼"二句:《晋书·阮籍传》:"籍又能为青白眼,见礼俗之士,以白眼对之。及嵇喜来吊,籍作白眼,喜不怿而退。喜弟康闻之,乃赍酒挟琴造焉,籍大悦,乃见青眼。"杜甫《短歌行赠王郎司直》:"青眼高歌望吾子,眼中之人吾老矣。"张榘《贺新凉》:"髀肉未消仪舌在,向樽前、莫洒英雄泪。"⑤蛾眉谣诼(zhuó):谣言中伤。《离骚》:"众女嫉余之蛾眉兮,谣诼谓余以善淫。"⑥身

世悠悠：李商隐《夕阳楼》："欲问孤鸿向何处，不知身世自悠悠。"⑦翻悔：辛弃疾《临江仙》："六十三年无限事，从头悔恨难追。"⑧"一日"二句：心期，期许。晏幾道《采桑子》："征人去日殷勤嘱，莫负心期。"劫，佛以天地一成一毁为一劫。高彦休《唐阙史》："儒谓之世，释谓之劫。"后身缘，来世情。孟棨《本事诗·情感》："开元中，颁赐边军纩衣，制于宫中。有兵士于短袍中得诗，曰：'沙场征戍客，寒苦若为眠。战袍经手作，知落阿谁边。蓄意多添线，含情更著绵。今生已过也，重结后身缘。'兵士以诗白于帅。帅进之。玄宗命以诗遍示六宫，曰：'有作者勿隐，吾不罪汝。'有一宫人自言万死。玄宗深悯之。遂以嫁得诗人，仍谓之曰：'我与汝结今生缘。'边人皆感泣。"⑨然诺：承诺。《新唐书·哥舒翰传》："家富于财，任侠重然诺。"

[评析]

这首词，顾贞观有和作《金缕曲·酬容若见赠次原韵》："且住为佳耳。任相猜、驰笺紫阁，曳裾朱第。不是世人皆欲杀，争显怜才真意。容易得、一人知己。惭愧王孙图报薄，只千金、当洒平生泪。曾不直，一杯水。　　歌残击筑心逾醉。忆当年、侯生垂老，始逢无忌。亲在许身犹未得，侠烈今生已已。但结托、来生休悔。俄顷重投胶在漆，似旧曾、相识屠沽里。名预籍，石函记。"也表达了"但结托、来生休悔"之意。纳兰卒后，顾氏于此篇补缀过一段文字："岁丙辰，容若年二十有二，乃一见即恨识余之晚，阅数日，填此曲为余题照。极感其意，而私讶'他生再结'语殊不祥，何意为乙丑五月之谶也，伤哉！"据知，纳兰的这首《金缕曲》为康熙十五年（1676）初识顾氏后所题赠，时胤礽尚未立为储君，故"成生"云云不避讳。词题，《今词初集》作"赠顾梁汾题杕香小影"，"小影"者，毛际可、徐釚和词分别作"佩剑投壶小影"、"侧帽投壶图"，其实一也。顾氏标格，严绳孙答顾梁汾见怀七绝所云可参："曈曈晓日凤城开，才是仙郎下直回。绛蜡未消封诏罢，满身清露落宫槐。"

纳兰乃"深于情者也"，因而无论是享有盛誉的悼亡词，还是

"非金石所能比坚"的友情之作，无须"刻画《花间》"（谢章铤《赌棋山庄词话》卷七），也都是一样的情辞兼备。这首《金缕曲》，直抒胸臆，不假雕饰，真切自然地表达出了与顾贞观诚挚深厚的友情，冰心一片，直中渐深。所以，傅庚生先生曾评曰："其率真无饰，至令人惊绝。率真则疏快而不滞，不滞则见赋于天者，可以显现而无遗，生香天色，此其是已。"（《中国文学欣赏举隅》十七）这首词也以其深情厚谊为纳兰赢得了极大的声誉，正如徐釚《词苑丛谈》卷五所云："词旨嵚崎磊落，不啻坡老、稼轩。都下竞相传写，于是教坊歌曲间，无不知有《侧帽词》者。"在词史上，真正动人心魄的友情之作其实并不易得，而在纳兰笔下，却似乎总是能够信手拈来，如他还有一首《大酺·寄梁汾》，与《金缕曲》情致相似，可以并读：

只一炉烟，一窗月，断送朱颜如许。韶光犹在眼，怪无端吹上，几分尘土。手捻残枝，沉吟往事，浑似前生无据。鳞鸿凭谁寄，想天涯只影，凄风苦雨。便研损吴绫，啼沾蜀纸，有谁同赋。　　当时不是错，好花月、合受天公妒。准拟倩、春归燕子，说与从头，争教他、会人言语。万一离魂遇，偏梦被、冷香萦住。刚听得、城头鼓。相思何益，待把来生祝取。慧业相同一处。

先是，顾贞观有《梅影》自咏其图，序云："金校书临别为余写照，曹秋岳先生属赋长调纪之。是夜积雪堆檐，拥炉沉醉，词成后都不知为何语。先生名之曰《梅影》，因图中有照水一枝也。"词云："好寒天。正孤山冻合，谁唤觉、梅花梦，瘦影重传。自簇桃笙兽炭，偎金斗、微熨芳笺。更未解鸾胶，绛唇呵展，才融雀瓦，酥手亲研。土木形骸，争消受、丹青供养，况承他、十分著意周旋。丁宁说,要全删粉墨,别谱清妍。　　凭肩。端详到也,看侧帽轻衫,风韵依然。入洛愁余,游梁倦极,可惜逢卿憔悴,不似当年。一段心情难写处,分付朦胧淡月晕秋烟。披图笑我,等闲无语,人忆谁边。卿知否,离程纵远,只应难忘,弄珠垂箔,乍浦停船。　　甚日身闲,琐窗幽对,画眉郎还向画中圆。且缓却标题,留些位置,待虎头痴绝,与伊貌出婵娟。仿佛记、脂香浮玉罋,翠缕飏珊鞭。淡妆浓抹俱潇洒,莫教轻堕尘缘。便眼前阿堵,聊供任侠,早心空及第,似学安禅。(校书富缠头,随手立散。某状元欲求一笑,竟不能得。)共命双栖,都缘是、雪泥红爪,从今宵、省识春风纸帐眠。须信倾城名士,相逢自古相怜。"而纳兰词之所谓"竞相传写"者,当下可搜得另外六首,一并附录如次,以便参读。毛际可《金缕曲·题顾梁汾佩剑投壶小影次成容若韵》:"惟我与君耳。更非因、标题月旦,攀援门第。一诺相期千古在,车笠区区何意。敢自附、龙泉知己。块垒频浇还未散,共滂沱、洒作襟前泪。把臂后,淡如水。　　何须独醒怜皆醉。信从来、夷门终隐,长沙招忌。闲却残编除是卧,壶矢犹贤乎已。思往事、不须重悔。举世尽夸皮相好,叹传神、却在生绡里。顾子影,毛生记。"阎场次《金缕曲·和成容若赠梁汾之作》:"且住为佳耳。任相猜、驰笺紫阁,曳裾朱第。不是世人皆欲杀,争显怜才真意。容易得、一人知己。惭愧王孙图报薄,只千金、当洒生平泪。浑不直,一杯水。

歌残击筑心逾醉。似当年、侯生垂老,忽逢无忌。亲在许身犹未得,侠烈今生已矣。但结托、来生休悔。俄顷重投胶在漆,似旧曾、相识屠沽里。君试读,龙门记。"(按:此首与前录顾贞观同调词仅数字异。殆亦"互见"耶?)徐釚《贺新凉·题顾舍人侧帽投壶图次成容若韵》:"作达何妨耳。任猜疑、六朝人物,过江门第。稷契许身原不薄,争识乃公此意。也只要、一人知己。匣冷鱼肠壶中天,倩谁侬、揾住英雄泪。看写照,情如水。　　记曾绮席同沾醉。笑回头、夷门渐老，不逢无忌。胡粉骚头聊自噱，击筑弹丝而已。闲共话、拂衣追悔。宫柳轻烟寒食尽，盼仙韶、再奏龙池里。游侠传，君休记。"沈尔燡《贺新凉·题顾梁汾舍人小像和成容若韵》："凉吹初喧耳。想当年、凤池仙客，蕊珠高第。神武门前乞闲草，稳卧知君何意。又社燕、辞营戍已。丛桂小山想见晚，听梧桐、雨洒清宵泪。携玉尘，剪秋水。　披图未展心先醉。况题词、南州孺子，西园无忌。锦带纯钩数壶矢，忘却金门三已。怕杨柳、陌头轻悔。尽道封侯人易老，笑麒麟、也只丹青里。凭红豆，隔帘记。"陆进《贺新郎·题顾梁汾舍人佩剑投壶图次成容若韵》："白面书生耳。问谁知、虎头名望，貂冠门第。半袒铁衣欹皂帽，那解个中深意。算相对、自成知己。此日甲兵天地满，按青萍、莫洒英雄泪。无限事，付流水。　高阳旧侣堪同醉。想从来、才人未遇，多遭猜忌。老我名场三十载，君却壮心未已。年少事、不须深悔。试看英姿偏俊爽，对画图、如在云霄里。聊执笔，为君记。"郑景会《贺新凉·题顾梁汾先生小影次成容若进士原韵》："仕路浮沉耳。羡峥嵘、南金声价，长康门第。八斗才华能独擅，不似陈思失意。恰倾盖、情深知己。把臂湖头斜日暮，又匆匆、洒却旗亭泪。空泪落，似流水。　丹枫万树寒江醉。想吾生、及时行乐，阿谁能忌。扪虱剧谈千古事，一片雄心未已。总潦倒、莫教追悔。击剑投壶身裹甲，对斯图、俨在云台里。勋业遂，史官记。"

金缕曲　姜西溟[①]言别，赋此赠之

谁复留君住。叹人生、几番离合，便成迟暮[②]。最忆西窗同剪烛，却话家山夜雨[③]。不道[④]只、暂时相聚。滚滚长江萧萧木，送遥天、白雁哀鸣去[⑤]。黄叶下，秋如许。　曰归[⑥]因甚添愁

绪。料强如、冷烟寒月，栖迟梵宇。一事伤心君落魄，两鬓飘萧⑦未遇。有解忆、长安儿女⑧。裘敝入门空太息，信古来、才命真相负⑨。身世恨，共谁语。

[注释]

①姜西溟：姜宸英（1628~1699）字西溟，号湛园，浙江慈溪人。性孤傲，久不得志。康熙三十六年（1697），中李蟠榜探花。两年后，以顺天乡试案牵连（时李蟠与其分任正、副主考）入狱卒。著有《湛园未定稿》、《苇间诗集》等。②迟暮：《离骚》："惟草木之零落兮，恐美人之迟暮。"③"最忆"二句：李商隐《夜雨寄北》："君问归期未有期，巴山夜雨涨秋池。何当共剪西窗烛，却话巴山夜雨时。"④不道：不料。柳永《巫山一段云》："贪看海蟾狂戏。不道九关齐闭。"⑤"滚滚"二句：杜甫《登高》："无边落木萧萧下，不尽长江滚滚来。"彭乘《续墨客挥犀》："北方有白雁，似雁而小，色白，秋深则来，白雁至则霜降。"唐彦谦《留别》："丹湖湖上送行舟，白雁啼残芦叶秋。"⑥日归：《诗·豳风·东山》："我东曰归，我心西悲。"⑦飘萧：杜甫《义鹘行》："飘萧觉素发，凛欲冲儒冠。"⑧"有解"句：杜甫《月夜》："遥怜小儿女，未解忆长安。"⑨"裘敝"二句：《战国策·秦策》："苏秦始将连横说秦王，书十上而说不行，黑貂之裘敝，黄金百斤尽，资用乏绝，去秦而归。"李商隐《有感》："中路因循我所长，古来才命两相妨。劝君莫强安蛇足，一盏芳醪不得尝。"

[评析]

姜宸英与纳兰相识于康熙十二年（1673），经由徐乾学介绍。不久随徐南归。十七年返京。十八年秋，以母丧旋里。纳兰赋此篇赠别，于惜别、抚慰中满含对西溟"才命相负"遭际的悲愤不平之鸣，低回婉转，出尽深挚情怀。

西溟此番南旋，友人中另有赋词相送者，以其作于本年鸿博之后不甚久，词中多有物伤其类的悲哀慨叹语，录以附读。严绳孙《金缕曲·送西溟奔母丧南归次韵》："此恨何当住。也须知、王和生死，总成离阻。真使通都闻恸哭，废尽蓼莪诗句。算母子、寻常欢聚。秔稻登场春韭绿，便休论、万里封侯去。须富贵，竟何许。

片帆触处成悲绪。问从今、檐乌堠燕，几番风雨。不尔置君天禄阁，未算人生奇遇。甚一种、世间儿女。画荻教成羞半豹，早高堂、鸾诰偏无负。天可否，傥相语。"陈维崧《贺新郎·送西溟南归，和容若韵（时西溟丁内艰）》："三载徐园住。记缠绵、春衫雪屐，几曾离阻。又作昭王台畔客，日日旗亭画句。最难得、他乡欢聚。眼底独怜君落拓，又何堪、鹎乌啼红去。都不信，竟如许。

千丝漫理无头绪。问愁惊、原非只为，渭城朝雨。如此人还如此别，说甚凌云遭遇。笑多少、痴儿骏女。本拟三冬长剪烛，怅今番、旧约成孤负。和残菊，隔篱语。"陈维崧所和之纳兰词，稿本《迦陵词》（南开大学图书馆藏）所附当为原稿："谁复留君住。恨人生、一回相见，又成间阻。曾向乱红深处坐，春夜灯前联句。应不到、暂时相聚。无限长江多少泪，听遥天、一雁哀鸣去。黄叶下，秋如许。　　丈夫因甚伤离绪。忆年来、栖迟梵寺，冷烟寒雨。更是伤心君落魄，两鬓萧萧未遇。只凄恻、故乡儿女。一事无成身已老，叹古来、才命真相负。千万恨，共谁语。"两相对照，足证后出转精之不诬与不易。

金缕曲　简梁汾

洒尽无端泪。莫因他、琼楼①寂寞，误来人世。信道痴儿多厚福，谁遣偏生明慧。莫更著、浮名相累。仕宦何妨如断梗，只那将、声影供群吠②。天欲问，且休矣。　　情深我自判憔悴。转丁宁、香怜易爇，玉怜轻碎。羡杀软红尘③里客，一味醉生梦死。歌与哭、任猜何意。绝塞生还吴季子④，算眼前、此外皆闲事。知我者，梁汾耳⑤。

[注释]

①琼楼：仙界楼台或月宫。苏轼《水调歌头》："我欲乘风归去，又恐琼楼玉宇，高处不胜寒。"②"仕宦"二句：断梗，喻漂泊无定之物。《战国策·齐策》：苏代对孟尝君说："今者臣来，过于淄上，有土偶人与桃梗相与语。桃梗谓土偶曰：'子，西岸之土也，挺子以为人，至岁八月，降雨下，淄水至，则汝残矣。'土偶曰：'不然。吾西岸之土也，土则复西岸耳。今子东国之桃梗也，刻削子以为人，降雨下，淄水至，流子而去，则子漂漂者将如何耳？'"柳永《轮台子》："叹断梗难停，暮云渐杳。"王符《潜夫论》："谚曰：'一犬吠形，百犬吠声。'世之疾此，固久矣哉。"③软红尘：都市繁华。苏轼《次韵蒋颖叔钱穆父从驾景陵宫二首》之一："半白不羞垂领发，软红犹恋属车尘。"自注云："前辈戏语：有西湖风月，不如京华软红香土。"④"绝塞"句：吴季子，春秋时吴国公子季札，封于延陵，称延陵季子。此代指自宁古塔归来的吴兆骞。吴兆骞（1631～1684）字汉槎，江苏吴江人。"江左三凤凰"之一。顺治十四年（1657）江南乡试中举，却因主考方猷等作弊而被劾。次年三月，清廷在北京覆试江南举人，以检验是否有弊端。覆试之日，两旁有士兵巡逻，气氛恐怖。吴兆骞因而惊恐战栗，不能落笔，交了白卷，似乎坐实了作弊的罪名。于是，十一月间，与其他一同考试的七人各被责四十大板，家产籍没入官，父母兄弟妻子并流徙宁古塔（今黑龙江省宁安县）。至康熙二十年（1681）始放还，入明珠府教授揆叙，未三年病卒。著有《秋笳集》。⑤"知我"二句：辛弃疾《贺新郎》："不恨古人吾不见，恨古人、不见吾狂耳。知我者，二三子。"

[评析]

这首《金缕曲》，汪刻本词题作"简梁汾，时方为吴汉槎作归计"。顾贞观康熙十五年（1676）冬寄吴兆骞《金缕曲》二阕后所附补记，道出纳兰为吴氏"作归计"的原委："二词容若见之，为泣下数行，曰：'河阳生别之诗，山阳死友之传，得此而三。此事三千六百日中，弟当以身任之，不俟兄再嘱也。'余曰：'人寿几何？请以五载为期。'恳之太傅，亦蒙见许，而汉槎果以辛酉入关矣。附书志感，兼志痛云。"据知，纳兰词作于顾氏赋此两首《金缕曲》之后未久。纳兰在词中宽慰无端洒泪、激愤难平的友人，其实自己何尝不是跟友人一样耿耿萦怀，抑郁不舒，所以，一诺千金，倾力相助。全篇由人及己，又由己及人，往复回环，流露拳拳真情，也可以看做是以"深情真气为之干"（谢章铤《赌棋山庄词话》卷七）的"以词代书"之作。

令纳兰为之泣下的顾贞观《金缕曲》二首，堪称"纯以性情结撰而成"（陈廷焯《白雨斋词话》卷三）的千秋绝调，录以并读："季子平安否。便归来、平生万事，那堪回首。行路悠悠谁慰藉，母老家贫子幼。记不起、从前杯酒。魑魅搏人应见惯，总输他、覆雨翻云手。冰与雪，周旋久。　泪痕莫滴牛衣透。数天涯、依然骨肉，几家能够。比似红颜多命薄，更不如今还有。只绝塞、苦寒难受。廿载包胥承一诺，盼乌头、马脚终相救。置此札，君怀袖。""我亦飘零久。十年来、深恩负尽，死生师友。宿昔齐名非忝窃，只看杜陵穷瘦。曾不减、夜郎僝僽。薄命长辞知己别，问人生、到此凄凉否。千万恨，为兄剖。　兄生辛未我丁丑。共些时、冰霜摧折，早衰蒲柳。词赋从今须少作，留取心魂相守。但愿得、河清人寿。归日急翻行戍稿，把空名、料理传身后。言不尽，观顿首。"可以附带提及的是，"每语泪潺湲"（纳兰《喜吴汉槎归自关外次座主徐先生韵》）的顾贞观这两首《金缕曲》既出，即托苗君稷代寄，吴兆骞接词后，有《寄顾梁汾舍人三十韵》回赠，成就一段万里酬唱佳话。

金缕曲

生怕芳樽满[①]。到更深、迷离醉影，残灯相伴。依旧回廊新月在，不定竹声撩乱。问愁与、春宵长短。人比疏花还寂寞，任红蕤②、落尽应难管。向梦里,闻低唤③。　　此情拟倩东风浣。奈吹来、余香病酒④,旋添一半。惜别江郎浑易瘦,更著轻寒轻暖⑤。忆絮语、纵横茗碗。滴滴西窗红蜡泪,那时肠、早为而今断。任角枕⑥,倚孤馆。

[注释]

①芳樽满:骆宾王《别李峤得胜字》:"芳樽徒自满,别恨转难胜。"钱惟演《木兰花》:"昔年多病厌芳尊,今日芳尊惟恐浅。"②红蕤(ruí):花萼。王筠《摘安石榴赠刘孝威》:"素茎表朱实,绿叶厕红蕤。"③"向梦里"二句:王彦泓《满江红》:"几度卸装垂手望,无端梦觉低声唤。"④余香病酒:蔡松年《尉迟杯》:"觉情随、晓马东风,病酒余香相伴。"⑤轻寒轻暖:陈德武《水调歌头》:"如诉如歌体态,轻暖轻寒天气,春色把人烘。"⑥角枕:《诗·唐风·葛生》:"角枕粲兮,锦衾烂兮。"

[评析]

这首《金缕曲》写别后苦情。上下片的情感流程,都是在当下情境的描绘中穿插往日相聚相别情景。眼下境况,已是消愁不得反而寂寞"旋添一半",回想从前,更觉不胜惆怅,孤馆清寒,唯有梦中"低唤"。转切之间,跌宕而不滞障,写来愁肠百折,柔情无极。这首词,《今词初集》所录作:

生怕芳樽满。到更深、迷离醉影,残灯相伴。依旧回廊新月在,不定竹声撩乱。问愁与、春宵长短。燕子楼空弦索冷,任梨花、落尽无人管。谁领略,真真唤。　　此情拟倩东风浣。奈吹来、余香病酒,还添一半。惜别江淹消瘦了,怎耐轻寒轻暖。忆絮语、纵横茗碗。滴滴西窗红蜡泪,那时肠、早为而今断。任角枕,倚孤馆。

《饮水词笺校》据其中"燕子楼空弦索冷"、"真真唤"等异文,推论当为悼亡之作,可备一说。

纳兰的某些词比较费解,并不一定全是因为文本本身的复杂、多义造成的。早在宋末,大致相近的情感内容,吴文英在《莺啼序》中的处理方式,可以称得上复杂之极:"残寒正欺病酒,掩沉香绣户。燕来晚、飞入西城,似说春事迟暮。画船载、清时过却,晴烟冉冉吴宫树。念羁情游荡,随风化为轻絮。　十载西湖,傍柳系马,趁娇尘软雾。溯红渐、招入仙溪,锦儿偷寄幽素。倚银屏、春宽梦窄,断红湿、歌纨金缕。暝堤空,轻把斜阳,总还鸥鹭。　幽兰旋老,杜若还生,水乡尚寄旅。别后访、六桥无信,事往花萎,瘗玉埋香,几番风雨。长波妒盼,遥山羞黛,渔灯分影春江宿,记当时、短楫桃根渡。青楼仿佛,临分败壁题诗,泪墨惨淡尘土。　危亭望极,草色天涯,叹鬓侵半苎。暗点检、离痕欢唾,尚染鲛绡,亸凤迷归,破鸾慵舞。殷勤待写,书中长恨,蓝霞辽海沉过雁,漫相思、弹入哀筝柱。伤心千里江南,怨曲重招,断魂在否。"词篇大体上以跳荡的思绪为线索,打破时空的正常理性顺序,甚至打碎人物、事件、景物的完整形象,只是以之作为表情的工具或媒介,而不太注重读者的可接受性,所以,"通体离合变幻,一片凄迷"(陈洵《海绡说词》)。其实,纳兰的词跟吴文英一样,总的来看,也"不出悲欢离合四字"(刘永济《唐五代两宋词简析》)。当然,凡规律皆有例外,比如纳兰还有一首《清平乐》:

青陵蝶梦。倒挂怜幺凤。退粉收香情一种。栖傍玉钗偷共。　惜惜镜阁飞蛾。谁传锦字秋河。莲子依然隐雾,菱花暗惜横波。

词中楔入带有宫体意味的"退粉"二句,使得全篇主旨虽有"依然隐雾"等句暗示的郁郁寡欢之意,仍然颇费斟酌。

金缕曲　慰西溟

何事添凄咽。但由他、天公簸弄,莫教磨涅①。失意每多如意少,终古几人称屈。须知道、福因才折。独卧藜床②看北斗,背高城、玉笛吹成血。听谯鼓,二更彻。　　丈夫未肯因人热③。且乘闲、五湖料理,扁舟一叶④。泪似秋霖挥不尽⑤,洒向野田黄蝶。须不羡、承明班列⑥。马迹车尘⑦忙未了,任西风、吹冷长安月。又萧寺,花如雪⑧。

[注释]

①磨涅:摧折。《论语·阳货》:"不曰坚乎,磨而不磷。不曰白乎,涅而不缁。"林希逸《代陈玄谢启》:"磨涅岂无,恪守磷缁之训。"②藜(lí)床:陋床。庾信《小园赋》:"管宁藜床,虽穿而可坐。"③因人热:借人之力。《东观汉记·梁鸿传》:"比舍先炊,已,呼鸿及热釜炊。鸿曰:童子鸿不因人热者也。灭灶更燃之。"④"且乘闲"二句:放弃功名。五湖,春秋时范蠡佐越王勾践灭吴后"浮于五湖"。陈子昂《感遇》:"谁见鸱夷子,扁舟去五湖。"⑤"泪似"句:陆游《满江红》:"料也应、红泪伴秋霖,灯前滴。"⑥承明班列:承明,汉代侍臣值宿所居之屋,后为入朝、在朝为官之典。应璩《百一诗》:"问我何功德,三入承明庐。"班列,朝班位次。⑦马迹车尘:元好问《玉漏迟》:"扰扰马足车尘,被岁月无情,暗消年少。"⑧花如雪:宋之问《寒食还陆浑别业》:"洛阳城里花如雪,陆浑山中今始发。"

[评析]

康熙十七年(1678),"三藩之乱"战局已根本扭转,国势渐趋稳定,康熙帝诏令"博学鸿词"开科取士。据《清圣祖实录》卷八十及秦瀛《己未词科录》,当时内外各官荐举凡186人,其中143人于次年三月初一日考试一赋一诗(《璇玑玉衡赋》、《省耕诗》五言排律二十韵)。本科与同年进士科考试并行不悖,二十九日发榜，共取一等20名：彭孙遹、倪灿、张烈、汪霦、乔莱、王顼龄、李因笃、秦松龄、周清原、陈维崧、徐嘉炎、陆葇、冯勖、钱中谐、汪楫、袁佑、朱彝尊、汤斌、汪琬、丘象随；二等30名：李来泰、潘耒、沈珩、施闰章、米汉雯、黄与坚、李铠、徐釚、沈筠、周庆曾、尤侗、范必英、崔如岳、张鸿烈、方象瑛、李澄中、吴元龙、庞垲、毛奇龄、钱金甫、吴任臣、陈鸿绩、曹宜溥、毛升芳、曹禾、黎骞、高咏、龙燮、邵远平、严绳孙，各授侍读、侍讲、编修、检讨等职，俱纂修《明史》。白梦鼐、邓汉仪、孙枝蔚、宋实颖、黄始、陈玉璂、储方庆、董俞、高层云、叶奕苞、陆元辅、许自俊、陶元淳、邓林梓、冯行贤、江闿、阎若璩、田茂遇、吴农祥、陆次云、王昊、吴雯等落选。孙枝蔚以年老得内阁中书衔归。汪懋麟、彭桂、钱芳标、黄虞稷等以亲丧守制，未与试。姜宸英以荐不及期，失去应试机会。纳兰深表同情，因赋此词劝慰之。

　　全篇紧扣主题，施以多方宽慰之语，交谊之深挚，于中可见一斑。其实，西溟勃勃功名之心至老不渝，至康熙三十六年（1697）得中探花，已是年届古稀。所以，纳兰"五湖料理"之说，也许应该理解为只是希望姜氏稍作休整，以消沮丧，再作打算。之所以冲口而出，联系词中"失意每多"、"须不羡"等语约略透露出的不平之意，是因为这可能正好遂了纳兰本人心中所愿。至于西溟胸怀，虽仅就此次鸿博中的表现而言，确与坚卧不出的顾炎武、黄宗羲、李颙、冒襄，抵死不试的傅山，中途退场的严绳孙（只成省耕一诗，丁绍仪《听秋声馆词话》卷二称其未完卷是因为"适病甚"），以及勘破清廷用心（指下列和词中"牢笼"之语）的秦松龄诸人相比，为"远不及"（《饮水词笺校》），然类似情形，放眼望去，究非个别，所以也无须苛责。

　　同时友人亦有致意者，当附读如次。严绳孙《金缕曲·赠西溟次容若韵》："画角三声咽。倩星前、梵钟敲破，三生慧业。身后虚名当日酒,未觳消磨才杰。君莫叹、兰摧玉折。多少青蝇相吊罢,鲍家诗、碧溅秋坟血。听鬼哭,几时彻。　　更谁炙手真堪热。只些儿、翻云覆雨,移根换叶。我是漆园工稳几,也任人猜蝴蝶。凭寄语、四明狂客。烂醉绿槐双影畔,照伤心、一片琳宫月。归梦冷,逐回雪。"秦松龄《金缕曲·和容若韵简西溟。时西溟寓千佛寺》:"失意空悲咽。只新来、栖迟梵舍,试谈白业。居士现身菩萨果,莫是牢笼豪杰。听几个、箴箸夜折。弹绝朱弦休再续,笑荒唐、四海青鸾血。禅榻上,晓钟彻。　　一龛佛销炎热。更闲翻、琅函万卷,止啼黄叶。浪把空虚分两橛,栩栩庄生蝴蝶。看荏苒、年华如客。学道苦迟婚宦误,错回头、第二天边月。我与尔,鬓成雪。"纳兰另有一诗《柬西溟》:

> 廿载疏狂世未容,重来依旧寺门钟。晓衾何处还家梦,惟有惊飙起古松。

直致。

金缕曲　亡妇忌日[①]有感

此恨何时已[②]。滴空阶、寒更雨歇,葬花天气[③]。三载悠悠魂梦杳,是梦久应醒矣。料也觉、人间无味。不及夜台尘土隔,冷清清、一片埋愁地[④]。钗钿约[⑤],竟抛弃。　　重泉若有双鱼寄[⑥]。好知他、年来苦乐,与谁相倚。我自终宵成转侧,忍听湘弦重理。待结个、他生知己。还怕两人俱薄命,再缘悭、剩月零风里[⑦]。清泪尽,纸灰[⑧]起。

[注释]

①亡妇忌日：叶舒崇《纳腊室卢氏墓志铭》："夫人卢氏，年十八归余同年生成德。康熙十六年五月三十日卒，春秋二十有一。"舒崇（1640~1678）字元礼，别号宗山，江苏吴江人。王士禛门人。康熙十五年（1676）二甲第五十名进士，与纳兰为同年。官中书舍人。应鸿博举，未试卒。著有《宗山集》、《谢斋词》、《哀江南赋注》。②"此恨"句：李之仪《卜算子》："此水几时休，此恨何时已。"③"滴空阶"二句：何逊《临行与故游夜别》："夜雨滴空阶，晓灯暗离室。"葬花天气，落花时节。彭孙遹《忆王孙》："不归家。风雨年年葬落花。"④"不及"二句：夜台，坟墓。陆机《挽歌》之一："按辔遵长薄，送子长夜台。"李周翰注："坟墓一闭，无复见明，故云长夜台。"黄滔《马嵬》："夜台若使香魂在，应作烟花出陇头。"元好问《杂著》："埋愁不著重泉底，尽向人间种白头。"⑤钗钿约：用李、杨爱情故事。陈鸿《长恨歌传》："（上）诏高力士潜搜外宫，得弘农杨玄琰女于寿邸……上甚悦……定情之夕，授金钗钿合以固之。……适有道士自蜀来，知上心念杨妃，自言有李少君之术。玄宗大喜，命致其神。方士乃竭其术以索之，不至。……久之，（玉妃出）……揖方士，问皇帝安否……言讫，悯然。指碧衣取金钗钿合，各折其半，授使者曰：为我谢太上皇，谨献是物寻旧好也。"白居易《长恨歌》："惟将旧物表深情，钿合金钗寄将去。钗留一股合一扇，钗擘黄金合分钿。但令心似金钿坚，天上人间会相见。"李贺《春怀引》："宝枕垂云选春梦，钿合碧寒龙脑冻。"⑥"重泉"句：重泉，犹黄泉、九泉。江淹《杂体三十首潘黄门述哀》："美人归重泉，凄怆无终毕。"双鱼，书信。《饮马长城窟行》："客从远方来，遗我双鲤鱼。呼儿烹鲤鱼，中有尺素书。"⑦"还怕"二句：悭（qiān），欠缺。晏几道《木兰花》："欲将恩爱结来生，只恐来生缘又短。"顾贞观《唐多令》："双泪滴花丛。一身惊断蓬。尽当年、剩月零风。"⑧纸灰：高翥《清明》："纸灰飞作白蝴蝶，泪血染成红杜鹃。"

[评析]

这首词，据词题中"亡妇忌日"及词中"三载悠悠"语，知作于康熙十九年（1680）五月二十九日（6月25日。按：本年五月无三十日）。词以设问开篇，总领全局。夏意方浓，身心寒苦，久梦不醒，人间无味，都是说阴阳两隔，历时三载，伤逝之苦没有丝毫消减。一个"竟"字，凄婉怨极语，在波澜骤起中收束上文。下片从设想亡妻处着笔，反衬一己情缘难再续的沉痛之情。"待结个"以下三句，是说如果在"他生"里连这样的愿望也都不可能实现，那一倍于当下的哀恸又当如何承受？一波未平又乍起，尤为撕心裂肺，其惊心动魄处，实在令人难以卒读。

晚清叶衍兰有一首《金缕曲·展倩姬遗影凄然有感》："此恨何时已。（用饮水词句。）镇伤心、一回展卷，一番悲涕。秀靥修眉浑似昔，万唤千呼难起。生悔煞、留仙无计。三载情缘刚一霎，甚人天、直恁迢迢地。清泪滴，如铅水。　　铭幽欲写相思字。奈年来、江郎才尽，笔花枯死。惆怅绮罗脂粉福，做尽愁边滋味。看华鬓、已星星矣。纵有玉箫能续梦，再生缘、怕阻他生里。含酸语，卿知未。"苦语凄情，追逼纳兰。张鸣珂序叶氏《秋梦庵词钞》正是这么看的："度饮水之新词，青衫湿遍。"叶衍兰被认为是当世之张先，惯将烟月情债驱入吟笔。翻开《秋梦庵词钞》，仅伤悼十七岁夭亡的侍妾罗倩的词作就有七首，于中可见一斑。高度认同饮水词，则是叶词追逼纳兰更为内在的缘由。叶衍兰编《清代学者象传》曾这样评价道：（朱彝尊）"词与迦陵齐名，然堪与匹敌者惟饮水一人而已。饮水深得南唐二主之遗，先生则宛然玉田再世。国朝词笔首推二家，二百年来直无其比。"在这首《金缕曲》里使用纳兰成句，是叶衍兰的认同感在具体创作实践中的直观表现之一。

红窗月

燕归花谢早因循，又过清明①。是一般风景，两样心情。犹记碧桃影里、誓三生②。　　乌丝阑纸娇红篆，历历春星③。道休孤密约,鉴取深盟④。语罢一丝香露、湿银屏。

[注释]

①早因循,又过清明:王雱《千秋岁引》:"算韶华,又因循过了,清明时候。"高登《行香子》:"休负文章,休说经纶。得生还、已早因循。"②"犹记"句:刘斧《续青琐高议》:鲁敢与女子西真"复入一洞,碧桃艳天,香凝如雾。西真曰:他日与君人间还,双栖于此"。三生,谓前生、今生、来生。③"乌丝"二句:李肇《唐国史补》卷下:"又宋、亳间有织成界道绢素,谓之乌丝栏、朱丝栏。"袁文《瓮牖闲评》卷六:"黄素细密,上下乌丝织成栏。其间用墨朱界行,此正所谓乌丝栏也。"历历,清晰貌。《古诗十九首》:"玉衡指孟冬,众星何历历。"④"道休"二句:见后《木兰花令》(人生若只如初见)。

[评析]

这首词写离情。全篇情在笔先,与所取用的今昔比对之法适相契合。上片写燕归花谢,春景依旧,而心情不同,"早因循"三字已透出无奈与愁怨。"犹记"句是篇章结构和词意转承上的双重关键,既绾合前篇对此时情景的叙写,指出分飞伤离题旨,又引出整个下片对相亲相爱往事的深情回忆,点明离怀难遣之由。"语罢"句,在以景结情中收神余言外之效,也是对过片"乌丝"二句的妥帖照应。况周颐《蕙风词话》卷五曾以"乌丝阑纸娇红篆"和"吹花嚼蕊弄冰弦"形容纳兰短调的"轻清婉丽"风貌,可见,纳兰此篇大抵称得上有句有篇。

句是炼句,篇是结构,二者的离与合,是考察词史演进的一条途径。以北宋词为例,张先精于炼句,也因此而得名甚盛,集中描摹"影"字句达二十九处之多,其最著者如"云破月来花弄影"、"帘压卷花影"、"堕轻絮无影"、"无数杨花过无影"等,大抵体物细腻,意境朦胧,体现出他的创作追求。但就全篇而言,由于是满心而发,伫兴而作,基本上只能说是有句无篇,类似于大部分大历诗人所作。周邦彦也喜欢写"影",如"望一川暝霭,雁声哀怨,半规凉月,人影参差"(《风流子》)、"相将羁思乱如云。又是一窗灯影、两愁人"(《虞美人》)、"何人正弄、孤影蹁跹西窗悄"(《倒犯》)等,但跟他的其他作品一样,都更看重整篇词作的章法结构,因此需要结合全篇,才能充分领略其意蕴。也正是从周邦彦以典范性的创作间接规范词法开始,词人们不再过分拘恋于单句的淬炼,无句有篇的情况俯拾皆是,也代表了词体创作与审美发展的一种理性化趋势。由此,读词也不必再有流为读句之虞,是谓既见树木又见森林。当然,像许宝蘅"集饮水词句"而成的《眼儿媚》:"肠断斑骓去未还。何处是长安。鬓丝憔悴,浮生如梦,好梦原难。　隔花才歇廉纤雨,香径晚风寒。沉吟往事,天涯芳草,明月栏杆。"读来却无多纳兰词味,又可以就句与篇之关系提供别样的认知角度。

　　清无名氏《餐玉堂诗稿》稿本(黄裳先生藏书)附有一首《红窗月·咏红纱窗》:"洞房烛影,映窗纱、难辨分明。到乌啼人醒,瞥地心惊。错道良宵梦短、日光生。　起临妆镜,衬青鸾、一抹霞横。讶玉颜脂晕,不用涂成。莫是朝来香颊、带余醒。"《全清词·顺康卷补编》将其收入。吴宝书《䗶仙词》中也有一首《红窗月》:"杏花香雨湿云鬟,小立溪湾。见螺痕数点,眉谱全删。归去银屏六曲、画春山。　帘前小蝶风前燕,栖上雕阑。似绿窗人倦,密意相关。愿得今宵长伴、画楼间。"为《全清词·雍乾卷》所收入。如果纳兰《红窗月》是自度曲,那么,以上两首虽接近于句句押韵,仍可视为拟纳兰体之作。两两对照,当有助于点定词作句读。在这种意义上,汪刻本纳兰《红窗月》也是值得重视的:

　　梦阑酒醒早因循,过了清明。是一般心事,两样愁情。犹记回廊影里、誓生生。　金钗钿盒当时赠,历历春星。道休孤密约,鉴取深盟。语罢一丝清露、湿银屏。

南歌子

翠袖凝寒薄①,帘衣②入夜空。病容扶起月明中③。惹得一丝残篆、旧薰笼。　　暗觉欢期过,遥知别恨同。疏花已是不禁风。那更夜深清露、湿愁红④。

[注释]

①"翠袖"句:杜甫《佳人》:"天寒翠袖薄,日暮倚修竹。"②帘衣:帘以隔内外,故称衣。陆龟蒙《寄远》:"画扇红弦相掩映,独看斜月下帘衣。"施绍莘《忆秦娥》:"惊栖庭树啾啾雀。霜花侵缀帘衣薄。"③"病容"句:李贺《南园十三首》之九:"泻酒木兰椒叶盖,病容扶起种菱丝。"④"那更"句:张泌《临江仙》:"烟收湘渚秋江静,蕉花露泣愁红。"鹿虔扆《临江仙》:"暗伤亡国,清露泣香红。"柳永《定风波》:"自春来、惨绿愁红,芳心是事可可。"

[评析]

这首词写离恨,情调凄婉。整篇通过"凝"、"空"、"惹"、"暗觉"、"遥知"、"已是"、"那更"等语词的连缀,在情景交融中写出相思情态,同时也将情感历程描摹得流畅而又有起伏。

类似的情怀,五代词中已有过极为充分的表现。如李珣的两首《临江仙》:"帘卷池心小阁虚,暂凉闲步徐徐。芰荷经雨半凋疏。拂堤垂柳,蝉噪夕阳余。　　不语低鬟幽思远,玉钗斜坠双鱼。几回偷看寄来书。离情别恨,相隔欲何如。""莺报帘前暖日红,玉炉残麝犹浓。起来闺思尚疏慵。别愁春梦,谁解此情悰。　　强整娇姿临宝镜,小池一朵芙蓉。旧欢无处再寻踪。更堪回顾,屏画九疑峰。"前者,凄清景色中人的心思,通过"闲步徐徐"、"帘卷""阁虚"加以暗示,又以"偷"、"不语"分别传达娇羞之态和怀人之情。后者,以"芙蓉"比临镜美艳,以"九疑峰"的难辨喻"旧欢无处再寻踪",使上片早起"疏慵"情态可见可感。又如孙光宪《临江仙》:"霜拍井梧干叶堕,翠帏雕槛初寒。薄铅残黛称花冠。含情无语,延伫倚阑干。 杳杳征轮何处去,离愁别恨千般。不堪心绪正多端。镜奁长掩,无意对孤鸾。"以"无语""延伫"、"无意对孤鸾"写出心绪"多端",别恨离愁"千般"。纳兰还有一首《南歌子》(暖护樱桃蕊),《饮水词笺校》认为与这首《南歌子》都是悼亡词。对此,与前代作品对读当有助于读者作出自己的判断。

南歌子

古戍饥乌集①,荒城野雉飞②。何年劫火剩残灰③。试看英雄碧血、满龙堆④。 玉帐空分垒,金笳已罢吹⑤。东风回首尽成非⑥。不道兴亡命也、岂人为⑦。

[注释]

① "古戍"句:古戍,古代将士守边之处。韩琦《过故关》:"古戍余荒堞,新耕入乱山。"沈佺期《被试出塞》:"饥乌啼旧垒,疲马恋空城。"② "荒城"句:刘禹锡《荆门道怀古》:"马嘶古道行人歇,麦秀空城野雉飞。"③ "何年"句:劫火,坏劫之末所起的大火。慧皎《高僧传·竺法兰》:"昔汉武穿昆明池底,得黑灰,问东方朔,朔云:不知,可问西域胡人。后法兰既至,众人追而问之。兰曰:世界终尽,劫火洞烧,此灰是也。"后亦借指兵火。方回《旅次感事》:"千村经劫火,万境叹虚花。"顾炎武《恭谒天寿山十三陵》:"康昭二明楼,并遭劫火亡。"④ "试看"句:《庄子·外物》:"人主莫不欲其臣之忠,而忠未必信,故伍员流于江,苌弘死于蜀,藏其血三年而化为碧。"龙堆,白龙堆,汉代西域地名。《汉书·匈奴传》:"岂为康居、乌孙能逾白龙堆而寇西边哉?"颜师古注引孟康曰:"龙堆形如土龙身,无头有

尾,高大者二三丈,坤者丈余,皆东北向,相似也,在西域中。"⑤"玉帐"二句:玉帐,主帅军帐,取如玉之坚之意。李商隐《重有感》:"玉帐牙旗得上游,安危须共主君忧。"笳,古代北方民族乐器之一种。刘禹锡《连州腊日观莫徭猎西山》:"日暮还城邑,金笳发丽谯。"⑥"东风"句:李煜《虞美人》:"小楼昨夜又东风。故国不堪回首、明月中。"⑦"不道"句:《国语·晋语》:"范成子曰:国之存亡,天命也。"扬雄《法言》:"命者,天之命也,非人为也;人为不为命。"

[评析]

　　古戍饥乌,荒城野雉,劫火残灰,碧血龙堆,玉帐分垒,金笳罢吹,回首成非,这首词通过描绘大漠边城景象表达深沉感喟。结句"不道兴亡命也、岂人为"的慨叹,体现出一种无法解释的天命观和虚无感。纳兰边塞词中的悲哀情调,因其善感的心性而被推上了一个极端,即如本篇,在对历史的思考中表现出浓重的虚无感。这在词体文学中较为罕见,不过也值得珍视,不宜轻轻放过。

　　历史虚无感很容易消解人生的执著与追求,导致无尽的痛苦与哀伤。这种时候,尤其能够凸显建构精神家园的重要性。在这方面,苏轼具有典范意义。他在《定风波》中是这样表达的:"莫听穿林打叶声。何妨吟啸且徐行。竹杖芒鞋轻胜马。谁怕。一蓑烟雨任平生。　料峭春风吹酒醒。微冷。山头斜照却相迎。回首向来萧瑟处。归去。也无风雨也无晴。"对待"风雨"的态度就是一种对待人生态度的隐喻。这种态度,不是韩愈"云横秦岭家何在,雪拥蓝关马不前"(《左迁至蓝关示侄孙湘》)的失路之悲,柳宗元"惊风乱飐芙蓉水,密雨斜侵薜荔墙"(《登柳州城楼寄漳汀封连四州刺史》)的茫茫愁思,也不是陆游"此身合是诗人未,细雨骑驴入剑门"(《剑门道中遇微雨》)的剑阁峥嵘,而是一种执著之后的淡定与从容。苏轼曾经有过踌躇满志的书生意气:"有笔头千字,胸中万卷,致君尧舜,此事何难"(《沁园春·赴密州早行马上寄子由》),豪迈激越的赤子之心:"持节云中,何日遣冯唐。会挽雕弓如满月,西北望,射天狼"(《江城子·密州出猎》),也有过"梦绕云山心似鹿,魂惊汤火命如鸡"(《狱中寄子由》)的满心绝望与"拣尽寒枝不肯栖,寂寞沙洲冷"(《卜算子》)的惆怅徘徊。不过,也正是在苦难和忧患中,磨砺出了磅礴的精神力量。这种力量,使得苏轼虽然从未像陶渊明那样有过真正意义上的归隐,但却获得了心灵的安顿和精神境界上的超越:"此心安处是吾乡。"(《定风波》)这是一种有似于从神秀"时时勤拂拭,莫使染尘埃"到慧能"本来无一物,何处惹尘埃"的转变和渐悟,是"山重水复疑无路"之后的"柳暗花明又一村"(陆游《游山西村》)。当然,如果纳兰果真也能变得像苏轼那样旷达,那他就不一定是现在这个让人异常着迷的纳兰了。

一络索

野火①拂云微绿。西风夜哭②。苍茫雁翅列秋空,忆写向、屏山曲③。　山海几经翻覆。女墙④斜矗。看来费尽祖龙心,毕竟为、谁家筑。

[注释]

①野火:磷火。《战国策·楚策》:"野火之起也若云蜺。"方干《东阳道中作》:"野火不知寒食节,穿林转壑自烧云。"②"西风"句:哭,风声凄厉。吴伟业《送友人出塞》:"鱼海萧条万里霜,西风一哭断人肠。"③"苍茫"二句:雁列秋空,景象如屏风所绘。宋无名氏《秦楼月》:"白鸥飞下屏山曲。行人点破秋郊绿。"④女墙:城墙上有垛口的短墙。刘禹锡《石头城》:"淮水东边旧时月,夜深还过女墙来。"这里指长城。

[评析]

这是一首具"风人旨"(纳兰《填词》)的边塞词。上片写秋塞闻见，野火拂云，西风夜哭，雁翅列空，在景致的描绘中含蕴一种苍茫感，为下片陡然转入议论起到缓冲和铺垫作用。褒贬"祖龙"，体现出的是一种深沉的忧患意识，实含借古鉴今之意。之前，此语似仅见于张友仁《水调歌》，而与纳兰词的主旨不尽同："石屋势平旷，峭壁几巉岩。妙哉天造地设，谁复谓神剜。畴昔涪翁题品，曾说人寰稀有，岂特冠湘南。趁取脚轻健，相与上高寒。避秦者，君莫问，意其间。祖龙文密，至今草木尚愁颜。赢得功成丹鼎，久矣乘风而去，跨鹤与骖鸾。犹有白云在，镇日绕禅关。"

《饮水词笺校》认为，此篇不让姜夔《疏影》独擅于前，着眼点也还可以是在它们同深于寄托上。以纳兰也作过别有含蕴的咏物词，姜词也还另有可说之处，试细绎如下："苔枝缀玉。有翠禽小小，枝上同宿。客里相逢，篱角黄昏，无言自倚修竹。昭君不惯胡沙远，但暗忆、江南江北。想佩环、月夜归来，化作此花幽独。犹记深宫旧事，那人正睡里，飞近蛾绿。莫似春风，不管盈盈，早与安排金屋。还教一片随波去，又却怨、玉龙哀曲。等恁时、重觅幽香，已入小窗横幅。"宋人喜咏梅，在北宋，咏梅词就大量出现，而到了姜夔手中，则把这一题材推向登峰造极。姜夔的这首《疏影》跟他的另一首《暗香》一样："旧时月色。算几番照我，梅边吹笛。唤起玉人，不管清寒与攀摘。何逊而今渐老，都忘却、春风词笔。但怪得、竹外疏花，香冷入瑶席。　　江国。正寂寂。叹寄与路遥，夜雪初积。翠尊易泣。红萼无言耿相忆。长记曾携手处，千树压、西湖寒碧。又片片、吹尽也，几时见得。"融会历史和现实，打通人与物，不作琐细刻画，重在传神。这种看似不紧扣所咏之物的写法，使物取代人成为吟咏中心和抒情主体，作为作品结构的一个点和人物感情在作品中的一个坐标，创作主体贯注其中的感情非但没有弱化，反而更为强烈了。（详参［美］林顺夫著、张宏生译《中国抒情传统的转变——姜夔与南宋词》）这样一种创作姿态，使姜夔在拥有悠久历史的咏物文学传统中，占据了一个相当显眼的位置，白石咏物词因而在一定意义上意味着宋代咏物词审美理想的确立。后来，厉鹗将朱彝尊推尊姜夔的理念，真正落实在了创作层面上，就此开创出浙西词派发展的新局面。只是，跟姜夔词风很难在后世得到真正的回应一样，厉鹗那些最得姜夔神髓的作品，在实际创作的层面得到的呼应也是不明显的。这一现象告诉我们："姜夔所体现的，是一种精神，一种意度，所谓'清空'，也不完全是技术层面的东西，没有一定的生活经历，没有一定的学养积累，没有一定的襟怀思致，是无法简单模仿的。说到底，姜夔所代表的是一种'雅'的精神。……所谓典范，如果能够轻易达到，也就失去了意义。"（张宏生《浙西别调与白石新声》）从这种意义上讲，厉鹗可以被认为是清词最后一个具有典范意义的大家。当然，也有人认为："以余观之，（纳兰）似又胜竹垞、樊榭，其才力、工力，皆远轶朱、厉耳。"（林庚白《子楼诗词话》，载张寅彭主编《民国诗话丛编》）姑录之以备一说。

眼儿媚

重见星娥碧海槎①。忍笑却盘鸦②。寻常多少，月明风细，今夜偏佳。　　休笼彩笔闲书字③，街鼓已三挝④。烟丝欲袅，露光微泫⑤，春在桃花。

[注释]

①"重见"句：星娥，织女。槎，木筏。李商隐《海客》："海客乘槎上紫氛，星娥罢织一相闻。"东方朔《十洲记》："扶桑在东海之东岸，岸直，陆行登岸一万里。东复有碧海，海广狭浩汗，与东海等。"张华《博物志·杂说下》："旧说云，天河与海通，近世有人居海渚者，年年八月有浮槎，来去不

失期。"②"忍笑"句:却,卸退。欧阳修《定风波》:"何事碧窗春睡觉。偷照。粉痕匀却湿胭脂。"盘鸦,发髻。李贺《美人梳头歌》:"纤手却盘老鸦色,翠滑宝钗簪不得。"孟迟《莲塘》:"脉脉低回殷袖遮,脸横秋水髻盘鸦。"仇远《小秦王》:"眼溜秋潢脸晕霞。宝钗斜压两盘鸦。"③"休笼"句:笼,犹拈。赵光远《咏手二首》之二:"慢笼彩笔闲书字,斜指瑶阶笑打钱。"④"街鼓"句:街鼓,更鼓。挝(zhuā),敲击。侯寘《玉楼春》:"市桥灯火春星碎。街鼓催归人未醉。"⑤露光微泫(xuàn):泫,水珠微微下滴。周邦彦《荔枝香近》:"夜来寒侵酒席,露微泫。鸟履初会,香泽方薰,无端暗雨催人,但怪灯偏帘卷。"

[评析]

　　这首词写情人重逢。上片写"月明风细"的春晚别后重聚,伊人"忍笑却盘鸦",矜持而温馨的情景,令人陶醉。下片通过回味往昔重逢情境,进一步烘托两人今夜的欢欣愉悦之情。当然,过片二句也可以理解为类似于周邦彦《少年游》中的婉转缠绵:"并刀如水,吴盐胜雪,纤手破新橙。锦幄初温,兽烟不断,相对坐调笙。　低声问向谁行宿,城上已三更。马滑霜浓,不如休去,直是少人行。"结末"烟丝"三句写景,饱含欢情荡漾之意。类似的情绪,在纳兰词中并不多见,所谓欢娱之词难工,即如纳兰可能是写新婚的《山花子》(昨夜浓香分外宜),似乎也不曾见到这首《眼儿媚》中发自内心的欢悦。纳兰另有一首《蝶恋花》:

　　　　露下庭柯蝉响歇。纱碧如烟,烟里玲珑月。并著香肩无可说。樱桃暗解丁香结。　笑卷轻衫鱼子缬。试扑流萤,惊起双栖蝶。瘦断玉腰沾粉叶。人生那不相思绝。

还原夏夜共度情景,以活泼温馨之笔一路写来,逼出相思之意,与这首《眼儿媚》自有不同处。

　　写别后重逢,跟纳兰词写得一样婉丽轻快的,是晏幾道的《鹧鸪天》(彩袖殷勤捧玉钟)。刘体仁甚至认为,同写重逢,小山词中"今宵剩把银釭照,犹恐相逢是梦中"与杜甫著名的"夜阑更秉烛,相对如梦寐"二句,能够体现出诗词二体的"分疆"(《七颂堂词绎》)所在。的确,在无论是否关乎儿女情长的重逢之作中,诗作相比词作而言往往能够更见深沉,倒是不言而喻的,尽管二者也实在无须轩轾。如李益《喜见外弟又言别》:"十年离乱后,长大一相逢。问姓惊初见,称名忆旧容。别来沧海事,语罢暮天钟。明日巴陵道,秋山又几重。"十年弹指,沧海桑田,当眼前的陌生人道出自己的姓名时,才想起他儿时的音容笑貌,一"问"一"称",一"惊"一"忆",形象地表现出由惊到喜再到回忆的重逢过程。可是,还没来得及彻夜叙谈,却是又到言别时。聚散匆匆,令人欷歔不已,亦范成大"何意重逢作病媒"之意。杜甫另外的一首《江南逢李龟年》也是如此:"岐王宅里寻常见,崔九堂前几度闻。正是江南好风景,落花时节又逢君。"春天重逢,却正值落花时节,已自不免心生凄凉之感,此时无须再细述两人的漂泊流落,千言万语,尽在"又逢君"三字中。"诗圣"之于绝句,非不能也,实不为也。

荷叶杯

帘卷落花如雪。烟月。谁在小红亭。玉钗敲竹乍闻声。风影[①]略分明。　化作彩云飞去[②]。何处。不隔枕函边。一声将息[③]晓寒天。肠断又今年。

[注释]

①风影:陈叔宝《自君之出矣》之一:"思君若风影,来去不曾停。"陆龟蒙《怀宛陵旧游》:"惟有日斜溪上思,酒旗风影落春流。" ②"化作"句:

李白《宫中行乐词》："只愁歌舞散，化作彩云飞。"③将息：保重。谢逸《柳梢青》："香肩轻拍。尊前忍听，一声将息。"

[评析]

　　这首词写别恨。上片全是想象之辞，写在"落花如雪"的月夜，恍恍惚惚中，仿佛看见伊人立于小红亭中，又仿佛听到玉钗轻轻敲竹发出的声音。下片承上而来，说她虽已犹如"化作彩云飞去"，杳不知其所之，自己却久久不能忘怀。结二句，是说彻夜难眠，再一想到她当初的一声珍重，更觉凄苦惘然。

　　跟作品中的想象有联系又相区别，很多诗词作品都能以一定的表达方式启发读者插上联想和想象的翅膀。如高适《除夜作》："旅馆寒灯独不眠，客心何事转凄然。故乡今夜思千里，霜鬓明朝又一年。"后二句通过想象故乡亲友对远在千里之外的自己的思念，写出自己同样深沉的思念之情，从对面写来，更显情思浓郁；以流水对句收笔，尤为自然。王昌龄《送别魏二》："醉别江楼橘柚香，江风引雨入舟凉。忆君遥在湘山月，愁听清猿梦里长。"以江上夜月、愁听猿声的浮想联翩之笔，写别后之情，与其另一首《卢溪别人》意、景相同："武陵溪口驻扁舟，溪水随君向北流。行到荆门上三峡，莫将孤月对猿愁。"差别只在末句，前者摇曳，余韵较长；后者转折，诗境较曲。又如李煜《望江南》："多少恨，昨夜梦魂中。还似旧时游上苑，车如流水马如龙。花月正春风。"写对梦境中往昔繁华生活的眷恋，反衬梦醒后的悲哀与凄凉。辛弃疾《丑奴儿·书博山道中壁》："少年不识愁滋味，爱上层楼。爱上层楼。为赋新词强说愁。　而今识尽愁滋味，欲说还休。欲说还休。却道天凉好个秋。"以过去的"强说愁"反衬而今的"愁"之深。又如柳宗元《与浩初上人同看山寄京华亲故》："海畔尖山似剑芒，秋来处处割愁肠。若为化作身千亿，散向峰头望故乡。"以新奇的想象表达怀念京师亲友的心绪。郎士元《听邻家吹笙》："凤吹声如隔彩霞，不知墙外是谁家。重门深锁无寻处,疑有碧桃千树花。"一个"疑"字,以写视觉上的幻象带出听觉感受,较王驾《雨晴》中"蜂蝶纷纷过墙去,却疑春色在邻家"之想象邻家春色有过之而无不及。又如郑谷《淮上与友人别》:"扬子江头杨柳春,杨花愁杀渡江人。数声风笛离亭晚,君向潇湘我向秦。"嗣响"西出阳关",一片凄音,结句蕴涵种种情愫,留下广阔的想象空间,令读者"觉尚有数十句在后未竟者"(贺贻孙《诗筏》)。赵师秀《约客》:"黄梅时节家家雨,青草池塘处处蛙。有约不来过夜半,闲敲棋子落灯花。"引发对客人不来的种种情况的想象。纳兰词置身其中,殊无愧色。

梅梢雪　元夜月蚀

星球[1]映彻。一痕微褪梅梢雪。紫姑[2]待话经年别。窃药心灰,慵把菱花[3]揭。　　踏歌才起清钲歇[4]。扇纨仍似秋期洁[5]。天公毕竟风流绝。教看蛾眉,特放些时[6]缺。

[注释]

①星球:焰火。高士奇《金鳌退食笔记》:"癸亥元夜,于五龙亭前施放烟火……坐观星球万道,火树千重。"②紫姑:《荆楚岁时记》:"正月十五日,其夕迎紫姑,以卜将来蚕桑并占众事。"刘敬叔《异苑》:"世有紫姑神,古来相传,云是人家妾,为大妇所嫉,正月十五日感激而死。故世人以其日作其形,夜于厕间或猪栏迎之。"欧阳修《蓦山溪》:"应卜紫姑神,问归期、相思望断。"③菱花:妆镜,多呈六角形或背面刻有菱花。韩偓《闺怨》:"时光潜去暗凄凉,懒对菱花晕晓妆。"④"踏歌"句:《资治通鉴·则天后圣历元年》胡三省注:"踏歌者,连手而歌,踏地以为节。"钲(zhēng),打击乐器。旧俗以为月蚀为天狗食月,因此家家鸣钲,以吓退天狗。歇,谓月已复圆,不再鸣金。⑤"扇纨"句:扇纨,喻月色皎洁。班婕妤《怨歌行》:"新裂齐纨素,鲜洁如霜雪。裁为合欢扇,团团如明月。出入君怀袖,动摇微风发。常恐秋节

至,凉飙夺炎热。弃置箧笥中,恩情中道绝。"秋期,七夕。杜甫《月》:"天上秋期近,人间月影清。"⑥些时:一会儿。欧阳修《蝶恋花》:"不见些时眉已皱。水阔山遥,乍向分飞后。"

[评析]

　　此调本作《一斛珠》,纳兰取本篇第二句中三字以为调名。词借助代字及与月亮相关的神话、传说,再加上"踏歌"、"清钲"等风物的渲染,顺序描绘出月初蚀、蚀甚、月蚀渐出的景象,尤以上片结句"慵把菱花揭"及下片结三句"天公毕竟风流绝。教看蛾眉,特放些时缺"为极富情味。

　　纳兰写月偏食的词作,还有一首《清平乐·上元月蚀》:

　　　　瑶华映阙。烘散蓂墀雪。比似寻常清景别。第一团圞时节。
　　　　影蛾忽泛初弦。分辉借与宫莲。七宝修成合璧,重轮岁岁中天。

遣词造句、情调风味都与《梅梢雪》非常接近,可能作于同时。纳兰又有《上元月食》一诗,是写月全食:

　　　　夹道香尘拥狭斜,金波无影暗千家。姮娥应是羞分镜,故倩轻云掩素华。

同样兴味盎然。林志雄先生《纳兰性德〈上元月蚀〉之考辨及其他》根据《清朝文献通考》所载,并参照词本文"踏歌才起清钲歇"、"些时缺"和"重轮岁岁中天"等,认为纳兰此二词作于康熙二十二年(1683),才与当时的天象更为符合。诗则应作于康熙二十一年。至于康熙二十年的月蚀,与纳兰同时的查慎行有一首《辛酉元夕月蚀》,可以参读:"顾兔乘鸾事总乖,暗尘谁斗踏灯鞋。

但期来岁圆还再,肯照人间缺亦佳。金筑旧闻荒野史,玉川奇句抵齐谐。素娥似有刀环约,渐放清光入客怀。"另外,同样是写月食,徐倬的一首《贺新凉·中秋夜月(是夜月食)》是这样着笔的:"碧海晶帘卷。问姮娥、清辉须惜,浮云须遣。几点忪时嫠妇泪,迸作九霄露泫。星影散、漫空飞萤。此夕风光犹较可,忍来宵、素魄留痕浅。桂华蠹,愁何展。　　斗边一角银河显。怨无端、投壶笑巧,南箕舌扁。更怕寒芒分道出,恼乱人间鸡犬。天上恨、婵娟难免。自有凌云修月斧,奈琼楼玉宇非专典。霓裳袖,阿谁剪。"虽含蓄而更有意味,与"秋水轩唱和"诸作大异,也与纳兰词显然不同。

木兰花令　拟古决绝词[①]

人生若只如初见。何事秋风悲画扇[②]。等闲变却故人心,却道故心人易变[③]。　　骊山语罢清宵半。泪雨零铃终不怨[④]。何如薄幸锦衣郎,比翼连枝当日愿。

[注释]

①词题:《宋书·乐志》引《白头吟》:"闻君有两意,故来相决绝。"另,汪刻本词题作:"拟古决绝词,柬友。"②"何事"句:见前《梅梢雪》(星球映彻)。③"等闲"二句:谢朓《同王主簿怨情》:"平生一顾重,宿昔千金贱。故人心尚永,故心人不见。"赵师侠《菩萨蛮·用三谢诗"故人心尚远,故心人不见"之句》:"故人心尚如天远。故心人更何由见。肠断楚江头。泪和江水流。　　江流空滚滚。泪尽情无尽。不怨薄情人。人情逐处新。"④"骊山"二句:陈鸿《长恨歌传》:"玉妃茫然退立,若有所思,徐而言曰:'昔天宝十载,侍辇避暑于骊山宫。秋七月,牵牛织女相见之夕,秦人风俗,是夜张锦绣,陈饮食,树瓜果,焚香于庭,号为乞巧。宫掖间尤尚之。时夜殆

半,休侍卫于东西厢,独侍上。上凭肩而立,因仰天感牛女事,密相誓心,愿世世为夫妇。言毕,执手各呜咽。此独君王知之耳。'"王灼《碧鸡漫志》卷五:"《明皇杂录》及《杨妃外传》云:'帝幸蜀,初入斜谷,霖雨弥旬,栈道中闻铃声,帝方悼念贵妃,采其声为《雨淋铃》曲以寄恨。'"张祜《雨淋铃》:"雨淋铃夜却归秦,犹是张徽一曲新。长说上皇和泪教,月明南内更无人。"

[评析]

　　纳兰的这首词,跟他所模拟的元稹《古决绝词三首》一样,都是借女性口吻抒发怨怼之情:"乍可为天上牵牛织女星,不愿为庭前红槿枝。七月七日一相见,故心终不移。那能朝开暮飞去,一任东西南北吹。分不两相守,恨不两相思。对面且如此,背面当可知。春风撩乱伯劳语,此时抛去时。握手苦相问,竟不言后期。君情既决绝,妾意已参差。借如死生别,安得长苦悲。""噫春冰之将泮,何予怀之独结。有美一人,于焉旷绝。一日不见,比一日于三年,况三年之旷别。水得风兮小而已波,笋在苞兮高不见节。矧桃李之当春,竞众人之攀折。我自顾悠悠而若云,又安能保君皑皑之若雪。感破镜之分明,睹泪痕之余血。幸他人之既不我先,又安能使他人之终不我夺。已焉哉,织女别黄姑,一年一度暂相见,彼此隔河何事无。""夜夜相抱眠,幽怀尚沉结。那堪一年事,长遣一宵说。但感久相思,何暇暂相悦。虹桥薄夜成,龙驾侵晨列。生憎野鹤性迟回,死恨天鸡识时节。曙色渐曈曈,华星欲明灭。一去又一年,一年何时彻。有此迢递期,不如生死别。天公隔是妒相怜,何不便教相决绝。"不过,恩断义绝,纳兰拟作中却无多横眉冷对与冷若冰霜,反而流露出对旧情的念念难忘与温馨回味。语意忠厚,终究是缘于那一份无悔的付出。一段看似已经了结的情缘,又怎一个断字所能了得?

　　在词史上,"作决绝语而妙"(贺裳《皱水轩词筌》)的例子并不少见，只是彼"决绝语"非此"决绝语"，写出的是奔放的爱情告白和斩钉截铁的信誓。如敦煌词中的《菩萨蛮》："枕前发尽千般愿。要休且待青山烂。水面上秤锤浮。直待黄河彻底枯。　白日参辰现。北斗回南面。休即未能休。且待三更见日头。"以物象喻人情，处处从不可能处下笔，连续展开青山坏烂、秤锤浮水、黄河彻底枯、白日参辰现、北斗回南面、三更见日头等六种反喻，以六种不可能来说明一种不可能，无论内容、格调还是表现方式，都与汉乐府《上邪》非常相似。又如韦庄的《思帝乡》："春日游。杏花吹满头。陌上谁家年少，足风流。妾拟将身嫁与，一生休。纵被无情弃，不能羞。"写燃烧的激情，犹如飞蛾扑火一般炽热。纳兰另外的一首《减字木兰花》也是如此："花丛冷眼。自惜寻春来较晚。知道今生。知道今生那见卿。　天然绝代。不信相思浑不解。若解相思。定与韩凭共一枝。"写绝望而又无解的爱恋之心。从情感抒发的层面来看，它们与纳兰的这首《木兰花令》之间，其实是一体之两面的关系。

长相思

山一程。水一程。身向榆关那畔行①。夜深千帐灯②。风一更。雪一更。聒碎乡心梦不成③。故园无此声。

[注释]

①"身向"句：榆关，古关名，明代改称山海关。那畔，那边。苏轼《洞仙歌》："永丰坊那畔，尽日无人，惟见金丝弄晴昼。"②"夜深"句：张耒《上京秋日》："瓯脱数家门早闭，辖辒千帐火宵明。"③"聒（guō）碎"句：聒，叨扰。柳永《爪茉莉》："金风动、冷清清地。残蝉噪晚，甚聒得、人心欲碎，更休道、宋玉多悲，石人、也须下泪。"

[评析]

　　这首《长相思》与后文所录《如梦令》（万帐穹庐人醉），先后作于康熙二十一年（1682）春，时纳兰随扈东巡。一般地看，纳兰因为时时身历其情其景，才能将塞上情怀"言之亲切如此"（蔡嵩云《柯亭词论》）。从创作的角度讲，要达成这种"亲切"，不能回避的恰恰也是处理情景关系，即如何做到情与景的矛盾性统一，因为阔大壮丽的境界和琐细柔婉的归心放在一起，就像这两首词所展示的，的确有其不协调处。这是一个很微妙却又值得关注的问题，非仅寻常所谓"情景交融"所能塞责。

　　王国维曾这样评价纳兰的这两首词："'明月照积雪'，'大江流日夜'，'中天悬明月'，'长河落日圆'，此种境界，可谓千古壮观。求之于词，唯纳兰容若塞上之作，如《长相思》之'夜深千帐灯'，《如梦令》之'万帐穹庐人醉。星影摇摇欲坠'差近之。"（《人间词话》）"境界"，是需要借助词法来具体展现的。从被用作纳兰词参照对象的诸作来看，前两首——谢灵运的《岁暮》："殷忧不能寐，苦此夜难颓。明月照积雪，朔风劲且哀。运往无淹物，年逝觉已催。"谢朓的《暂使下都夜发新林至京邑赠西府同僚》："大江流日夜，客心悲未央。徒念关山近，终知返路长。秋河曙耿耿，寒渚夜苍苍。引领见京室，宫雉正相望。金波丽鳷鹊，玉绳低建章。驱车鼎门外，思见昭丘阳。驰晖不可接，何况隔两乡。风云有鸟路，江汉限无梁。常恐鹰隼击，时菊委严霜。寄言嬻罗者，寥廓已高翔。"虽然也都写愁，但通篇有莽苍之气，浑然一体。后两首——杜甫的《后出塞》五首之二："朝进东门营，暮上河阳桥。落日照大旗，马鸣风萧萧。平沙列万幕，部伍各见招。中天悬明月，令严夜寂寥。悲笳数声动，壮士惨不骄。借问大将谁，恐是霍嫖姚。"王维的《使至塞上》："单车欲问边，属国过居延。征蓬出汉塞，归雁入胡天。大漠孤烟直，长河落日圆。萧关逢候骑，都护在燕然。"则或写军容,或写边景,格调也是统一的。纳兰的处理,看上去几乎就是不处理,直接将一对矛盾纳入词中。但这种无法之法,却使作品有了一种强劲的内在张力,更为重要的是,也因此而赋予短幅小令以顿挫之感,将情与景一并顿挫,"在不和谐中又体现出和谐来"(张宏生《论清初边塞词》),从而对前代作品如范仲淹的《渔家傲》实行了局部超越,也收到了应有的审美效果。尽管从唐代边塞诗之后的传统来看,这种情景关系的处理方式,使纳兰的词失去了一些东西,但是,其在这一整体传统中,仍然能够占有一席之地。

寻芳草　萧寺①记梦

客夜怎生过。梦相伴、倚窗吟和。薄嗔佯笑道,若不是恁②凄凉,肯来么。　　来去苦匆匆,准拟待、晓钟敲破③。乍偎人、一闪灯花堕。却对着、琉璃火④。

[注释]

①萧寺:泛指佛寺。李肇《唐国史补》:"梁武帝造寺,命萧子云飞白大书一萧字。"②恁:如此。贺铸《减字浣溪沙》:"望处定无千里眼,断来能有几回肠。少年禁取恁凄凉。"③"准拟"句:准拟,打算。韩愈《北湖》:"应留醒心处,准拟醉时来。"戴叔伦《客夜与故人偶集》:"羁旅长堪醉,相留畏晓钟。"④琉璃火:琉璃灯。周密《武林旧事》卷二:"灯之品极多,每以'苏灯'为最,圈片大者径三四尺,皆五色琉璃所成。"白居易《简简吟》:"大都好物不坚牢,彩云易散琉璃脆。"

[评析]

这是一首客夜忆梦之作。上片写客况孤凄,梦回从前。尤其是后三句,描摹伊人"薄嗔佯笑"情态,极为动人,是明显的唐五代词家声口。其形象生动处,与张泌的《江城子》好有一比:"浣花溪上见卿卿。脸波明。黛眉轻。绿云高绾,金簇小蜻蜓。好是问他来得么,和笑道,莫多情。"下片说来去匆匆,好梦难长。本来希望梦中的欢会能延续到"晓钟敲破"时,却不料梦断香消,令人愁对灯火,怅惘不已。

总的来看,纳兰此篇无论情思还是措语,都跟柳永的某些作品有相似的地方,如《秋蕊香引》:"留不得。光阴催促,奈芳兰歇,好花谢,惟顷刻。彩云易散琉璃脆,验前事端的。　　风月夜,几处前踪旧迹。忍思忆。这回望断,永作终天隔。向仙岛,归冥路,两无消息。"只是,纳兰词旖旎轻倩,却最终归于"惨淡"(黄天骥《纳兰性德和他的词》),而不是柳词的些许平淡。另外,作为柳词标志之一的以口语入词,在纳兰的作品中其实并不多见。不过,类似的思路,却在二百多年后的梁启超等人笔下,得到了极大的呼应。[当然,胡适发表在《新青年》第三卷第四号(民国6年6月1日)上的《采桑子·江上雪》(正嫌江上山低小)、《生查子》(前度月来时)、《沁园春·生日自寿》(弃我去者)、《沁园春·新俄万岁(有序)》(客子何思)等四首词,是"白话词"第一次正式公开发表,在解放词体上走得要更早,也似更远更彻底。]如《虞美人·自题小影寄思顺》:"一年愁里频来去。泪共沧波注。悬知一步一回眸。嵌着阿爷小影在心头。　　天涯诸弟相逢道。哭罢还应笑。海云不碍雁传书。可有夜床俊语寄翁无。"《鹊桥仙·自题小影寄思成》:"也还美睡,也还善饭,忙处此心常暇。朝来点检镜中颜,好像比去年胖些。　　天涯游子,一年恶梦,多少痛愁惊怕。开缄还汝百温存,爹爹里好寻妈妈。"《好事近·代思礼题小影寄恩顺(滑稽作品)》:"昨日好稀奇,迸出门牙四个。刚把来函撕吃,却正襟危坐。　　一双小眼碧澄澄,望着阿图和。肚里打何主意,问亲家知么。""谢你好衣裳,穿着合身真巧。那肯赤条条地,叫瞻儿取笑。 爹爹替我掉斯文,我莫名其妙。我的话儿多着,两亲家心照。"诸篇通俗诙谐,自然率真,可见其时词学革新的一个很重要的方面,当是借助语言变革的东风,进一步颠覆传统雅俗观念。

梁启超与纳兰之间的联系还不止于此。如在《中国韵文里头所表现的情感》中评论纳兰《采桑子》(而今才道当时错):"情感热烈到十二分,刻画到十二分。"上片"满眼春风百事非"中的错位修辞,便是将情感刻画到"十二分"之法,颇堪注目。又如在纳兰去世二百四十周年忌日所作的《鹊桥仙》:"冷瓢饮水,蹇驴侧帽,绝调更无人和。为谁夜夜梦红楼,却不道当时真错。 寄愁天上,和天也瘦,廿纪年光迅过。断肠声里忆平生,寄不去的愁有么。"既是追怀,也像是对自己平生的回顾和反省,为此,下片第四句直接取用纳兰《浣溪沙》(残雪凝辉冷画屏)中成句。另外,梁氏此词上片第四句原有注云:"'只休隔、梦里红楼,有个人儿见',集中《雨霖铃》句。'此夜红楼。天上人间一样愁',集中《减兰》句。容若词屡说'红楼',好事者附会为《红楼梦》中人物。"(或谓纳兰《四时无题诗》十六首"每首中各一黛玉",亦此之类。)以一种特殊的方式和角度,对旧红学索隐派观点发表意见,对于今天的读者理解纳兰及其词作仍不无价值。

秋千索 渌水亭[①]春望

垆边唤酒双鬟亚[②]。春已到、卖花帘下[③]。一道香尘碎绿蘋,看白袷、亲调马[④]。　烟丝宛宛[⑤]愁萦挂。剩几笔、晚晴图画[⑥]。半枕芙蕖压浪眠,教费尽、莺儿话[⑦]。

[注释]

①渌(lù)水亭：纳兰家园亭，在今北京什刹后海北岸。②"垆边"句：亚，通"压"，低垂貌。韦庄《菩萨蛮》："垆边人似月。皓腕凝双雪。"陆游《春愁曲》："蜀姬双鬟娅姹娇，醉看恐是海棠妖。"李白《金陵酒肆留别》："风吹柳花满店香，吴姬压酒唤客尝。"③卖花帘下：王彦泓《纪遇》："曾向长陵小市行，卖花帘下见卿卿。"④"看白袷(jiá)"句：白袷，白色夹衣。调马，驯马。李贺《染丝上春机》："彩线结茸背复叠，白袷玉郎寄桃叶。"李端《赠郭驸马》："新开金埒看调马，旧赐铜山许铸钱。"⑤宛宛：细柔貌。陆羽《小苑春望宫池柳色》："宛宛如丝柳，含黄一望新。"文同《依韵和蒲诚之春日即事》："新蔬宛宛生晴圃，浅溜涓涓出暖沙。"⑥"晚晴"句：吴融《富春》："水送山迎入富春，一川如画晚晴新。"⑦"教费尽"句：王安石《清平乐》："留春不住。费尽莺儿语。"

[评析]

这首《秋千索》，调名有原委（详后），又孙致弥有和作《拨香灰·容若侍中索和楞伽山人韵》："流莺并坐花枝亚。帘影动、合欢窗下。绿绣笙囊紫玉箫，称鹿爪、调弦马。　宣和宫裱崔徽挂。恰侧畔、有人如画。几许伤春梦雨愁，都付与、鹦歌话。"据词题中"侍中"，可知作期至早应在康熙十八年（1679）。

纳兰词全篇围绕"春望"做文章，上片描绘亭中所望之景，垆边唤酒，帘下卖花，水禽嬉戏，湖边驯马，一派盎然春意。下片转写春光带将愁来，依依柔柳，如画晚晴，半枕轻眠，费尽莺话，不禁萌生阑珊意绪。纳兰还有一首《天仙子·渌水亭秋夜》，均可与其《渌水亭宴集诗序》："予家象近魁三，天临尺五。墙依绣堞，云影周遭。门俯银塘，烟波滉漾。蛟潭雾尽，晴分太液池光，鹤渚秋清，翠写景山峰色。云兴霞蔚，芙蓉映碧叶田田，雁宿凫栖，粳稻动香风冉冉。设有乘槎使至，还同河汉之皋，倘闻鼓枻歌来，便是沧浪之澳。若使坐对亭前渌水，俱生泛宅之思，闲窥槛外清涟，自动浮家之想。"以及《渌水亭》诗参读："野色湖光两不分，碧云万顷变黄云。分明一幅江村画,着个闲亭挂夕曛。"诗文词三位一体,相得益彰,读来应有得于文字之外者。

秋千索

药阑①携手销魂侣。争不记、看承人处②。除向东风诉此情,奈竟日、春无语。　　悠扬扑尽风前絮。又百五③、韶光难住。满地梨花似去年④,却多了、廉纤雨⑤。

[注释]

①药阑:李匡义《资眼集》卷上:"今园庭中药阑,阑即药,药即阑,犹言围援,非花药之阑也。有不悟者,以为藤架蔬圃,堪作切对,是不知其由,乖之矣。"欧阳修《定风波》:"黯淡梨花笼月影。人静。画堂东畔药阑西。"赵长卿《长相思》:"药栏东,药栏西。记得当时素手携。弯弯月似眉。"②"争不记"句:争,怎。韩偓《哭花诗》:"若是有情争不哭,夜来风雨葬西施。"张相《诗词曲语辞汇释》:"看承,犹云看待也,亦犹云特别看待也。"吴淑姬《祝英台近》:"断肠曲曲屏山,温温沉水,都是旧、看承人处。"③百五:冬至至清明凡一百零五日,因称清明为百五。周邦彦《琐窗寒》:"迟暮。嬉游处。正店舍无烟,禁城百五。旗亭唤酒,付与高阳俦侣。"④"满地"句:刘方平《春怨》:"寂寞空庭春欲晚,梨花满地不开门。"⑤廉纤雨:细雨。晏几道《生查子》:"无端轻薄云,暗作廉纤雨。"

[评析]

这是一首相思词。上片在对往日令人"销魂"的欢情的追忆中,写出今日的孤寂和伤感。下片以景托情,刻意伤春更伤别。韶光荏苒,风前柳絮、"满地梨花"依旧,伊人却杳无踪迹,人非物是,已自不胜伤悲,再加上廉纤细雨飘落不辍,更平添了一份惆怅,令人难"以为情"(陈廷焯《云韶集》十五)。

同为写相思之情的好言语,纳兰词疏淡,近于韦庄,不似温庭筠那般秾丽:"水精帘里颇黎枕。暖香惹梦鸳鸯锦。江上柳如烟。雁飞残月天。　藕丝秋色浅。人胜参差剪。双鬓隔香红。玉钗头上风。"(《菩萨蛮》)温词之美,要在透过多重感官刺激和多种意象运用,触发多方联想和想象,铸成一种含蓄蕴藉的诗意境界,不言情字而浓情四溢。自然,这样的一种美,也是需要借助音律上的谐婉来实现的。如首二句"水精帘里颇黎枕。暖香惹梦鸳鸯锦",落脚于上声字,体现出悠远飘渺的梦幻感,使原本静止的画面变得富有生气。过片二句"藕丝秋色浅。人胜参差剪",接连使用舌尖音和齿头音,在对外貌和动作的渲染中,也传达出一种美感。在努力通过多种艺术手段表达难以为情之情这一点上,纳兰与温庭筠又是相通的。而由此形成的婀娜绮丽之风,也正是纳兰词与六朝文风的相近之处,即夏承焘先生所言"相怜婀娜六朝人"(《瞿髯论词绝句》)之意。

秋千索

　　游丝断续东风弱。浑无语、半垂帘幕①。茜袖谁招曲槛边②,弄一缕、秋千索。　惜花人③共残春薄。春欲尽、纤腰如削④。新月才堪照独愁,却又照、梨花落。

[注释]

①半垂帘幕:朱淑真《即事》:"帘幕半垂灯烛暗,酒阑时节未忺眠。"②"茜(qiàn)袖"句:茜,绛红色。韦庄《菩萨蛮》:"骑马倚斜桥,满楼红袖招。"③惜花人:朱淑真《春阴古律二首》之二:"芳意被他寒约住,天应知有惜花人。"④纤腰如削:鲍照《拟行路难十八首》之八:"床席生尘明镜垢,纤腰瘦削发蓬乱。"侯寘《满江红》:"念沈郎、多感更伤春,腰如削。"

[评析]

　　谢章铤《赌棋山庄词话》卷七道明调名原委:"毛稚黄尝自度

曲名《拨香灰》，其句法字数与《忆王孙》俱同，但平仄稍异。容若'渌水亭春望'即填此调，因其中有'飐一缕、秋千索'句，故自名《秋千索》。"这首词写春残"独愁"，又见月照梨花，不禁触景伤怀，惜春念人。通篇描摹景物——茜袖曲槛，绿柳秋千，楼头新月，庭院梨花，历历如画，寓情于景，含蓄蕴藉。

梨花意象，历来为文人所喜用。缘由之一，在于此花天然玉容，粉淡香清，风尘莫染，"未容桃李占年华"（陆游《梨花》），正如黄庭坚《次韵梨花》所云："桃花人面各相红，不及天然玉作容。总向风尘尘莫染，轻轻笼月倚墙东。"由此延伸开来，当此花有明月相照，"伴素娥清绝"（王恽《好事近·赋庭下新开梨花》）时，尤能惹人情思。刘秉忠的《临江仙·梨花》是这样写的："冰雪肌肤香韵细，月明独倚阑干。游丝萦惹宿烟环。东风吹不散，应为护轻寒。　素质不宜添彩色，定知造物非悭。杏花才思又凋残。玉容春寂寞，休向雨中看。"元好问《梨花海棠二首》之一其实也是这个意思，只是更显怜惜之情："梨花如静女，寂寞出春暮。春色惜天真，玉颊洗风露。素月淡相映，萧然见风度。恨无尘外人，为续雪香句。孤芳忌太洁，莫遣凡卉妒。"又似乎与杜牧"砌下梨花一堆雪，明年谁此凭栏干"（《初冬夜饮》）、苏轼"人生看得几清明"（《和孔密州五绝·东栏梨花》）一样，于篇末宕开一笔，别有某种感慨。在喜用梨花意象上，纳兰词也不例外，不过，他并没有甘于淹没在众多前代优秀作品中。

好事近

　　马首望青山，零落繁华如此。再向断烟衰草，认藓碑[①]题字。　休寻折戟[②]话当年，只洒悲秋泪。斜日十三陵[③]下，过新丰④猎骑。

[注释]

①藓碑：可止《哭贾岛》："暮雨滴碑字，年年添藓痕。"顾贞观《忆秦娥》："双崖碧。古今多少，藓碑题迹。"②折戟：杜牧《赤壁》："折戟沉沙铁未销，自将磨洗认前朝。"③十三陵：在北京昌平天寿山，葬明朝自永乐迁都后十三帝：长陵（成祖）、献陵（仁宗）、景陵（宣宗）、裕陵（英宗）、茂陵（宪宗）、泰陵（孝宗）、康陵（武宗）、永陵（世宗）、昭陵（穆宗）、定陵（神宗）、庆陵（光宗）、德陵（熹宗）、思陵（思宗）。④新丰：在今陕西临潼县东北，刘邦兴建，迁家乡丰邑父老于此。王维《观猎》："忽过新丰市，还归细柳营。"

[评析]

这是一首十三陵游猎词。秋日青山，繁华零落，断烟衰草，题字藓碑，寻话当年，"只洒"悲泪，着意于描摹猎场景观，以抒写凭吊感伤之情。结二句满含今昔兴废感喟，"绝非新朝新贵的语气"（严迪昌《清词史》），又引而未发，令人深思。

凭吊旧朝帝王陵寝，因凭吊者身份不同，所抒志意自然各别。如爱新觉罗·玄烨的《金陵旧紫禁城怀古》，虽云"斜阳衰草系情多"，实重在突出"治理艰勤重殷鉴"之意，故"一代规模成往迹，千秋兴废逐流波"等语，无非泛泛怀古之笔。顾炎武《重谒孝陵》："旧识中官及老僧，相看多怪往来曾。问君何事三千里，春谒长陵秋孝陵。"则托言"孤愤"，是完全不同的一种心态和情怀。又爱新觉罗·弘历《谒明太祖陵》："崛起何嫌本做僧，汉高同杰又多能。每当巡省临华里，必致勤虔谒孝陵。一代规模颇称树，百年礼乐未遑兴。独怜复古非通变，翻使燕兵衅可乘。"与玄烨的不同之处在于，自矜自重自得之意浓厚了许多。而写过史学名著《廿二史札记》的赵翼，在《题明太祖陵》中是这样说的："定鼎金陵控制遥，宅中方轨集轮镳。千秋形胜从三国，一样江山陋六朝。燕啄皇孙传岂误，狗烹诸将乱终消。桥陵曾借神僧穴，易代犹闻禁采樵。"

基本上是站在历史的高度,以学者的口吻评述前朝史事。相比而言,纳兰词表现出的情况最为特殊,也着实令人费解。既然已经由王朝兴亡、世事盛衰联想到万物荣枯不定,人生好景无常,又是什么原因让一个对社会、历史持论大抵理性客观的人——另有例如《采桑子》(那能寂寞芳菲节)歇拍二句所云"有酒须倾,莫问千秋万岁名",在短暂而又漫长的人生路上艰难跋涉,痛苦困惑不堪到无以复加?

太常引　自题小照①

西风乍起峭寒生。惊雁避移营②。千里暮云平③。休回首、长亭短亭。　　无穷山色④,无边往事,一例冷清清。试倩玉箫声,唤千古、英雄梦醒。

[注释]

①小照:《楞伽出塞图》,作者不详。②"惊雁"句:惊雁,惊弓之雁。庾肩吾《九日侍宴乐游苑应令》:"腾猿疑矫箭,惊雁避虚弓。"③"千里"句:王维《观猎》:"回看射雕处,千里暮云平。"④"无穷"句:向子𬤇《秦楼月》:"伤心切。无边烟水,无穷山色。"

[评析]

这首词,据姜宸英《纳腊君墓表》:"二十一年八月使觇梭龙羌,归时从奚囊倾方寸札出之,叠数十纸,细行书,皆填词若诗。"及其《题容若出塞图》之二所云:"奉使曾经葱岭回,节毛暗落白龙堆。新词烂漫谁收得,更与辛勤渡海来。"可知作于从梭龙返回以后。词借"惊雁"、"千里暮云"、"长亭短亭"、"山色"、"冷清"、"玉箫声"等塞上景象婉转抒情。从结末"英雄梦醒"一语来看,全篇言浅意深,清峭中似有无穷感慨,不只是吴雯《题楞伽出塞图》中所说的"心独伤"而已:"出关塞草白,立马心独伤。秋风吹雁影,天际正茫茫。岂念衣裳薄,还惊鬓发苍。金闺千里月,中夜拂流黄。"

历来自题画像之作,立意不外乎以下数端:或慷慨述志,奋发自勉;或志得意满,欣然自慰;或感叹生平,低回自伤;或故作豁达,诙谐自嘲。"容若此作,似可归入'自伤'一类"(盛冬铃《纳兰性德词选》)。同属自题自伤,纪映钟在"秋水轩唱和"中所作的一首《贺新凉·自题像次曹学士韵》是这样写的:"素发连蜷卷。这痴翁、非君非牧,谁招谁遣。倨大乾坤凭啸傲,不肯学人啼泫。随饮啄、川篱谷茧。老屋孤松恒作伴,覆床头破瓮香浮浅。膝长抱,何曾展。　诗书也读羞名显。趁良辰、郝隆独晒,腹囊皮扁。一任朝光侵户牖,好睡朱檐偎犬。起迓客、寒温双免。但话桑麻寻水石,有茶枪、酒董奚双典。秋水棹,吴淞剪。"表现出当时部分遗逸之辈和旧家子弟的狂逸萧散,而与纳兰词明显不同。

太常引

晚来风起撼花铃①。人在碧山亭。愁里不堪听。那更杂、泉声雨声。　无凭②踪迹,无聊心绪,谁说与多情。梦也不分明③,又何必、催教梦醒。

[注释]

①花铃:护花铃。王仁裕《开元天宝遗事》卷上:"至春时,于后园中纫红丝为绳,密缀金铃,系于花梢之上,每有鸟鹊集,(宁王)则令园史掣铃索以惊之,盖惜花之故也。"②无凭:晏幾道《鹧鸪天》:"相思本是无凭语,莫向花笺费泪行。"③"梦也"句:张泌《寄人》:"倚柱寻思倍惆怅,一场春梦不分明。"

[评析]

这首词，写碧山亭中，晚来风起，撼动花铃，已是惹人心动神乱；加上"泉声雨声"，夹杂而来，就愈发令人"不堪"。"无聊心绪"在这一路的烘托、渲染下，似乎还嫌不够，于是，接下来写"踪迹""无凭"，无法向"多情"之人诉说，只好到梦里去追寻，但是，恼人的声响却又催人梦醒。词在半梦半醒、恍惚迷离中戛然而止，不仅照应前篇，而且更进一步地表现出了挥之难去的满怀愁绪。

"梦也"二句，张德瀛认为，其"缠绵往复"（《词徵》卷六）处，可与朱彝尊《沁园春·送叶元礼之真州》结二句相埒："游子何之，迤逦雷塘，二十四桥。正梅花如雪，烟笼寒水，垂杨拂地，雨涨春条。江左文章，竹西歌吹，丽句争传胜六朝。褰帘处，报玉骢到也，红袖齐招。　　当年瓜步停桡。有桃叶、桃根送晚潮。怅荆云隔浦，难邀梦雨，秦楼按曲，曾听吹箫。旧事堪寻，长笺得寄，便欲从君访翠翘。沉吟久，怕重来不见，见又魂消。"当然，同样是表达一种无奈之情，纳兰词要更显沉痛。另外，陈廷焯也对"梦也"二句赞赏有加，但同时又指出："然意境已落第二乘。"（《白雨斋词话》卷三）即所谓意境"不深厚"。这当然是用常州词派的观点，尤其是陈廷焯自己的"沉郁说"进行衡量的结果。作词之法，路向多端，不必一以常派论调为鹄的。陈廷焯的词学取向前后变化很大，可以用机警灵动与理性固执之别为之分野。所以，陈廷焯在不同阶段对纳兰词（当然不只是纳兰词）作出的评价，需要进行具体分析［与陈廷焯词学观念先浙后常略为相关也非常有意思的是，顾宪融《填词百法》曾提出，纳兰"自标新帜"，遂"与二家并"，其中的"二家"指的是分别以朱彝尊、陈维崧（还有张惠言）为首的浙、常二派。以陈维崧入常州派，看法与众不同］。辨析、使用前代文学批评史料大抵均应如是，陈廷焯只是其中较为突出的一个例证而已。

山花子

欲话心情梦已阑①。镜中依约见春山②。方悔从前真草草③,等闲看。　环佩只应归月下④,钿钗何意寄人间。多少滴残红蜡泪,几时干⑤。

[注释]

①梦已阑:阑,残。辛弃疾《南乡子》:"别后两眉尖。欲说还休梦已阑。"②春山:女子之眉。李商隐《代赠二首》之二:"总把春山扫眉黛,不知供得几多愁。"牛峤《菩萨蛮》:"愁匀红粉泪。眉剪春山翠。"冯延巳《鹊踏枝》:"低语前欢频转面。双眉敛恨春山远。"③"方悔"句:彭孙遹《卜算子》:"草草百年身,悔杀从前错。"④"环佩"句:杜甫《咏怀古迹》五首之三:"画图省识春风面,环佩空归夜月魂。"⑤"多少"二句:温庭筠《更漏子》:"玉炉香,红烛泪。偏照画堂秋思。"李商隐《无题》:"春蚕到死丝方尽,蜡炬成灰泪始干。"

[评析]

这是一首悼亡词。上片写梦见亡妻,醒来唯见朦胧幻象,哀痴情伤。下文转谓而今痛悔过去对她的等闲相待。下片写物是人非的感伤,"只应"、"何意"二语是将哀怨之情翻进一层来写。最后在泪蜡不干的再度渲染中,更进一步抒发无以排遣的恨憾。

情到深处,往往愧悔无比。韦庄的《悔恨》是这样写的:"六七年来春又秋,也同欢笑也同愁。才闻及第心先喜,试说求婚泪便流。几为妒来频敛黛,每思闲事不梳头。如今悔恨将何益,肠断千休与万休。""才闻"四句的细节回顾,写出悔恨之由,更将自己的情深意重从对方对自己的情意之深重中充分显露出来。韦氏代拟思妇心曲的《清平乐》也是如此:"野花芳草。寂寞关山道。柳吐金丝莺语早。惆怅香闺暗老。　罗带悔结同心。独凭朱栏思深。梦觉半床斜月,小窗风触鸣琴。"一想到远行路上虽有野花芳草,毕竟寂寞凄凉,近处让人眼前一亮的早春景象,越发激起思妇的悠悠愁思和"悔"意。悔恨,其实是爱之切后的欲寻解脱之语。所以独倚朱栏,无限思念,以至于连极细微的轻风、琴鸣,都会将她从梦中惊醒,醒来后却又只见清冷斜月。此情此景,断非一个愁字所能了得。纳兰另有一首同调之作:

　　风絮飘残已化萍。泥莲刚倩藕丝萦。珍重别拈香一瓣,记前生。　人到情多情转薄,而今真个悔多情。又到断肠回首处,泪偷零。

与这首《山花子》可能作于同时,但稍为滞重,可以对读。

山花子

小立红桥柳半垂。越罗裙飏缕金衣①。采得石榴双叶子②,欲贻谁。　便是有情当落日,只应无伴送斜晖。寄语东风休著力,不禁③吹。

[注释]

①"越罗"句:越罗,越地所产丝织品。刘禹锡《酬乐天衫酒见寄》:"酒法众传吴米好,舞衣偏尚越罗轻。"韦庄《诉衷情》:"越罗香暗销。坠花翘。"飏(yáng),飘扬。缕金衣,犹金缕衣。顾敻《荷叶杯》:"菊冷露微微。看看湿透缕金衣。"②"采得"句:陈师道《西江月》:"凭将双叶寄相思。与看钗头何似。"王彦泓《无绪》:"空寄石榴双叶子,隔帘消息正沉沉。"

③不禁：经不住。黄裳《锦堂春》："面旋不禁风力，背人飞去还来。"

[评析]

　　这首词写女子情思。翠柳红桥，越罗金缕，裙裾轻扬，开篇的设色布景，足见匠心。欲寄双叶，无语斜阳，临风憔悴，从心理活动和精神状态两方面透露怀春之意。

　　夕阳，作为亘古以来吸引凝望的审美客体，同时也是寄托情感的载体。如《诗·王风·君子于役》中"日之夕矣，羊牛下来"云云，室家相思之情，略见"斜晖脉脉"之愁绪。屈原《思美人》中"命则处幽吾将罢兮，原及白日之未暮也"，曹植《箜篌引》中"惊风飘白日，光景驰西流。盛时不可再，百年忽我遒"，是说以有限生命建不朽功业，才能长留精神于天地。阮籍《咏怀诗》中"朝阳不再盛，白日忽西幽"、"朝阳忽蹉跎，盛衰在须臾"、"功业未及建，夕阳忽西流"等，则凝重阴郁，明显让人感受到自身的渺小和生命的脆弱，与前两者其实是一体之两面的关系。李商隐《登乐游原》中"夕阳无限好，只是近黄昏"，空间上的温馨喜悦与经由时间上的催逼所增添的无限悲愁，交织成一种特定的情感符号，可与"斜阳草树，寻常巷陌，人道寄奴曾住。想当年，金戈铁马，气吞万里如虎"（辛弃疾《永遇乐·京口北固亭怀古》）及"万里夕阳垂地、大江流。（分片）中原乱。簪缨散。几时收"（朱敦儒《相见欢》）中满含的忧患意识相比观。至于马致远《天净沙·秋思》"夕阳西下"中的游子之心，更不待言。当然，诗人寄托于夕阳中的情感，也包括礼赞。如"晓霜枫叶丹，夕曛岚气阴"（谢灵运《晚出西射堂》）与"落霞与孤鹜齐飞，秋水共长天一色"（王勃《滕王阁序》）中的和谐柔美，"大漠孤烟直，长河落日圆"（王维《使至塞上》）中的壮丽之美，还有"柳塘春水漫，花坞夕阳迟"（严维《酬刘员外见寄》）与"山气日夕佳，飞鸟相与还"（陶渊明《饮酒》）中的恬淡之美。夕阳在吸引凝望的同时，也静静地凝视人间，带来想象，使人着迷，也使人感伤，多少情怀，都付一抹残红中。所有这些，当或多或少成为纳兰这首《山花子》过片"便是"二句的题中应有之义。

菩萨蛮

朔风吹散三更雪。倩魂犹恋桃花月①。梦好莫催醒。由他好处②行。　无端听画角。枕畔红冰③薄。塞马一声嘶。残星拂大旗。

[注释]

①"倩魂"句：陈玄佑《离魂记》：衡州张镒之女倩娘与镒之甥王宙相恋，后镒将女另配他人，倩娘因以成病。王宙被遣至蜀，夜半，倩娘之魂随至船上，同往。五年后，二人归家，房中卧病之倩娘出，与归家之倩娘合一。又，桃花月，农历二月，代指美好时光。②好处：辛弃疾《鹧鸪天》："山才好处行还倦，诗未成时雨早催。"③红冰：王仁裕《开元天宝遗事》："杨贵妃初承恩诏，与父母相别，泣涕登车。时天寒，泪结为红冰。"方千里《醉桃源》："去时情泪滴红冰。西风吹涕零。"彭孙遹《蝶恋花》："十二屏山湘水净，香蕤枕畔红冰凝。"

[评析]

这首词写塞外相思，通过梦醒前后的强烈对比达成。词篇在朔风寒雪和"倩魂""花月"的冷暖对写中起笔，凸显寒苦塞外中的这个"好梦"的难得。因有下文"莫催醒"、"由他好处行"的难舍，更有被声声"画角""无端"惊醒后的愁怨感伤。天色渐晓，塞马嘶鸣，残星拂旗，一结景中含情，首尾呼应，深得刚柔相济之美。

文学作品中的对比手法，有多种样态，包含几多思绪。如《孔雀东南飞》中"举身赴清池"与"徘徊庭树下",刻画刘、焦二人性格特点之不同,如在目前。白居易《长恨歌》中"天长地久有时尽,此恨绵绵无绝期",慨叹有尽与"无绝",传达深沉思念。刘禹锡《台城》:"台城六代竞豪华,结绮临春事最奢。万户千门成野草,只缘一曲后庭花。"将严肃的历史教训具象化为触目惊心的今昔景观变迁,寄寓盛衰无常之感。与李白《越中览古》一同其妙:"越王勾践破吴归,战士还家尽锦衣。宫女如花满春殿,只今唯有鹧鸪飞。"杜甫《自京赴奉先县咏怀五百字》中"朱门酒肉臭,路有冻死骨",借描绘贫富差别,表达对当时社会的深刻认识和忧愤难平之意。高适《燕歌行》中"战士军前半死生,美人帐下犹歌舞",对比舍身保国与醉生梦死,矛头鲜明,讽刺有力。李白《望天门山》中"两岸青山相对出,孤帆一片日边来",写来动静相宜,相映成趣,知"能手固无浅语也"(俞陛云《诗境浅说》)。李煜《虞美人》中"雕栏玉砌应犹在,只是朱颜改",虚实对照,写物是人非的恨憾。关汉卿《南吕·四块玉·别情》:"自送别,心难舍,一点相思几时绝。凭栏袖拂杨花雪。溪又斜,山又遮,人去也。""乘一总万"(刘勰《文心雕龙·总术》),以别情无极写尽"一点"相思,多方描摹,哀感无端。纳兰浸淫于这样的文学传统中,所作自能和而不同。

菩萨蛮

问君何事轻离别。一年能几团圆月。杨柳乍如丝[①]。故园春尽时。　　春归归不得。两桨松花隔[②]。旧事逐寒潮。啼鹃恨未消[③]。

[注释]

①"杨柳"句：沈约《杂诗》："杨柳乱如丝，绮罗不自持。"②"两桨"句：《莫愁乐》："莫愁在何处，莫愁石城西。艇子打两桨，催送莫愁来。"松花，松花江。③"啼鹃"句：乐史《太平寰宇记》：蜀帝杜宇被逼禅位于其相，死后，魂化杜鹃，啼至流血。顾况《子规》："杜宇冤亡积有时，年年啼血动人悲。"文天祥《金陵驿》："从今别却江南路，化作啼鹃带血归。"虞集《送王君实御史》："莺满辋川君定到，鹃啼剑阁我思归。"

[评析]

这首词，《瑶华集》有词题"大乌剌"，据知作于康熙二十一年（1682）随扈东巡时。又是一年，塞上春来到，但跟以前的许多次一样，仍是身不由己，羁旅天涯，归去不得，于是，在经由眼前之景所激起的往事追忆中，一种聚少离多之叹，夹杂着深深的愧悔恨意，犹如江潮般汹涌起伏，久久难于平静。词作主题，有思亲念家、旧恨、旧情三说。其实，三种情绪在词作中是或明或暗、或多或少地交织在一起的。这是一种容易导致人们在理解上产生歧义的情形，虽然不一定完全与文本本身无关，却也可以构成某些作品审美效果的一部分。

词中"杨柳"二句，被陈廷焯评为："亦凄惋，亦闲丽，颇似飞卿语。"（《白雨斋词话》卷三）吴梅先生更以为："较'驿桥春雨'更进一层。"（《词学通论》）试看温庭筠的同调名作："宝函钿雀金鸂鶒。沉香阁上吴山碧。杨柳又如丝。驿桥春雨时。　画楼音信断。芳草江南岸。鸾镜与花枝。此情谁得知。"词写晓来登高，触目骋怀，而人去信断，苦忆自伤，无人得知，的确称得上闲婉凄丽。在作法上，一起是模仿王昌龄《闺怨》；一结说如花美艳，却独守孤寂，读来哀思洋溢，幽怨深沉。备受关注的上片第三句"杨柳又如丝"，一个"又"字，既传写出惊叹的神情，又能见出相别相忆之既久且深。纳兰词与之似而不同，所谓"更进一层"，主要表现在这个"乍"字上,故园已春尽,而北国之春始姗姗来迟,与张敬忠《边词》中"即今河畔冰开日,正是长安花落时"、王之涣《凉州词》中"羌笛何须怨杨柳,春风不度玉门关"以及吴兆骞(一作徐兰)《出关》中"马后桃花马前雪,出关争得不回头"并同其妙。至于陈廷焯所惋惜的"通篇不称",应该主要是指"旧事"结二句,似有笔先之意、言外之神被一语道破之嫌,无助于词作达成委婉深厚之旨。

菩萨蛮

新寒中酒敲窗雨①。残香细袅秋情绪。才道莫伤神。青衫湿一痕②。　　无聊成独卧。弹指③韶光过。记得别伊时。桃花柳万丝。

[注释]

①"新寒"句:吴文英《风入松》:"料峭春寒中酒,交加晓梦啼莺。"②"青衫"句:青衫,多借指学子或官职卑微。白居易《琵琶行》:"座中泣下谁最多,江州司马青衫湿。"③弹指:极短的时间。本佛家语。《翻译名义集·时分》:"《僧祇》云,十二念为一瞬,二十瞬为一弹指。"

[评析]

据《今词初集》"才道"句作"端的是怀人",知此篇当为纳兰早期怀人之作。至于所怀之人是否为严绳孙,尚待进一步求证。词写春日与人相别后的思念之情。上、下片都是先写此际的相思无聊——秋雨敲窗,残香细袅,拥衾醉卧,黯然神伤,再转写惜别情景,尤以"才道"二句摹写心理状态为生动细腻。整篇翻转跳宕,表现深细。

词笔跳宕转接,可以比较表面地表现在押韵字句的单双变化、错落有致上。其实，跳转之法作为小令创作中的传统手法，前代作家早就有过诸多成功的范例。如周邦彦《菩萨蛮》："银河宛转三千曲。浴凫飞鹭澄波绿。何处是归舟。夕阳江上楼。　天憎梅浪发。故下封枝雪。深院卷帘看。应怜江上寒。"换头处转变叙述视角，写在征途中见到大雪"封枝"，末二句又设想对方因天气变化为自己担忧，都避免了行文上的平直。姜夔《醉吟商小品》："又正是春归，细柳暗黄千缕。暮鸦啼处。梦逐金鞍去。一点芳心休诉。琵琶解语。""梦逐"句也是宕开一笔，写女子梦里追随，不避险远，从而增加顿挫之感。再如贺铸《梦江南》："九曲池头三月三。柳毵毵。香尘扑马喷金衔。涴春衫。　苦笋鲥鱼乡味美，梦江南。阊门烟水晚风恬。落归帆。"通过时空跳转将上、下片的情境组合起来，在一种强烈的整体对比中，凸显出作者对京都的倦怠和对苏州的神往。又如贺铸《点绛唇》："一幅霜绡，麝煤熏腻纹丝缕。掩妆无语。的是销凝处。　薄暮兰桡，漾下蘋花渚。风留住。绿杨归路。燕子西飞去。"起首二句已是新奇而生动。换头处又将画面切换到别后，刚刚解缆启程的行者不肯急帆快桨，却无意中飘到"蘋花渚"，由此勾起甜蜜的回忆。吴文英《点绛唇》："推枕南窗，楝花寒入单纱浅。雨帘不卷。空碍调雏燕。　一握柔葱，香染榴巾汗。音尘断。画罗闲扇。山色天涯远。"跟温庭筠的很多作品一样，基本上没有虚字调度，也不太措意于细部间的呼应衔接，正是况周颐所谓注重整体气韵贯通的"神圆"（《蕙风词话·附录》）之笔。这些，都是纳兰进一步尝试的源头活水。

菩萨蛮

白日惊飙[①]冬已半。解鞍正值昏鸦乱。冰合[②]大河流。茫茫一片愁。　　烧痕空极望。鼓角③高城上。明日近长安④。客心愁未阑⑤。

[注释]

①惊飙：暴风。殷仲文《解尚书表》："惊飙拂野，林无静柯。"李白《古风五十九首》之四十五："八荒驰惊飙，万物尽凋落。"②冰合：合，封。李贺《北中寒》："一方黑照三方紫，黄河冰合鱼龙死。"③鼓角：白居易《祭杜宵兴灯前偶作》："城头传鼓角，灯下整衣冠。"④长安：代指京城。⑤"客心"句：谢朓《暂使下都夜发新林至京邑》："大江流日夜，客心悲未央。"

[评析]

这首词是康熙二十三年（1684）冬纳兰随扈南巡返程时所作，白日惊飙，昏鸦乱飞，烧痕空望，高城鼓角，冰河流淌，客愁茫茫，称得上情与景偕。纳兰还有一首《菩萨蛮》：

榛荆满眼山城路。征鸿不为愁人住。何处是长安。湿云吹雨寒。　　丝丝心欲碎。应是悲秋泪。泪向客中多。归时又奈何。

张秉戍先生据二词中"长安"云云，认为它们可能是同一主题的后、先之作，证据略嫌单薄。不过，这两首同调之作的写法的确有相近的地方，景随人变，情无不同。

羁旅记情之作，在后来的清代词人那里，也还有另外的成功的写法，对照读来，当能别有会心。如周之琦《好事近·舆中杂书所见，得四阕》之二、四："诗句夕阳山，扇底故人曾说。好是固关西去，看万山红叶。　　翠蛟潭上认题名，屐齿为君折。蓦地藓花浓处，出一双胡蝶。""引手摘星辰，云气扑衣如湿。前望翠屏无路，忽天门中辟。　　等闲鸡犬下方听，人住半山侧。行踏千家檐宇，看炊烟斜出。"都写太行景色，也同样是情在景中，而前者从小处着笔,虚写处多,生动活脱;后者实写,在上山过程的动作与感觉中显示佳境。

姜夔浪迹江湖,对凄凉苦寒感受多且深刻,所以习惯于用一些衰落、枯寂、阴冷的意象营造清幽悲冷的词境。尽管被王国维斥为写景有"雾里看花,终隔一层"之病,但姜夔善于别出心裁地用艺术通感写情状物,表达特定的心理感受,虚处传神,意境空灵,因而也不能不被许为"格韵高绝"(《人间词话》)。如《扬州慢》:"淮左名都,竹西佳处,解鞍少驻初程。过春风十里,尽荠麦青青。自胡马窥江去后,废池乔木,犹厌言兵。渐黄昏,清角吹寒,都在空城。 杜郎俊赏,算而今、重到须惊。纵豆蔻词工,青楼梦好,难赋深清。二十四桥仍在,波心荡、冷月无声。念桥边红药,年年知为谁生。"将宋室南渡之际扬州被兵之后的凄惨景象写得非常生动,风格上,显得低回凄咽,哀怨无端。纳兰词惯写凄然不欢之怀,以我观物,故物我皆著我之色彩,塑造的大抵为"有我之境",因此与姜夔之作相异。

菩萨蛮　回文①

雾窗寒对遥天暮。暮天遥对寒窗雾。花落正啼鸦②。鸦啼正落花。　袖罗垂影瘦。瘦影垂罗袖③。风剪④一丝红。红丝一剪风。

[注释]

①回文:诗体,起源说法不一。除逐句回读、全首回读二式外,另有一式,虽只能正读,但书写成层层相套之圆环,从中央读起,逐层外读,一层左旋,一层右旋,直至读毕,如苏蕙《回文璇玑图》诗。在这个读的过程中,往往就能收到相当特别的效果。②"花落"句:秦观《赠女冠畅师》:"礼罢

晓坛春日静，落红满地乳鸦啼。"③"瘦影"句：朱彝尊《花犯》："正好伴，水亭风槛，低垂罗袖影。"④风剪：风吹。剪，迅疾。赵长卿《洞仙歌》："动离情、最苦旅馆萧条，那堪更、风剪凋零飞柳。"

[评析]

纳兰还有两首同调回文之作：

   客中愁损催寒夕。夕寒催损愁中客。门掩月黄昏。昏黄月掩门。 翠衾孤拥醉。醉拥孤衾翠。醒莫更多情。情多更莫醒。

   研笺银粉残煤画。画煤残粉银笺研。清夜一灯明。明灯一夜清。 片花惊宿燕。燕宿惊花片。亲自梦归人。人归梦自亲。

这些作品，每句颠倒成诵，一句化为两句，相辅成韵成义，要写得好，比如写出上述"醒莫"二句一类精警之句，从一个侧面展示汉字在表情达意方面的魔力，也不是一件容易的事情。故录之以备一格。

大多数把这种诗词别体当做文字游戏来对待的作者，往往难免为文造情，因文害义，左支右绌。当然，也不乏流畅自如的佼佼之作。如宋朝李禺写的全首回读夫妻互忆回文诗："枯眼望遥山隔水，往来曾见几心知。壶空怕酌一杯酒，笔下难成和韵诗。途路阻人离别久，讯音无雁寄回迟。孤灯夜守长寥寂，夫忆妻兮父忆儿。"意切情真，匠心独运，非仅流于文字技巧娴熟而已，实在不可多得。由此可见，对于回文体的看法也不可一概而论。个中缘由恐怕主要在于，文学本身就具有游戏的功能，在一定条件下展布技巧，也是再正常不过的事情。

菩萨蛮

春云吹散湘帘①雨。絮粘蝴蝶飞还住。人在玉楼②中。楼高四面风③。　柳烟丝④一把。暝色笼鸳瓦⑤。休近小阑干。夕阳无限山。

[注释]

①湘帘：湘妃竹制的帘子。朱淑真《浣溪沙》："小院湘帘闲不卷，曲房朱户闷长扃。"②玉楼：辛弃疾《苏武慢》："歌竹传觞，探梅得句，人在玉楼。"③"楼高"句：《懊侬歌》："欢少四面风，趋使侬颠倒。"冯延巳《鹊踏枝》："楼上春山寒四面。过尽征鸿，暮景烟深浅。"④烟丝：葛长庚《鹧鸪天》："雨过山花向晚香，烟丝空翠柳微茫。"⑤鸳瓦：鸳鸯瓦。李商隐《当句有对》："密迩平阳接上兰，秦楼鸳瓦汉宫盘。"

[评析]

这首词写伤高念远。全篇通过白描伤情人眼中的凄迷之景，诸如云收雨散、絮粘蝶飞、"烟丝""鸳瓦"、夕阳春山，勾起"玉楼中"人怯近阑干的复杂心绪，情景相偕，淡雅自然。

白描源自国画技法，纯用线条简练勾绘，不加烘托渲染。如果只是触景生情之笔，或者虽有描绘，却要通过或直接或间接的方式，将情绪多少透露出来一些，尽管本意可能是为了使读者更容易进入，但同时却也极大地压缩了读者的想象空间，就不能完全达到通过描摹景物传递意绪的目的。如马致远的《天净沙·秋思》："枯藤老树昏鸦，小桥流水人家，古道西风瘦马。夕阳西下，断肠人在天涯。"白描萧瑟秋暮景，表现浓浓游子情，得尽风流，但也不得不在篇末画龙点睛，并非不著一字。当然，即便如此，马氏散曲似乎还是要比白朴的同调同题之作好："孤村落日残霞，轻烟老树寒鸦，一点飞鸿影下。青山绿水，白草红叶黄花。"这就引出了问题的另外一面，即运用白描手法固然简练、准确、清晰，但如果只是单纯地大量使用，不在其中融入抒情，将叙事与抒情完美地结合到一起，往往也难以收到平易而不浅薄、直白而不失含蕴的艺术效果。这些，诗人们不一定想不到，但要真正做到却并非易事。李白的《玉阶怨》就是一首在白描方面极为成功的典范之作："玉阶生白露，夜久侵罗袜。却下水晶帘，玲珑望秋月。"整首诗写怨意，只借助了五种景物，通过冷色调语词的使用和画面顺序的精心安排，凸显空灵意境，充分调动读者的想象力，可遇难求。纳兰也属于在白描方面不断取得成功的作家中的一个。

菩萨蛮

为春憔悴留春住[①]。那禁半霎催归雨。深巷卖樱桃[②]。雨余红更娇。　黄昏清泪阁[③]。忍便[④]花飘泊。消得[⑤]一声莺。东风三月情[⑥]。

[注释]

①"为春"句：欧阳修《蝶恋花》："雨横风狂三月暮。门掩黄昏，无计留春住。"（此首亦载冯延巳《阳春集》）②"深巷"句：李煜《临江仙》："樱桃落尽春归去，蝶翻轻粉双飞。"陆游《临安春雨初霁》："小楼一夜听春雨，深巷明朝卖杏花。"③清泪阁：范成大《八场坪闻猿》："天寒林深山石恶，行人举头双泪阁。"周紫芝《踏莎行》："情似游丝，人如飞絮。泪珠阁定空相觑。"④忍便：忍，岂忍。便，便让。柳永《少年游》："好天良夜，深屏香被，争忍便相忘。"⑤消得：经得。刘克庄《清平乐》："消得几多风露，变教人世清凉。"周密《长亭怨慢》："十年旧事，尽消得、庾郎愁赋。"⑥"东风"句：朱淑真《问春》："东风负我春三月，我负东风三月春。"

[评析]

这是一首伤春之作。春风微拂，春雨潇潇，樱桃红娇，忍顾春花飘零，莺声撩乱，春容憔悴。顾随先生对这首词有过这样的评论："'深巷卖樱桃。雨余红更娇'，最易引起人爱好是鲜，而最不耐久也是鲜。如菓藕、鲜菱，实际没有什么可吃，没有回甘。耐咀嚼非有成人思想不可。纳兰除去伤感之外，没有一点什么，除去鲜，没有一点回甘。新鲜是好的，同时还要晓得苍秀。"（《驼庵诗话》）以词中"雨余红更娇"的"樱桃"比拟纳兰词，有似于王国维在《人间词话》中的做法（俞平伯先生《读词偶得》曾效之以"恰似一江春水流"譬后主词品），眼光独到而敏锐。

至于何谓"苍秀"，观前代词话引证的倪稻孙、刘仲尹二人词作，可约略知悉。丁绍仪《听秋声馆词话》卷十七云："米楼著有《梦隐词》，楚游归经琵琶亭《长亭怨慢》云：'又行尽、凄凄三楚。倦客单衣，薄游情绪。纵有琵琶，半生沦落向谁语。别离如此，盼不到、江南树。江上已秋风，却送我、扬舲归去。　重住。看扁舟来往，袅袅艳歌无数。青衫泪点，早吹作（去声）、驿亭残雨。算那日、一醉成吟，便赢得、风流千古。认几叠遥山，还似秋娘眉妩。'悲凉苍秀，直合石帚、玉田二家为一。"况周颐《蕙风词话》卷三也说："元遗山为刘龙山仲尹撰小传云：'诗乐府俱有蕴藉，参涪翁而得法者也。'蒙则以谓学涪翁而意境稍变者也。尝以林木佳胜比之。涪翁信能郁苍耸秀，其不甚经意处，亦复老干枒杈，第无丑枝，斯其所以为涪翁耳。龙山苍秀，庶几近似。设令为枒杈，必不逮远甚。或带烟月而益韵，托雨露而成润，意境可以稍变，然而乌可等量齐观也。兹选录《鹧鸪天》二阕如左，读者细意玩索之，视'黄菊枝头破晓寒'风度何如。'骑鹤峰前第一人。不应着意怨王孙。当时艳态题诗处，好在香痕与泪痕。　调雁柱，引蛾颦。绿窗弦索合筝蓁。砌台歌舞阳春后，明月朱扉几断魂。'

又,'璧月池南剪木栖。六朝宫袖窄中宜。新声靥巧蛾擘黛,纤指移筝雁著丝。　　朱户小,画帘低。细香轻梦隔涪溪。西风只道悲秋瘦,却是西风未得知。'"大致上应该是说,词要写得苍劲俊秀,又留有余味,所谓"意有尽而味无尽"(《驼庵诗话》)。

　　纳兰的这首《菩萨蛮》手迹尚存,为书赠高士奇者。"忍便",手迹作"忍共",似包含有些许伤离念远之意。高氏与纳兰有词学交往,所赋酬唱之作有《台城路·苑西梳妆楼怀古,和成容若》(雕阑几曲层台上)、《摸鱼儿·腊月十二日,成容若生日索赋》、《花发沁园春·和容若种桃》(冷露凝香)、《贺新凉·送成容若扈从》(凤吹临晴野)等。其中,尤以《摸鱼儿》所写为真情"款款":"小阑干、早梅初破,纸窗微逗香缕。冰轮似水霜天净,遥想玉门关路。凭记取。向雪后冲寒,一片玲珑树。归来岁暮。把衣卸盘雕,帘垂银蒜,款款夜深语。　　年光近,又被春禽唤曙。匆匆冻腊将去。牙香绣袋浑闲事,那比蛮笺钿柱。惊节序。恰十九东坡,十二君初度。酣余起舞。拟谱鹤南飞(东坡十二月十九日生日,置酒东坡下,进士李委作《鹤南飞曲》),樽前狂叫,侧帽睨今古。"士奇(1645~1703),字澹人,号竹窗,一号江村,浙江钱塘人。康熙初,由监生供奉内廷,屡官至詹事府少詹事。卒,谥文恪。著有《左传纪事本末》、《清吟堂集》等。

菩萨蛮

　　黄云紫塞①三千里。女墙西畔啼乌起。落日万山寒。萧萧②猎马还。　　笳声听不得。入夜空城黑。秋梦不归家。残灯落碎花③。

[注释]

①黄云紫塞：杜甫《佐还山后寄三首》之一："山晚黄云合，归时恐路迷。"仇注："塞云多黄，故公诗云。"孟郊《感怀》："登高望寒原，黄云郁峥嵘。"崔豹《古今注·都邑》："秦筑长城，土色皆紫，汉塞亦然，故称紫塞焉。" ②萧萧：《诗·小雅·车攻》："萧萧马鸣，悠悠旆旌。" ③"残灯"句：戎昱《桂州腊夜》："晓角分残漏，孤灯落碎花。"

[评析]

这首词写塞上乡思。黄云紫塞，落日寒山，乌啼女墙，猎马萧萧，忍听笳声，空城夜黑，残灯碎花，全篇从黄昏写到入夜，以荒远雄奇的塞外景观，烘托出"秋梦不归家"的悲凉心绪，语语含情。跟纳兰部分诗作中每每透出飒飒英迈之气，如"王事兼程促，休嗟客鬓斑"（《塞外示同行者》）、"还将妙写簪花手，却向雕鞍试臂鹰"（《塞垣却寄》之一），以及他的部分词作中也往往深具萧瑟苦寂情调一样，这首《菩萨蛮》（或者应该说这类词）因为题材兼具边塞与相思，因而雄浑、凄婉两种风格几乎能够完美地融为一体，犹如阴阳同体，令人深思。

烘托本为国画技法，指用水墨或色彩在物象的轮廓外面渲染衬托，使之明显、突出。施之于文，效果亦然。如《诗·秦风·蒹葭》中"蒹葭苍苍，白露为霜"、"白露未晞"、"白露未已"，渲染秋意渐浓的凄凉氛围，烘托寂寥心境。《陌上桑》中"行者见罗敷，下担捋髭须。少年见罗敷，脱帽著帩头。耕者忘其犁，锄者忘其锄。来归相怨怒，但坐观罗敷"，不正面描写人物形象，而通过观者的种种反应，拓展读者的想象空间，从而取得极为活跃的视觉艺术效果，罗敷的绝世美貌也因此跃然纸上，真是前无古人。后来，东方虬《王昭君》中"单于浪惊喜，无复旧时容"也是此等写法。王籍《入若耶溪》中"蝉噪林逾静，鸟鸣山更幽"，以"蝉噪"、"鸟鸣"之动烘托出一种恬淡幽静的意境，寂外有音，令人神往。

王维《鸟鸣涧》中"月出惊山鸟，时鸣春涧中"，山空月明，宿鸟误为曙光，故时有鸣声。以动衬静，不仅没有破坏月夜春山的安谧，反而将春夜山涧衬托得更为宁静。高适《别董大》中"千里黄云白日曛，北风吹雁雪纷纷"，状眼前暮天苦寒之景，烘托离愁别恨之情。白居易《琵琶行》中"东船西舫悄无言，唯见江心秋月白"，通过描写听者沉湎于动人的艺术境界中神往心醉的情境，极为含蓄地描绘出音乐的美妙动人。又《夜雪》："已讶衾枕冷，复见窗户明。夜深知雪重，时闻折竹声。"从多种不同的角度努力捕捉感受，句句写人，处处关题，写来别具一格，韵味悠长。总之，烘托之法要在于寻常处写出不寻常，纳兰的一些词也正是如此。

菩萨蛮

晶帘一片伤心白①。云鬟香雾成遥隔②。无语问添衣。桐阴月已西。　　西风鸣络纬③。不许愁人睡④。只是去年秋。如何泪欲流。

[注释]

①"晶帘"句：晶帘，水精帘。李白《玉阶怨》："却下水精帘，玲珑望秋月。"伤心白，极写伤心，犹极白。杜甫《滕王亭子》之一："清江锦石伤心丽，嫩蕊浓花满目斑。"李白《菩萨蛮》："平林漠漠烟如织。寒山一带伤心碧。"宋琬《蝶恋花》："月去疏帘才数尺。乌鹊惊飞，一片伤心白。"②"云鬟"句：杜甫《月夜》："香雾云鬟湿，清辉玉臂寒。"③络纬：一云纺织娘。崔豹《古今注·鱼虫》："莎鸡，一名络纬，一名蟋蟀，谓其鸣如纺纬也。"李贺《秋来》："桐风惊心壮士苦，衰灯络纬啼寒素。"苏轼《次晁无咎韵阎子常携琴入村》："天寒络纬悲向壁，秋高风露声入林。"④"不许"句：见前《河传》（春残）。

[评析]

　　纳兰的这首《菩萨蛮》，据"只是去年秋"句等推测，当是卢氏去世当年秋天所赋，夜深人独，由往昔红袖嘘寒的温馨细节，惹动今日无限哀愁，不禁潸然泪流。全篇两句一层，晶帘煞白，见月怀想为一层；无人问暖，动感伤情为一层；风剪虫鸣，深愁难寐为一层；遥想去秋，凄断衷肠为又一层，层层转进，环环紧扣，在情波不断地未平即起中写尽"恨海难填之痛"（盛冬铃《纳兰性德词选》）。所以，钱仲联先生评价该词："短幅而语多曲折，能透过一层写。"（《清词三百首》）

　　朱祖谋《望江南·杂题我朝诸名家词集后》评纳兰云："兰锜贵，肯作称家儿。解道红罗亭上语，人间宁独小山词。冷暖自家知。"（《彊村语业》卷三）其中有一层意思是说，纳兰词能够追逼小山词。晏幾道"收拾光芒入小词"，所作深入浅出，艳而不俗，从语言的精度、情感的深度和以长调之法为小令等三个层面，几乎把晚唐五代以还的小令艺术推到了极致，在宗柳学苏之外，为北宋后期词坛增添了异样的色彩，对后世词坛影响甚大。小晏小令淡语能表深情，常常是得力于"透过一层"（唐圭璋《词学论丛·论词之作法》）的句法。如《阮郎归》："旧香残粉似当初。人情恨不如。一春犹有数行书。秋来书更疏。　衾凤冷，枕鸳孤。愁肠待酒舒。梦魂纵有也成虚。那堪和梦无。"其中"一春"二句和"梦魂"二句，就是透过句，意思是说纵然如此，也无可奈何，何必不如此呢。这样写来，的确更能使情意层层深入，收语短情长之效。当然，这却并不意味着只有使用透过句法，才能收到同样的审美效果。比如小晏的另一首词《减字木兰花》："长亭晚送。都似绿窗前日梦。小字还家。恰应红灯昨夜花。　良时易过。半镜流年春欲破。往事难忘。一枕高楼到夕阳。""字外盘旋，句中含吐"（先著、程洪《词洁》），轻而不浮，浅而不露，也同样大有余音绕梁之致。清词中兴，令词创作所取得的成就是其支撑点里头不可或缺的组成部分。纳兰小令，在清代令词中堪称上佳之品，很重要的一个缘由，即是某些作品对小晏词中透过一层写法的学习。至于这种学习或继承，是否一定只是因为两者"出身""相类"（朱庸斋《分春馆词话》卷五），还可以继续讨论。

菩萨蛮

乌丝画作回纹纸①。香煤暗蚀藏头字②。筝雁十三双。输他作一行③。　　相看仍似客。但道休相忆。索性不还家。落残红杏花。

[注释]

①"乌丝"句：前秦窦滔妻苏蕙曾作《回文璇玑图》诗寄夫，后因以代指妻信为回文锦书。因为需要回环书写，故称"画"。韦庄《江行西望》："欲将张翰秋江雨，画作屏风寄鲍昭。"②"香煤"句：香煤，墨。藏头，藏头诗，每句第一字连读可组成话语。元好问《眉二首》之二："石绿香煤浅淡间，多情长带楚梅酸。"吕渭老《水龙吟》："相思两地，无穷烟水，一庭花雾。锦字藏头，织成机上，一时分付。"③"筝雁"二句：筝雁，筝十三弦，两头各有一柱，故称十三双；弦柱斜列如雁行，曰雁柱。李商隐《昨日》："二八月轮蟾影破，十三弦柱雁行斜。"陆游《雪中怀成都》："感事镜鸾悲独舞，寄书筝雁恨慵飞。"输他，让他（它）。

[评析]

这首词写暮春闺人怀远。上片写闺人孤寂无聊，包括费尽心思给夫君写信，用墨小心涂抹藏头诗首字，"画作"之"画"和"暗蚀"之"暗"都写出了复杂微妙的心理活动。"筝雁"二句，是说怕看到雁柱成双，睹琴思人，所以更没有心情去弹拨。"输他"也是心理描写。过片三句像是复述信中内容,是说"已归仍似客"(杨基《江村杂兴十三首》之四),不久还会因再度分离而承受更大的痛苦,因而"叮嘱"行人不必挂怀,也不必急着还家,"仍"、"但"、"索性"明显正话反说,具见词笔跳宕转折与深深思念之情。一结照应前文,景中含情,耐人寻味。《饮水词笺校》认为是纳兰赠沈宛,也有人说是悼亡之作,均可各备一说。

　　词中含有相对完整的问、答句,常常能够起到很好的贯通意脉的作用。如李孝光《满江红》(烟雨孤帆)中,上片"舟人道、官侬缘底,驰驱奔走"与过片二句"官有语,侬听取",就是比较少见的直问直答。李清照《渔家傲》(天接云涛连晓雾)中,上片结二句"闻天语。殷勤问我归何处"与过片二句"我报路长嗟日暮。学诗谩有惊人句",也是如此,一个"谩"字尤能显出忧愤心绪。当然,比较多见的写法则是,后文不直接作答,而内容实际上是就前文之问而发。如陆游《双头莲·呈范致能待制》(华鬓星星),下片"尽道"云云,写在一个偏安而无所进取的环境中,不可能实现往日的理想和抱负,这事实上回答了上片中的问题,即没有谁还记得当年在故都激昂慷慨的斗争生活。辛弃疾《水龙吟·为韩南涧尚书寿甲辰岁》(渡江天马南来),后文所写,正是对上片中"几人真是经纶手"的回答,即在作者眼中,韩元吉可为其中之一,当然也是寿词的惯用套路。纳兰这首词中的"但道"二句也似此类问答形式,而如贾岛《寻隐者不遇》一般更具跳跃性:"松下问童子,言师采药去。只在此山中,云深不知处。"其意义在于也可以看做是以赋法为词的某种表现。

菩萨蛮

　　阑风伏雨催寒食[①]。樱桃一夜花狼藉。刚[②]与病相宜。锁窗薰绣衣③。　　画眉烦女伴。央及流莺唤。半晌试开奁。娇多直④自嫌。

[注释]

①"阑风伏雨"句：阑风伏雨，风雨不止。杜甫《秋雨叹》："阑风伏雨秋纷纷，四海八荒同一云。"仇注引赵子栎曰："阑珊之风，沉伏之雨，言其风雨之不已也。"《荆楚岁时记》："去冬节一百五日，即有疾风甚雨，谓之寒食，禁火三日。"②刚：张相《诗词曲语辞汇释》："刚，犹偏也，硬也，亦犹云只也。"柳永《斗百花》："刚被风流沾惹，与合垂杨双髻。"③薰绣衣：王彦泓《病春》："樱桃花尽雨霏霏，漫炷沉香熨夹衣。"④直：只。柳永《昼夜乐》："直恐好风光，尽随伊归去。"

[评析]

这首词写闺中女子寒食"病"起的情态、心境。起二句写风雨不止、樱花零落的节候景象，构成全篇抒情背景。以下，透过"锁窗"薰衣的节令行为和一系列的装扮细节，刻画自伤心理。寒食将至，烦请女伴帮忙梳妆，恰闻流莺啼唤，触动心弦，所以许久才打开奁盒，却又对妆镜中慵懒娇弱的愁病之容不满起来，寓深于浅，一缕情思含吐不露。正因其极为生动活泼，周之琦以"央及"以下数语为"曲语"，而非"词语"（张祥河刻本《饮水词》朱批引语），这也多少可以跟纳兰在其他词作中化用曲语联系起来看。

在心理刻画方面，纳兰的另一首《南歌子》也是非常成功的：

　　暖护樱桃蕊，寒翻蛱蝶翎。东风吹绿渐冥冥。不信一生憔悴、滞啼莺。　　素影飘残月，香丝拂绮棂。百花迢递玉钗声。索向绿窗寻梦、寄余生。

上片先写樱花初绽，暖风呵护，蝴蝶翻飞，犹带寒声，通过"暖"、"寒"之于物的不同感受，写出春景特征，为下文抒写"憔悴"

"滞啼莺"的春恨铺垫。"冥冥",暗示春意渐浓,愁怀渐生。过片转写月夜梦醒愁恨,"素影"飘月,"香丝"拂棂,"百花迢递","绿窗寻梦",孤凄无聊,难以排遣。末句作尽语,"然已非欧、晏之法矣"(朱庸斋《分春馆词话》卷三)。对照读来,朱先生揭示的与欧、晏不同之处,尤其值得重视。

昭君怨

深禁①好春谁惜。薄暮瑶阶伫立②。别院管弦声。不分明。
又是梨花欲谢。绣被春寒今夜③。寂寞锁朱门。梦承恩④。

[注释]

①深禁:深宫。宫中称禁中。蔡邕《独断》:"天子所居曰禁中,言门户有禁,非侍御之臣,不得入也。"②"薄暮"句:瑶阶,玉砌的台阶。李白《菩萨蛮》:"玉阶空伫立。宿鸟归飞急。"③"又是"二句:李清照《浣溪沙》:"远岫出山催薄暮,细风吹雨弄轻阴。梨花欲谢恐难禁。"晏幾道《生查子》:"牵系玉楼人,绣被春寒夜。(分片)消息未归来,寒食梨花谢。无处说相思,背面秋千下。"④"寂寞"二句:孙光宪《生查子》:"寂寞掩朱门,正是天将暮。"承恩,得到君王宠幸。

[评析]

"宫怨"作为一种社会文化现象,在这一特殊题材领域曾出现过无数优秀的篇章,也就相应地形成了一套相对固定的书写传统。除本书前引诸例外,另有如朱庆余《宫词》:"寂寂花时闭院门,美人相并立琼轩。含情欲说宫中事,鹦鹉前头不敢言。"李益《宫怨》:"露湿晴花春殿香,月明歌吹在昭阳。似将海水添宫漏,共滴长门一夜长。"司马札《宫怨》:"柳色参差掩画楼,晓莺啼送满宫愁。年年花落无人见,空逐春泉出御沟。"有宫怨之实,而未必都出现宫女形象。

再往后,宫怨题材在词中也屡见不鲜。如温庭筠《清平乐》:"上阳春晚。宫女愁蛾浅。新岁清平思同辇。争奈长安路远。凤帐鸳被徒熏。寂寞花锁千门。竞把黄金买赋,为妾将上明君。"写被幽闭的痛苦与寂寞望幸的心情。韦庄《小重山》:"一闭昭阳春又春。夜寒宫漏永。梦君恩。卧思陈事暗消魂。罗衣湿,红袂有啼痕。　　歌吹隔重阍。绕庭芳草绿,倚长门。万般惆怅向谁论。凝情立,宫殿欲黄昏。"写失宠的落寞幽怨,与其《宫怨》诗同一机杼:"一辞同辇闭昭阳,耿耿寒宵禁漏长。钗上翠禽应不返,镜中红艳岂重芳。萤低夜色栖瑶草,水咽秋声傍粉墙。展转令人思蜀赋,解将惆怅感君王。"汤显祖评韦词结句:"何等凄绝!宫词中妙句也。"董其昌则以为,其"怨而不怒,最为得体"(《新锓订正评注便读草堂诗余》卷三)处,可与王昌龄《长信秋词》其三"玉颜不及"二句所谓多情之人不及无情之物相媲美。

到了清代,随着宫廷制度改革,宫怨题材赖以产生的现实环境基本消失:"今大内之制,使八旗妇女输入供役,朝入夕出,故宫中女人甚少,不比前朝多蓄怨女。"(陆陇其《三鱼堂日记》)虽然如此,纳兰这首词既然是发抒别样情怀而借助宫怨外壳,与辛弃疾著名的《摸鱼儿》(更能消、几番风雨)部分相似,在某些方面对前代宫怨文学作品有所本,如结末"寂寞"二句,有宫女形象而不再有宫怨之实,也就不足为奇,亦不必务为深求。

琵琶仙　中秋

碧海年年,试问取、冰轮为谁圆缺①。吹到一片秋香,清辉了如雪②。愁中看、好天良夜,争知道、尽成悲咽③。只影而今,那堪重对,旧时明月。　　花径里、戏捉迷藏,曾惹下萧萧井梧叶④。记否轻纨小扇,又几番凉热。只落得、填膺百感,总茫茫、不关离别。一任紫玉无情,夜寒吹裂⑤。

[注释]

①"碧海"二句:碧海,指青天。晁补之《洞仙歌》:"青烟幂处,碧海飞金镜。"冰轮,明月。朱庆余《十六夜月》:"昨夜忽已过,冰轮始觉亏。"②"吹到"二句:秋香,桂花。李贺《金铜仙人辞汉歌》:"画栏桂树悬秋香,三十六宫土花碧。"也泛指秋花。陈普《莲花赋》:"蕙兰纷其秋香,竹松凌其冬青。"了,明亮。③"愁中看"二句:柳永《女冠子》:"相思不得长相聚。好天良夜,无端蓦起,千愁万绪。""争知道"句,徐乾学刻《通志堂集》、张纯修刻《饮水诗词集》漏刻"争"字,汪元治刻《纳兰词》,因疑为纳兰自度曲,李慈铭《越缦堂日记》曾就此讥弹汪刻本"校雠不精,又指其《琵琶仙》、《秋水》等调为自度曲,盖全不知此事者"。(按:《秋水》确为纳兰自度曲。)康熙四十八年顾彩刊《草堂嗣响》不缺"争"字。④"花径里"二句:元稹《杂忆五首》之三:"忆得双文胧月下,小楼前后捉迷藏。"罗隐《听琴》:"寒雨萧萧落井梧,夜深何处怨啼乌。"⑤"一任"二句:紫玉,笛,截紫竹而制。李白《留赠崔宣城》:"胡床紫玉笛,却坐青云叫。"陈旅《次韵友人京华即事》:"仙女乘鸾吹紫玉,才人骑马勒黄金。"辛弃疾《贺新郎》:"铸就而今相思错,料当初、费尽人间铁。长夜笛,莫吹裂。"

[评析]

中秋怀想之作,晁端礼有一首名篇《绿头鸭·咏月》:"晚云收,淡天一片琉璃。烂银盘、来从海底,皓色千里澄辉。莹无尘、素娥淡伫,静可数、丹桂参差。玉露初零,金风未凛,一年无似此佳时。露坐久,疏萤时度,乌鹊正南飞。瑶台冷,栏干凭暖,欲下迟迟。　　念佳人、音尘别后,对此应解相思。最关情、漏声正永,暗断肠、花影偷移。料得来宵,清光未减,阴晴天气又争知。共凝恋、如今别后,还是隔年期。人强健,清尊素影,长愿相随。"开篇两句总揽全局,一笔放开,生发出下文的一切相关情景。以下极写中秋月景,由海底涌月轮,澄辉无边际,嫦娥伫立,丹桂参差过渡到美景良辰,使人流连忘返,并以"栏干凭暖"牵出对月怀人之意。过片二句承上启下,婉转妥帖。接着从写对方的此夜情中,极为深婉地表达出一己的念念深情,同时也是对上片"露坐"、凭栏之深意的揭示与照应。歇拍跟苏轼《水调歌头》(明月几时有)一样,都是从谢庄《月赋》"隔千里兮共明月"句化出,然雍雅和婉,与苏词之豪宕劲健不同。就全篇而言,晁词描景写情传神细腻,语言风格婉雅清和,结构意脉通畅自如。有此等中秋词之虽"篇长悼唱,故湮没无闻"而实为上佳之篇者,则不可全谓东坡而后"余词尽废"(胡仔《苕溪渔隐丛话》后集卷三十九)。在不可尽废之"余词"中,纳兰这首凝重凄婉的中秋悼亡词也能堪称典型。

这首《琵琶仙》整篇似由两首小令叠加而成,上、下片结构如一,都是先景后情。上片描绘中秋月色及月下之景,倍觉只影孤单。下片追怀往昔月下嬉戏之乐,笔意悲戚,情难以堪。悼亡诗词中有一种传统的书写套路,即追忆过去美好时光中的细节,这样尤其能够写出感人至深的浓挚之情。贺铸的《半死桐》是一个很好的榜样:"重过阊门万事非。同来何事不同归。梧桐半死清霜后,头白鸳鸯失伴飞。 原上草,露初晞。旧栖新垄两依依。空床卧听南窗雨,谁复挑灯夜补衣。"结句中"挑灯补衣"的细节描写,承接了潘岳悼亡诗所强化的自《诗·邶风·绿衣》所创始的抒情模式,缀以"谁复"二字,更为沉痛地表达出对亡妻相濡以沫之情的深切怀念。纳兰词中"花径里"二句,是对这种写法很好的继承,取得的效果也是一样的。悼亡诗词中还有一种经典的抒情方式,是由苏轼在《江城子》中发扬光大的:"十年生死两茫茫。不思量。自难忘。千里孤坟,无处话凄凉。纵使相逢应不识,尘满面,鬓如霜。 夜来幽梦忽还乡。小轩窗。正梳妆。相顾无言,唯有泪千行。料得年年肠断处,明月夜,短松岗。"不仅表现出痛彻心扉的思念,同时也包含了自己人生的失意。纳兰对这种写法显然也是心有戚戚焉。纳兰词下片中"总茫茫、不关离别"一语,在不经意间点出"离别"之外似乎还有别的甚至是同等沉重的忧隐,显然应该跟他现实的处境有关。纳兰另有一首同主题之作《采桑子》:

> 海天谁放冰轮满,惆怅离情。莫说离情。但值凉宵总泪零。　　只应碧落重相见,那是今生。可奈今生。刚作愁时又忆卿。

其中"但值"句与这首《琵琶仙》中"又几番凉热"句一样,都至少是卢氏去世次年口吻。大致圈定写作时间,有助于探究纳兰别有忧愁暗恨生之由。

清平乐

将愁不去①。秋色行难住。六曲屏山深院宇。日日风风雨雨。　　雨晴篱菊初香。人言此日重阳。回首凉云②暮叶,黄昏无限思量。

[注释]

①将愁不去:宋玉《九辩》:"岁忽忽而遒尽兮,恐余寿之弗将。"王逸注:"惧我性命之不长也。"辛弃疾《祝英台近》:"是他春带愁来,春归何处。却不解、带将愁去。"②凉云:谢朓《七夕赋》:"朱光既夕,凉云始浮。"

[评析]

这是一首重阳感怀之作。纳兰另有一首可能是收入《侧帽词》的《御带花·重九夜》:

晚秋却胜春天好,情在冷香深处。朱楼六扇小屏山,寂寞几分尘土。虬尾烟销,人梦觉、碎虫零杵。便强说欢娱,总是无憀心绪。　　转忆当年,消受尽、皓腕红萸,嫣然一顾。如今何事,向禅榻茶烟,怕歌愁舞。玉粟寒生,且领略、月明清露。叹此际凄凉,何必更满城风雨。

上片先扬后抑,在晚秋冷香好景中透出寂寞无聊心绪。下片更为顿挫,先由"皓腕""嫣然"勾起的怀想之思,反衬"此际凄凉",结句更谓纵然不是满城风雨,也不能令人欢愉,在照应开端的同时,将此夜孤凄情怀表达得极为曲折深浓。相比而言,这首《清平乐》写秋风秋雨、"凉云暮叶"下独立苍茫、挥之不去的长愁,虽有屏山深院、雨晴菊香,语调似平静实压抑,思绪像"秋色"一样"难住"。

如许凄楚怨慕,在前人同类作品中并不少见,可录以对读。如尹异芳《怀人》:"满城风雨近重阳,偃蹇黄花历乱香。落叶秋江迷望眼,一杯残酒伴凄凉。"由据说是潘大临著名的题壁"一句诗"续成,与方岳、谢逸另外的续作各有千秋。辛弃疾《踏莎行·庚戌中秋后二夕带湖篆冈小酌》:"夜月楼台,秋香院宇。笑吟吟地人来去。是谁秋到便凄凉,当年宋玉悲如许。　　随分杯盘,等闲歌舞。问他有甚堪悲处。思量却也有悲时,重阳节近多风雨。"以比兴之法借写节序寄托忧国之心,于短幅中曲折回环,千钧重笔从容写来,愈见沉郁悲慨。

清平乐

风鬟雨鬓①。偏是来无准。倦倚玉阑看月晕。容易语低香近②。　　软风吹过窗纱。心期便隔天涯。从此伤春伤别③，黄昏只对梨花。

[注释]

①风鬟雨鬓：李朝威《柳毅传》："见大王爱女牧羊于野，风鬟雨鬓，所不忍视。"李清照《永遇乐》："如今憔悴，风鬟雾鬓，怕见夜间出去。"

②"容易"句：晏幾道《清平乐》："勾引行人添别恨。因是语低香近。"

③"从此"句：李商隐《杜司勋》："刻意伤春复伤别，人间惟有杜司勋。"

[评析]

这首词写恨海情深。上片追忆往日欢会，刻画月下软语温存的情态，"容易"句"婉丽"（陈廷焯《云韶集》卷十五）已极。而且，愈是缱绻温馨，愈能反衬出对如梦佳期"来无准"的无比遗憾。下片承上而来，写而今"软风吹过"，却已是"天涯"永隔，只能空对梨花，伤春伤别。多少"沉痛"（《云韶集》卷十五）之情，尽在不言中。

纳兰另有一首《浣溪沙·寄严荪友》：

藕荡桥边埋钓筒。芙萝西去五湖东。笔床茶灶太从容。

况有短墙银杏雨，更兼高阁玉兰风。画眉闲了画芙蓉。

过片二句，以银杏、玉兰著雨经风愈加动人之景，进一步凸显严氏居处的安闲。其中的"玉兰"意象为纳兰词中所仅见，《瑶华集》作"玉箫"虽损对句却也更饶风致。玉兰还常常寓含忠贞不渝之意。如吴文英《琐窗寒·玉兰》："绀缕堆云，清腮润玉，汜人初见。蛮腥未洗，海客一怀凄惋。渺征槎、去乘阆风，占香上国幽心展。□遗芳掩色，真姿凝淡，返魂骚畹。　一盼。千金换。又笑伴鸱夷，共归吴苑。离烟恨水，梦杳南天秋晚。比来时、瘦肌更销，冷薰沁骨悲乡远。最伤情、送客咸阳，佩结西风怨。"咏玉而怀"去姬",抱定题目立言,警切而不空泛,与苏轼的《水龙吟》以及姜夔的《暗香》、《疏影》都是"手写此而目注彼"(蔡嵩云《柯亭词论》)的当行名作。加之玉兰花发时节近清明,因而在"穷倩盼之逸趣"的同时,往往更能"极哀艳之深情"(谢章铤《赌棋山庄词话》卷八),如王士禛的一首《菩萨蛮》:"玉兰花发清明近。花间小蝶黏香鬓。邀伴捉迷藏。露微花气凉。　花深防暗逻。潜向花阴躲。蝉翼惹花枝。背人扶鬓丝。"见《纳兰性德词新释辑评》偶误"玉阑"为"玉蘭",因略为申述如上。

清平乐　弹琴峡①题壁

泠泠②彻夜。谁是知音者。如梦前朝何处也。一曲边愁难写。　极天关塞云中③。人随雁落西风。唤取红巾翠袖④,莫教泪洒英雄。

[注释]

①弹琴峡:孙承泽《天府广记》:"居庸关在府北一百二十里,有龙虎台在关南口,中有峡曰弹琴峡,水声在石罅间,响如弹琴,故名。"②泠泠:声音清脆。陆机《招隐诗》:"山溜何泠泠,飞泉漱鸣玉。"刘长卿《听弹琴》:"泠泠七弦上,静听松风寒。"③"极天"句:关塞险峻。杜甫《秋兴八首》之七:"关塞极天惟鸟道,江湖满地一渔翁。"④"唤取"句:辛弃疾《水龙吟》:"倩何人,唤取红巾翠袖,揾英雄泪。"

[评析]

题壁,是指将有关文字或图画题写在寺壁、驿壁、屋壁、桥梁等建筑物的壁面上,以传播信息、发表言论、发布文学或书法绘画作品等。中唐以降,题壁之风及其相关的形式大盛,包括题写于诗板诗碑、某些植物之上等,成为古代文人生活的一部分,所谓"题诗本是闲中趣"（陆游《村居闲甚戏作》）。对于明清以前的题壁诗词，吴承学先生《中国古代文体形态研究》（增订本）、钱锡生博士《唐宋词传播方式研究》、王兆鹏先生《宋代的"互联网"——从题壁诗词看宋代题壁传播的特点》、谭新红博士《宋词传播方式研究》等论之甚详，兹不赘述。

明清题壁诗词，包括边塞题材也不少见。如杨一清的一首《山丹题壁》："关山偪仄人踪少，风雨苍茫野色昏。万里一身方独往，百年多事共谁论。东风四月初生草，落日孤城早闭门。记取汉兵追寇地，沙场尤有未招魂。"深远多义，沉郁雄浑。女性作家也加入这一创作队伍（当然，应将男子假托妇女之名而作女子题壁诗的情况排除在外，详参梁乙真《清代妇女文学史》及[日]合山究撰、李寅生译《明清女子题壁诗考》），比如查慎行弟查嗣庭之女查蕙纕，随二伯父查嗣瑮流谪关西途中，曾题诗于驿壁，王应奎《柳南随笔》卷四等书中均有记载。纳兰有两首边塞题壁词，另一首是同调"发汉儿村题壁"（详后文）。这首《清平乐》抒发边愁。上片以鸣琴一般美妙的泠泠水声发端，慨叹知音难觅，从听觉上勾起的"难写"愁情落笔，并起莫可名状的兴亡之感，也与词题巧妙吻合。下片写秋风苍劲，极目关塞，从视觉上进一步渲染愁绪，表达凄寥孤寂的情怀。结二句写"英雄"揾泪，点化辛词，一变原作胸怀鸿鹄之志又报国无门的极度焦虑之情，摧刚为柔，从另一个方面表明，无情未必真豪杰，却也是边塞题材的题中应有之义。

清平乐

塞鸿①去矣。锦字②何时寄。记得灯前偗忍泪③。却问明朝行未。　　别来几度如珪④。飘零落叶成堆。一种晓寒残梦，凄凉毕竟因谁。

[注释]

①塞鸿：塞雁。康与之《风入松》："塞鸿不到双鱼远，恨楼前、流水难西。"（此阕，《阳春白雪》卷五注云：又附《田中行集》。）②锦字：书信。《晋书·窦滔妻苏氏传》：前秦秦州刺史窦滔被徙流沙，其妻苏氏思之，织锦为《回文璇玑图》诗以赠，凡八百四十字，可宛转循环而读，词甚凄婉。陆游《钗头凤》："山盟虽在，锦书难托。"③"记得"句：韦庄《女冠子》："别君时，忍泪佯低面，含羞半敛眉。"④珪（guī）：同"圭"。《说文解字》："圭，瑞玉也，上圆下方。"此喻缺月。江淹《别赋》："乃至秋露如珠，秋月如珪，明月白露，光阴往来。与子之别，思心徘徊。"

[评析]

这是一首塞上怨别之作，结构明晰。首二句写盼望家书不至，已含惆怅之意。次二句追忆别时情景，在对爱妻深深眷恋之情的形象刻绘中，又增一己相思。下片写深秋晓寒梦残时分，面对白月落叶，不胜孤凄之感，婉曲深情，溢于言表。

《饮水词笺校》疑此词与另一首同调之作"才听夜雨"都是寄怀顾贞观之作。玩其风情绰约之情调，太不像。"记得"二句，取自李石《渔家傲·赠鼎湖官妓》："西去征鸿东去水。几重别恨千山里。梦绕绿窗书半纸。何处是。桃花溪畔人千里。　瘦玉倚香愁黛翠。劝人须要人先醉。问道明朝行也未。犹自记。灯前背立偷弹泪。"杨慎认为："好事者或改'偷'为'佯'。"（《词品》卷四）而"好事者"纳兰用此"佯"字则甚妙，只是似未曾见"佯"字用于同性友情。如李白《越女词》之三写耶溪采莲女"佯羞不出来"。毛熙震《浣溪沙》中"佯不觑人空婉约，笑和娇语太猖狂"。尹焕《唐多令》中"怅绿阴、青子成双。说著前欢佯不采，飏莲子，打鸳鸯"。张炎《意难忘》中"怕误却、周郎醉眼，倚扇佯遮"。王受铭《沁园春》中"欲语欺鬟，佯羞弄带，逗露灵犀一点春"。汪世泰《河传》中"分明谜语尊前递。佯不理。教会千金意"。孙家榖《江城梅花引》中"瘦也瘦也，瘦得似、花影婆娑。笑脸伴开，红晕不成涡"。周星誉《洞仙歌》中"问名佯不说，浅笑低声，暗里牵衣教娘替"。沈涛《玉女迎春慢》中"盈盈无语，浑不解、弄嚬佯妒"。叶小纨《浣溪沙》中"鬓薄金钗半軃轻。佯羞微笑隐湘屏"。纳兰自己另外的一首《寻芳草·萧寺记梦》（客夜怎生过）中也是如此，不一而足。当然，诗史上也的确有借女性口吻谏友之作，如朱庆余《近试上张水部》："洞房昨夜停红烛，待晓堂前拜舅姑。妆罢低声问夫婿，画眉深浅入时无。"但属于"香草美人"的比兴寄托之法，又另当别论。

满宫花

盼天涯，芳讯绝①。莫是故情全歇。朦胧寒月影微黄，情更薄于寒月。　　麝烟销，兰烬②灭。多少怨眉愁睫。芙蓉莲子待分明③，莫向暗中磨折。

[注释]

①"盼天涯"二句：芳讯，音讯。史达祖《双双燕》："应自栖香正稳。便忘了、天涯芳信。"王同祖《摸鱼儿》："恨天阔鸿稀，杳杳沉芳讯。"②兰烬：燃尽之灯花。李贺《恼公》："蜡泪垂兰烬，秋芜扫绮栊。"王琦汇解："谓烛之余烬状似兰心也。"晁公武《鹧鸪天》："兰烬短，麝煤轻。画楼钟鼓已三更。"（此首作者，《阳春白雪》原注：或云戴平之。）③"芙蓉"句：《子夜歌》："雾露隐芙蓉，见莲不分明。"又"乘月采芙蓉，夜夜得莲子"。

[评析]

这首词，代拟女子因恋人讯绝情薄而心生疑怨。"月影微黄"、"烟销""烬灭"是写景，也是长夜难眠、"暗中磨折"的眉怨睫愁者痛苦心情的外化。从"寒月"等语词有意无意地重复使用，以及

"多少"二句等表现出来的特异风调来看,此篇颇有民歌气息。从这个角度着眼,"芙蓉莲子"二句,可以顺理成章地理解为决绝语,也是深切思念至于无可奈何的自我解脱语。于是,经由这两句曾经引起的诸多猜度,自然不攻自破。

当然,即便不顺着这个思路往下走,把"芙蓉莲子"二句解为荷香难解莲心苦,似乎也无妨。陈允平的一首《青玉案·采莲女》即大略如是:"凉庭背倚斜阳树。过几阵、菰蒲雨。自棹轻舟穿柳去。绿红裙袄,与花相似,撑入花深处。　　妾家住在鸳鸯浦。妾貌如花被花妒。折得花归娇厮觑。花心多怨,妾心多恨,胜似莲心苦。"宋词将采莲题材承接过来之后,描写采莲女的生活,再现江南水乡风情。不过,采莲女的生活中也有烦恼忧愁的一面,正如陈允平词所写的那样。这一类的采莲女形象或许不免部分出于想象,但应该是较为接近于生活原貌的,与欧阳修《蝶恋花》(越女采莲秋水畔)不无相通之处。从篇末精心选择"芙蓉莲子"意象,以求和谐于全篇的民歌风情来看,纳兰词中表现出的取源较广因而不免大面积点化的现象,显然也包含了一个多方面消化吸收以至于扬弃的过程,不宜简单地否定。

唐多令　雨夜

丝雨织红茵①。苔阶压绣纹②。是年年、肠断黄昏。到眼芳菲都惹恨,那更说,塞垣③春。　　萧飒不堪闻。残妆拥夜分④。为梨花、深掩重门⑤。梦向金微山下去,才识路,又移军⑥。

[注释]

①红茵:满地落花。蒋捷《春夏两相期》:"金栽花语紫泥香,绣裹藤舆红茵软。"②"苔阶"句:王彦泓《感旧游》:"无限断肠踪迹处,坏墙风雨绣

苔纹。"③塞垣：长安以西之长城地带。何景明《陇右行送徐少参》："陇右地，长安西行一千里，秦日长城号塞垣，汉时故郡称天水。"④夜分：夜半。毛滂《感皇恩》："夜分月冷，一段波平风细。"⑤"为梨花"句：戴叔伦《春怨》："金鸭香消欲断魂，梨花春雨掩重门。"⑥"梦向"三句：金微山，今阿尔泰山，泛指边塞。张仲素《秋闺曲》："梦里分明见关塞，不知何路向金微。"又"欲寄征人问消息，居延城外又移军"。卢照邻《王昭君》："肝肠辞玉辇，形影向金微。"

[评析]

这首词写雨夜伤春怀远。丝雨霏霏，茵红阶绿，词先以紧扣题面之景渲染寂寥气氛。接下来写从"黄昏"到"夜分"，残妆独拥，听风听雨，百无聊赖，非独"到眼芳菲""惹恨"，"不堪闻"的"萧飒"塞垣，更是触动离愁。最后说"深掩重门"，相思成梦，但"才识路，又移军"，所思无着，徒增目前的伤痛。

纳兰词结末"梦向"三句翻进一层，大致上是吴世昌先生《论词的章法》中所谓"西窗剪烛型"虚笔书写手法，即从现在设想将来谈现在。在纳兰之前，这种写法早就有过十分成功的例证，可以参读。如柳永《引驾行》："红尘紫陌，斜阳暮草长安道，是离人、断魂处，迢迢匹马西征。新晴。韶光明媚，轻烟淡薄和气暖，望花村、路隐映，摇鞭时过长亭。愁生。伤凤城仙子，别来千里重行行。又记得临歧，泪眼湿、莲脸盈盈。　消凝。花朝月夕，最苦冷落银屏。想媚容、耿耿无眠，屈指已算回程。相萦。空万般思忆，争如归去睹倾城。向绣帏、深处并枕，说如此牵情。"末四句，是说千般思忆，都比不上及早返回，与伊人相见。到那个时候，将向她从头细说自己离别至今的相思苦情。又如周邦彦《还京乐》："禁烟近，触处、浮香秀色相料理。正泥花时候，奈何客里，光阴虚费。望箭波无际。迎风漾日黄云委。任去远，中有万点，相思清泪。　到长淮底。过当时楼下，殷勤为说，春来羁旅况味。堪嗟误约乖期，向天涯、自看桃李。想而今、应恨墨盈笺，愁妆照水。怎得青鸾翼，飞归教见憔悴。"过片四句，仿佛是在叮嘱茫茫远去的江水，流到淮水下游，经过当年与伊人欢会的绣楼下，一定要稍作停留，向她述说自己游宦漂泊、失意沉浮的诸般况味。

秋　水　听雨

谁道破愁须仗酒，酒醒后，心翻醉①。正香销翠被，隔帘惊听，那又是、点点丝丝和泪。忆剪烛、幽窗小憩②。娇梦垂成，频唤觉、一眶秋水。　　依旧乱蛩声里，短檠明灭③，怎教人睡。想几年踪迹，过头风浪，只消受、一段横波④花底。向拥髻、灯前提起⑤。甚日还来，同领略、夜雨空阶滋味⑥。

[注释]

①"谁道"三句：赵长卿《南乡子》："谁道破愁须仗酒，君看。酒到愁多破亦难。"翻，反。②"忆剪烛"句：李商隐《夜雨寄北》："何当共剪西窗烛，却话巴山夜雨时。"谭宣子《西窗烛》："待泪华、暗落铜盘，甚夜西窗剪烛。"③"依旧"二句：蛩，蟋蟀。短檠（qíng），短柄之灯。韩愈《短灯檠歌》："长檠八尺空自长，短檠二尺便且光。"史浩《满庭芳》："微霞疏飘，骄云轻簇，短檠黯淡笼纱。"④横波：水波闪动，喻女子转动的眼睛。贺铸《忆仙姿》："罗绮丛中初见。理鬓横波流转。"⑤"向拥髻"句：拥髻，捧持发髻。朱敦儒《浣溪沙》："拥髻凄凉论旧事，曾随织女度银梭。当年今夕奈愁何。"刘辰翁《宝鼎现》："又说向、灯前拥髻。暗滴鲛珠坠。"⑥"同领略"句：何逊《临行与故游夜别》："夜雨滴空阶，晓灯暗离室。"

[评析]

这首自度曲写离人听雨的感受。上片先说酒不解愁，反而愁上加愁，再说正处不堪时，听到帘外雨声，"点点丝丝"犹如离人泪，再以追忆往昔收束。"娇梦"二句，指伊人频频从自己在梦中发出的呼唤声里惊醒，泪光闪烁。这一温情脉脉的细节描写，反衬出眼前的凄迷孤寂，自然过渡到下文。下片写难以入眠，想到几年来的人生际遇，足堪慰藉因而难以释怀的，还是"花底""横波"，"灯前""拥髻"。结三句顺流而下，逗出对来日重会的期盼，在一怀幽恨中揭明主题，具见灵变之势。

听雨之作，以蒋捷的一首《虞美人》写得含蓄蕴藉又清奇流畅："少年听雨歌楼上。红烛昏罗帐。壮年听雨客舟中。江阔云低、断雁叫西风。　而今听雨僧庐下。鬓已星星也。悲欢离合总无情。一任阶前、点滴到天明。"以听雨为主线，巧妙地撷取人生的三个不同阶段，包涵广，内蕴深，可以看成词人终身遭际的真实写照。需要附带提及的是，本书一直坚持将纳兰词与通代词家，尤其是唐宋名家大家的经典作品进行对照比较，在某种意义上，这样做其实对纳兰是不太公平的，因为不能保证每一次的比较都是置于完全同一的基准和平台上，况且，还要考虑到清词并未充分经典化的实际情况。不过，相比而言，这样做也许对那些名家大家更不公平。不能设想，如果纳兰不是享年不永（亦况周颐《蕙风词话》卷一所谓"未成就者也"），今天呈现在我们面前的纳兰词会是怎样一种面貌。但无论如何，现有的纳兰词篇倘若除开部分悼亡之作和边塞之作，实不足以矗立于繁花迷眼的清初词坛，这一点应该是没有多少异议的。

虞美人

峰高独石当头起。影落双溪水。马嘶人语各西东[①]。行到断崖无路、小桥通。　朔鸿过尽归期杳[②]。人向征鞍老。又将丝泪湿斜阳③。回首十三陵树、暮云黄。

[注释]

①"马嘶"句：人抄近道，马则绕行。陈三聘《浣溪沙》："吴山不见暮云重。人生何事各西东。"②"朔鸿"句：李清照《念奴娇》："征鸿过尽，万千心事难寄。"③"又将"句：鲍照《代路平原君子有所思行》："蚁壤漏山河，丝泪毁金骨。"李善注："丝泪，泪之微者。"张率《白纻歌辞》："流叹不寝泪如丝，与君之别终何知。"韦应物《拟古诗》："年华逐丝泪，一落俱不收。"吴文英《三姝媚》："伫久河桥欲去，斜阳泪满。"

[评析]

这首词写行役怀归。《草堂嗣响》有词题"昌平道中"，《饮水词笺校》据此及相关史料推测词与纳兰司马监有关。结合篇中所述情景，可从。词上片写塞上景致，峰高仰止，独石当头，断崖无路，人马西东，为下文铺垫。下片写思归不得、千丝泪下之情。以日暮云黄之景自然作结，进一步深化了全篇伤感的氛围。

边塞诗词中的鸿雁，与柳、月等同属典型意象，往往与相关意象组成意象群，共同表达情思，或代指书函，触动乡关、相思之情；或以物拟人，抒发孤单凄凉之感；或写寥廓、悲壮之景，以渲染气氛。鸿雁意象蕴涵的多种意味，与它的生物学特性直接相关，也是作者和读者在传播接受环节一同赋予它的特定文学意义，因此，并不必须局限于边塞题材一隅。如"鲁客望津天欲雪，朔鸿离岸苇生风"（栖白《经废宫》），为行经废宫怀古咏叹渲染气氛。"爽气肃时令，早衣闻朔鸿"（李适《丰年多庆九日示怀》），为庆祝丰年烘托氛围。廖世美《烛影摇红》中的"塞鸿难问，岸柳何穷，别愁纷絮"，被誉为写别愁的"神来之笔"（况周颐《蕙风词话》卷二）。郑方坤《浣溪沙》中的"落叶萧萧月鉴帷。塞鸿一夜尽南飞。檀郎何事独归迟。且自孤灯挑永夕"，是题咏秋闺夜坐图。陈维崧《贺新郎》中的"耳热杯阑无限感，目送塞鸿归尽。又眼底、群公衮衮。"题曹贞吉《珂雪词》，直似"自品"（陈廷焯《白雨斋词话》卷三）。纳兰词跟它们相通而不相同。又，纳兰词结句中的"十三陵"，在这里并不具有地名以外的其他意义。试以蒋平阶同调词与之并读，一望便知："白榆关外吹芦叶。千里长安月。新妆马上内家人。犹抱胡琴学唱、汉宫春。　飞花又逐江南路。日晚桑干渡。天津河水接天流。回首十三陵上、暮云愁。"

虞美人　为梁汾赋

凭君料理花间课。莫负当初我。眼看鸡犬上天梯①。黄九自招秦七、共泥犁②。　瘦狂那似痴肥好。判任痴肥笑③。笑他多病与长贫。不及诸公衮衮、向风尘④。

[注释]

①"眼看"句：王充《论衡·道虚篇》："儒书言：淮南王学道，招会天下有道之人，倾一国之尊，下道术之士。是以道术之士，并会淮南，奇方异术，莫不争出。王遂得道，举家升天，畜产皆仙，犬吠于天上，鸡鸣于云中。此言仙药有余，犬鸡食之，并随王而升天也。好道学仙之人，皆谓之然。此虚言也。"李商隐《玉山》："何处更求回日驭，此中兼有上天梯。"②"黄九"句：陈师道《后山诗话》："今代词手，唯秦七、黄九尔，唐诸人不逮也。"惠洪《禅林僧宝传》卷二十六："黄庭坚鲁直作艳语，人争传之。（法）秀呵曰：'翰墨之妙，甘施于此乎？'鲁直笑曰：'又当置我于马腹中耶？'秀曰：'汝以艳语动天下人淫心，不止马腹，正恐生泥犁中耳。'"③"瘦狂"二句：《南史》卷三十七沈庆之传附沈昭略传："尝醉，晚日负杖携家宾子弟至娄湖苑，逢王景文子约，张目视之曰：'汝是王约耶？何乃肥而痴。'约曰：'汝沈昭略耶？何乃瘦而狂。'昭略抚掌大笑曰：'瘦已胜肥，狂又胜痴。'"④"不及"句：杜甫《醉时歌》："诸公衮衮登台省，广文先生官独冷。"

[评析]

　　这首词,词题"为梁汾赋"出于汪刻本,《饮水词笺校》据以定其作期为康熙十七年（1678）。严迪昌先生引纳兰《与梁药亭书》为证,认为应该是写给梁佩兰的,并循此重新解读该作。我们现在也还没有掌握更多的文献资料,作为肯定或否定上述两家意见的依据。不过,这也许并不是特别重要,因为无论如何,纳兰的确是借词中率直、冷峭之笔,表达出了自己的一部分词学观念。

　　自比黄九,不惧"泥犁",主要说的是纳兰本人经由"花间课"而来的艳情之作。之所以选中黄庭坚,是因为山谷192首词中,有因早年"放于狭邪"（王灼《碧鸡漫志》卷二）所作的30多首艳词和俗词。有些甚至比柳词更为疏荡,如《添字少年心》下片:"见说那厮脾鳖热。大不成我便与拆破。待来时、鬲上与厮噷则个。温存着,且教推磨。"作为"江西诗派"的代表,词并不是黄庭坚最有成就的文体,但当时也有盛名。尽管黄庭坚自己也说:"余尝为少年言:士大夫处世可以百为,唯不可俗,俗便不可医也"（《书缯卷后》）、"以俗为雅,以故为新,百战百胜"（《再次杨明叔韵序》）。不过,仅就词之俗艳这一点而言,当时就有人如法秀道人曾当面指责黄庭坚败坏人心,是"以笔墨劝淫",黄则说这不过是"少时""使酒玩世"（《小山词序》）的"空中语"。后来,朱彝尊在《词综·发凡》中指出"言情之作,易流于秽"的现象时,所举的例子也正是黄庭坚。黄庭坚的这些侧艳俚俗之词,是一时风气所致。意识到自己的作品或观点在某些方面可能也会遭到不被认同的命运,纳兰仍甘愿为坚持自己的志愿而承受所要付出的代价,此中蕴涵的耿直品性与牺牲精神,比黄庭坚顾左右而言他的婉转回避走得要更远。也因为存在这样的心态,所以词中"眼看鸡犬"句与"不及诸公"句,可以视为这方面的激愤之语。当然,如果结合"痴肥"原典来看,两句又未尝不可以包含调侃之意。

另外，纳兰在《填词》中这样说："诗亡词乃生，比兴此焉托。往往欢娱工，不如忧患作。冬郎一生极憔悴，判与三闾共醒醉。美人香草可怜春，凤蜡红巾无限泪。芒鞋心事杜陵知，只今唯赏杜陵诗。古人且失风人旨，何怪俗眼轻填词。词源远过诗律近，拟古乐府特加润。不见句读参差三百篇，已自换头兼转韵。"有尊体意识，并拈出比兴寄托，确具慧眼。但是饮水词中的实际情况却是，比兴有余而寄托不足，亦王云五主编《续修四库全书提要·纳兰词提要》所谓"《花间》高丽精英，情深比兴，性德未能至其境也"之意。这种情形，与同时包括朱彝尊在内的一些词人的创作，形成了较为鲜明的对比。如《长亭怨慢·雁》："结多少、悲秋愁侣。特地年年，北风吹度。紫塞门孤，金河月冷、恨谁诉。回汀枉渚，也只恋、江南住。随意落平沙，巧排作、参差筝柱。　别浦。惯惊移莫定，应怯败荷疏雨。一绳云杪，看字字、悬针垂露。渐欹斜、无力低飘，正暮送、碧罗天幕。写不了相思，又蘸凉波飞去。"朱词对群雁辗转流徙、无处安顿的状况的描写，蕴涵着发自内心的深悲积怨，是比兴寄托理论的具体实践，跟他的不少作品都可以互相印证。［按：陈廷焯认为，此词"直逼玉田"，与王士禛《秋柳》中"相逢"二句一样，"纯是沧桑之感"(《白雨斋词话》卷三)，实朱词不只自伤身世，故兴感无穷，"逾于玉田"，参邱世友先生《词论史论稿》。］相比而言，纳兰的《临江仙·孤雁》就不是这样，虽微有象外之境，但却难以包含多少超越个人感情的东西：

霜冷离鸿惊失伴，有人同病相怜。拟凭尺素寄愁边。愁多书屡易，双泪落灯前。　莫对月明思往事，也知消减年年。无端嘹唳一声传。西风吹只影，刚是早秋天。

关于纳兰词论，另可参葛恒刚博士《纳兰词论与清初词坛》。

虞美人

曲阑深处重相见。匀泪①偎人颤。凄凉别后两应同。最是不胜清怨、月明中②。　　半生已分孤眠过。山枕檀痕涴③。忆来何事最销魂。第一折枝④花样、画罗裙。

[注释]

①匀泪：匀，拭。吕渭老《小重山》："宝奁匀泪粉，晚妆迟。"②"最是"句：钱起《归雁》："二十五弦弹夜月，不胜清怨却飞来。"③"半生"二句：分，料想。蔡伸《踏莎行》："莫惊青鬓点秋霜，卢郎已分愁中老。"山枕，枕头隆起如山，故名。李清照《浣溪沙》："淡荡春光寒食天。玉炉沉水袅残烟。梦回山枕隐花钿。"檀痕，泪痕，或作口脂的印痕。元绛《映山红慢》："罗帏护日金泥皱。映霞腮动檀痕溜。"尹鹗《醉公子》："何处恼佳人。檀痕衣上新。"涴（wò），浸染。韩愈《合江亭》："愿书岩上石，勿使泥尘涴。"④折枝：花卉画画法之一种，不画全株，只画其中一段。仲仁《华光梅谱·取象》："其法有僵仰枝、覆枝、从枝、分枝、折枝。"《宣和画谱》："徐熙有写生折枝花。"

[评析]

曲阑重相见，匀泪偎人颤，别后两凄凉，不胜清怨，半生孤眠，山枕檀痕，忆来最销魂，折枝花样罗裙。这是一首通篇以追忆口吻写成的爱情词。起首二句化用李煜《菩萨蛮》过片二句："花明月暗笼轻雾。今宵好向郎边去。刬袜步香阶。手提金缕鞋。画堂南畔见。一晌偎人颤。奴为出来难。教君恣意怜。"形象生动，甜蜜温馨。结句由裙及人，有余不尽，与张先《醉垂鞭》结二句一同其妙："双蝶绣罗裙。东池宴。初相见。朱粉不深匀。闲花淡淡春。　　细看诸好处。人人道。柳腰身。昨日乱山昏。来时衣上云。"加上词篇中间的数句情语，纳兰此篇充分表达出了昔日不重来的凄凉心境。

关于"画罗裙",冯金伯《词苑萃编》卷十纪其本事云:"蜀主衍奉其太后太妃祷青城山,宫人皆衣云霞之衣,后主自制《甘州曲》,令宫人唱之,其辞哀怨,闻者凄惨。词曰:'画罗裙。能结束,称腰身。柳眉桃脸不胜春。薄媚足精神。可惜许,沦落在风尘。'衍意本谓神仙而在凡尘耳。后降中原,宫伎多沦落人间,始验其语。(《十国春秋》)"如果不惮索隐之嫌,联系纳兰点化的李煜词乃是描述宫闱中香艳情事之作,则此首《虞美人》所涉对象,或可略知一二。

虞美人

银床淅沥青梧老①。屧粉②秋蛩扫。采香行处蹙连钱③。拾得翠翘何恨、不能言④。　　回廊一寸相思地⑤。落月成孤倚。背灯和月就花阴。已是十年踪迹、十年心⑥。

[注释]

①"银床"句:杜甫《冬日洛城北谒玄元皇帝庙》:"风筝吹玉柱,露井冻银床。"仇注:"朱注:旧以银床为井栏,《名义考》:银床乃辘轳架,非井栏也。"佚名《河中石刻诗》:"井梧花落尽,一半在银床。"庾肩吾《侍宴九日》:"玉体吹岩菊,银床落井桐。"张元干《蓦山溪》:"桐叶下银床,又送个、凄凉消息。"②屧(xiè)粉:《说文解字》:"屧,履中荐也。"龙辅《女红余志》:"无瑕屧墙之内皆衬以沉香,谓之生香屧。"屧粉,即履荐(屧墙)中所衬之沉香屑。陈维崧《多丽》:"算风光,依稀才过传柑。又取次、韶光媚眼,今朝三月逢三。映一行、水边粉屧,立几簇、桥上红衫。"③"采香"句:范成大《吴郡志·古迹》:"采香径,在香山之傍小溪也。吴王种香于香山,使美人泛舟于溪以采香。"连钱,苔痕。文征明《三宿岩》:"古树腾蛟根束铁,春苔蚀雨翠连钱。"④"拾得"句:翠翘,玉饰,状若翠羽。温庭筠

《经旧游》："环墙经雨苍苔遍，拾得当时旧翠翘。"⑤"回廊"句：李商隐《无题四首》之二："春心莫共花争发，一寸相思一寸灰。"⑥"已是"句：高观国《玉楼春》："十年春事十年心，怕说湔裙当日事。"

[评析]

这是一首悼亡词，据结句"已是十年踪迹、十年心"，当作于康熙二十二年（1683）。秋风秋雨，扫尽梧叶秋蛩，还有妻子的身影，但扫不去的是难以忘怀的深情。徘徊在当年经行之处，只有斑斑苔藓空留，纵然能够拾得她遗下的翠翘，又当如何？回廊孤倚，花阴和月，一灯背影，十年一梦仍未醒。

以"屦粉"意象暗示女子的曾经来临和已然离去，也许是前所未有的手法（孟晖《莲花香印的足迹》），在纳兰词中也非一见，另有如《如梦令》（黄叶青苔归路）中"屦粉衣香何处"。其来由，可能正是经由女性"印香在地"的生香屦痕所生发出的联想，适如孟文引余怀《妇人鞋袜考》所云："吴下妇人有以异香为底，围以精绫者。有凿花玲珑，囊以香麝，行步霏霏，印香在地者。""屦痕"在纳兰另一首《浣溪沙》中是出现过的：

雨歇梧桐泪乍收。遣怀翻自忆从头。摘花销恨旧风流。
帘影碧桃人已去，屦痕苍藓径空留。两眉何处月如钩。

尽管这一意象早就不再新鲜，但纳兰由此及彼，吐故纳新，颇见创获之功。

如果再将"屦"与纳兰词中比较常用的"回廊"意象联系起来看，会发现生发"屦粉"意象的另一联想图景，而纳兰牵涉"回廊"意象之作也许并非纯然隐情匿衷之笔。"回廊"基本上跟相思之情纠结缠绵，如"步转回廊。半落梅花婉娩香。（分片）轻云薄雾。总是少年行乐处"（苏轼《减字木兰花》）、"窗外回廊。断无人处断人肠"（吴藻《浪淘沙》）、"无限思量。盈盈闲凭小回廊"（杨夔生《浪淘沙》），于是，不免时时与甚为关情的"月"意象打成一片："怎忘得、回廊下，携手处、花明月满"（吕渭老《薄幸》）、"要识阿侬心曲折。除向回廊，看取阑干月"（左辅《苏幕遮》）。加上"回廊步珠屣"（王僧儒《咏宠姬》），想象与写实相结合，自然又跟一般所熟知的"响屣廊"典故发生了关联。如在吴文英《八声甘州·陪庚幕诸公游灵岩》中成为飞腾想象的一部分："渺空烟四远，是何年、青天坠长星。幻苍厓云树，名娃金屋，残霸宫城。箭径酸风射眼，腻水染花腥。时靸双鸳响，廊叶秋声。宫里吴王沉醉，倩五湖倦客，独钓醒醒。问苍波无语，华发奈山青。水涵空、阑干高处，送乱鸦、斜日落鱼汀。连呼酒，上琴台去，秋与云平。"晚清词人喜欢将"回廊"、"响屣"与相关意象略事汇通，如"帘栊静悄。有青禽啼处，深翠围绕。几折回廊，几点苔痕，都是屣声曾到"（吴兰修《绿意》）、"婵娟刚瘦损。更零落、满宫金粉。步屣回廊，凝尘曲榭，易凋双鬓"（吴嘉洤《徵招》），应该是因为站在了像纳兰这样的写情高手肩上。

潇湘雨　送西溟归慈溪

长安一夜雨，便添了、几分秋色。奈此际萧条，无端又听，渭城风笛[①]。咫尺层城[②]留不住，久相忘、到此偏相忆[③]。依依白露丹枫，渐行渐远[④]，天涯南北。　　凄寂。黔娄当日事，总名士、如何消得[⑤]。只皂帽蹇驴，西风残照，倦游踪迹[⑥]。廿载江南犹落拓，叹一人、知己终难觅[⑦]。君须爱酒能诗，鉴湖无恙，一蓑一笠[⑧]。

[注释]

①渭城风笛：渭城，在今陕西长安县西。王维《送元二使之安西》："渭城朝雨浥轻尘，客舍青青柳色新。劝君更进一杯酒，西出阳关无故人。"贺铸《虞美人》："渭城才唱浥轻尘。无奈两行红泪、湿香巾。"郑谷《淮上与友人别》："数声风笛离亭晚，君向潇湘我向秦。"②层城：《淮南子》："昆仑山有层城九重。"借指京城。陈子昂《感遇》："宫女多怨旷，层城闭蛾眉。"③"久相忘"句：《庄子·大宗师》："泉涸，鱼相与处于陆，相呴以湿，相濡以沫，不如相忘于江湖。"④"渐行"句：李煜《清平乐》："离恨恰如春草，更行更远还生。"欧阳修《玉楼春》："渐行渐远渐无书，水阔鱼沉何处问。"⑤"黔娄"二句：皇甫谧《高士传》：黔娄，齐人，不肯出仕，家贫，死时衾不蔽体。陶渊明《咏贫士》之四："安贫守贱者，自古有黔娄。"张相《诗词曲语辞汇释》："总，犹纵也。"⑥"只皂帽"三句：刘过《水调歌头》："达则牙旗金甲，穷则寒驴破帽，莫作两般看。"《史记·司马相如列传》："长卿故倦游。"《集解》郭璞曰："厌游宦也。"⑦"廿载"二句：吕岩《七言》之四二："琴剑酒棋龙鹤虎，逍遥落拓永无忧。"《三国志·虞翻传》裴注引《翻别传》："使天下一人知己者，足以不恨。"⑧"鉴湖"二句：鉴湖，故址在绍兴西南，慈溪在绍兴东北。王质《浣溪沙》："眼共云山昏惨惨，心随烟水去悠悠。一蓑一笠任孤舟。"

[评析]

这首词作于康熙十八年（1679）姜宸英丁内艰回籍时，怨别中施以宽慰语，纡徐委婉，情真意笃。时姜氏已年逾天命，所以，纳兰在词篇中劝其弃去功名之求。朱彝尊也这样劝过姜宸英："吾友慈溪姜西溟，予尝劝其罢试乡闱，西溟怒不答也。"（《书姜编修手书帖子后》）不过，康熙二十年（1681）十二月，姜氏又返回京师，孜孜于继续搏击科场。

功名之心与功业之心既相区别又相联系。也许并不具备可比性，但我们仍然可以从苏轼被贬到黄州后的词作中看出古人的追求。如《念奴娇·赤壁怀古》："大江东去，浪淘尽、千古风流人物。故垒西边，人道是、三国周郎赤壁。乱石穿空，惊涛拍岸，卷起千堆雪。江山如画，一时多少豪杰。　遥想公瑾当年，小乔初嫁了，雄姿英发。羽扇纶巾，谈笑间、强虏灰飞烟灭。故国神游，多情应笑我，早生华发。人生如梦，一尊还酹江月。"在雄奇壮阔的自然中注入深沉的历史感，当然也有年近半百、功业无成的慨叹。又如《西江月·春夜蕲水中过酒家饮。酒醉，乘月至一溪桥上，解鞍由肱少休。及觉，已晓。乱山葱茏，不谓尘世也。书此语桥柱》："照野渌渌浅浪，横空隐隐微霄。障泥未解玉骢骄。我欲醉眠芳草。　可惜一溪明月，莫教踏破琼瑶。解鞍欹枕绿杨桥。杜宇一声春晓。"心境如空山明月般澄静，所以能够忘却尘世间的荣辱纷扰，获得神与物游的无上愉悦。相比而言，纳兰其实与姜宸英具有某种程度上的相似性，可谓游移、徘徊于功业、功名之心之间，也因此才会有那么多的痛苦与不安。

临江仙

长记碧纱窗外语，秋风吹送归鸦。片帆从此寄天涯。一灯新睡觉，思梦月初斜①。　便是欲归归未得，不如燕子还家②。春云春水带轻霞③。画船人似月④，细雨落杨花⑤。

[注释]

①"一灯"二句：姚合《庄居即事》："斜月照床新睡觉，西风半夜鹤来声。"白居易《凉夜有怀》："灯尽梦初罢，月斜天未明。"②"便是"二句：刘兼《中春登楼》："归去莲花归未得，白云深处有茅堂。"顾敻《临江仙》："何事狂夫音信断，不如梁燕犹归。"③"春云"句：高观国《霜天晓角》："春云粉色。春水和云湿。"④"画船"句：韦庄《菩萨蛮》："春水碧于天，画船听雨眠。（分片）垆边人似月，皓腕凝双雪。"⑤"细雨"句：陆游《晚

春感事》："护雏燕子常更出，著雨杨花又懒飞。"

[评析]

　　这是纳兰早期的一首作品。秋去春来，别久相思，所以起笔就是深情追思别时情景，"长记"云云与李清照《如梦令》一同其妙。继而以"片帆"、"一灯"二句描摹别后孤旅天涯和寂寞孤独的情思。过片进一步诉说恨憾，言欲归未得，连秋去春归的燕子都不如。最后在烟柳画船、细雨杨花的景物描写中宕开一笔，憧憬与伊人共度美妙春光的情景，以景结情，更显情韵悠长。

　　游子思妇主题有远源。《诗·陈风·月出》："月出皎兮，佼人僚兮。舒窈纠兮，劳心悄兮。月出皓兮，佼人懰兮。舒忧受兮，劳心慅兮。月出照兮，佼人燎兮。舒夭绍兮，劳心惨兮。"这首写"男女相悦而相念之辞"（朱熹《诗集传》）的诗篇，成为后世见月怀人之作的滥觞。《古诗十九首》："明月何皎皎，照我罗床纬。忧愁不能寐，揽衣起徘徊。客行虽云乐，不如早旋归。出户独彷徨，愁思当告谁。引领还入房，泪下沾裳衣。"游子久客思家，夜不能寐，皎皎明月，非但没有带来心灵的慰藉，反倒激起更加难以遏制的思乡怀内之情。但这一传统主题却不能算流长，最为直观的表现是，纯粹出于游子角度的名篇佳作数量似乎不太多。在纳兰之前，写得比较好的有韦庄的《谒金门》："空相忆。无计得传消息。天上嫦娥人不识。寄书何处觅。　　新睡觉来无力。不忍把伊书迹。满院落花春寂寂。断肠芳草碧。"杨湜《古今词话》云："韦庄以才名寓蜀，王建割据，遂羁留之。庄有宠人，资质艳丽，兼善词翰。建闻之，托以教内人为词，强庄夺去。庄追念悒怏，作小重山及空相忆云云，情意凄怨，人相传播，盛行于时。姬后传闻之，遂不食而卒。"又如秦湛仅存的一首《卜算子·春情》："春透水波明，寒峭花枝瘦。极目烟中百尺楼，人在楼中否。　　四和袅金凫，双陆思纤手。拟倩东风浣此情，情更浓于酒。"开篇紧扣词题，以景托情,铺垫下文。以问句收束,进一步展现思念情深,"言外无尽"(刘熙载《艺概》卷四)。下片转换笔法,通过想象之笔续写情思,因情设景。结末二句想落奇特,出语虽平易而更显浓挚之情。全篇风格一如其父,难怪赖以邠《填词图谱》卷一将之误作秦观词。还有宋无名氏的《鱼游春水》:"秦楼东风里。燕子还来寻旧垒。余寒微透,红日薄侵罗绮。嫩笋才抽碧玉簪,细柳轻窣黄金蕊。莺啭上林,鱼游春水。　屈曲阑干遍倚。又是一番新桃李。佳人应念归期,梅妆淡洗。凤箫声杳沉孤雁,目断澄波无双鲤。云山万重,寸心千里。"许昂霄《词综偶评》云:"许多景物,皆为游子作衬,故下文直接云,佳人应怪归迟。"个中缘由,恐怕不是男子羞于言情那么简单,因为至少纳兰词中就完全没有这样的情况。

临江仙　塞上得家报云秋海棠开矣,赋此

六曲阑干①三夜雨,倩谁护取娇慵。可怜寂寞粉墙东。已分裙钗绿,犹裹泪绡红。　曾记鬓边斜落下,半床凉月惺忪②。旧欢如在梦魂中③。自然肠欲断④,何必更秋风。

[注释]

①六曲阑干:冯延巳《鹊踏枝》:"六曲阑干偎碧树。杨柳风轻,展尽黄金缕。"(此首又见欧阳修《近体乐府》卷二,别又入晏殊《珠玉词》。)②"曾记"二句:王彦泓《临行阿瑱欲尽写前诗》:"可记鬓边花落下,半身凉月靠阑干。"③"旧欢"句:温庭筠《更漏子》:"春欲暮,思无穷。旧欢如梦中。"晏殊《谒金门》:"往事旧欢何限意。思量如梦寐。"④"自然"句:伊世珍《嫏嬛记》:"昔有妇人,思所欢不见,辄涕泣,恒洒泪于北墙之下。后洒处生草,其花甚媚,色如妇面,其叶正绿反红,秋开,名曰断肠花,又名八月春,即今秋海棠也。"

[评析]

　　这首词咏物、感事兼而有之，而写情贯穿始终，所以，"不妨把它也归入悼亡一类"（盛冬铃《纳兰性德词选》）。词题中"塞上"、"秋海棠开"可以帮助确定其作期。词上片因事起情，吟咏家中"粉墙东"那"娇慵"、"寂寞"的秋海棠在"三夜雨"后娇艳地开放，人花合写。下片由花思人，以人写花，借花抒怀，在对往日美好时光的追念中，表达塞上此时柔肠寸断的悲哀苦痛之情。秋海棠又名断肠花，结末二句借以反扣题面，愈显沉痛。

　　值得提出的是，清初的一些词人通过吟咏塞上的花儿，来反衬边塞生活。如高士奇《金缕曲·塞上见杏花》："绝塞山无数。动羁愁、马头雁底，黑云黄雾。拚得今年春草草，落尽垂杨轻絮。知道是、东君留否。蓦地花开横小阜，据吟鞍、错认江村路。洒几点，洗红雨。　　天斜似解怜人语。问春风、玉门关外，缘何也度。嫩蕊秾香空艳冶，不见蝶围蜂舞。只惹却、晴丝牵住。已断青旗沽酒店，待跉蹡、画角频催去。摇鞭影，日亭午。"杏花朵朵，为荒凉的塞外带来些许生机，不禁让人想起家乡的春天，因而倍加珍惜。又如揆叙《念奴娇·咏秋海棠》："萧条沙塞，早丝丝红萼，暗催诗句。翠雀（塞外花名）金莲凋落后，一种向人如语。拾蕊蜂稀，寻香蝶少，秋在花深处。春光不借，免教群卉争妒。　　无奈吹谢吹开，西风阵阵，助悲凉情绪。轻著胭脂浓衬叶，画手应难摹取。香雾濛濛，粉霞淡淡，点缀松亭路。且来闲赏，迤天犹未多雨。"〔按：彭元瑞《知圣道斋读书跋》所云从一个方面道出纳兰昆仲能词的缘由："于谦牧堂（指揆叙藏书处，纳兰称珊瑚阁）藏书中，得宋元人词二十二帙，题曰《汲古阁未刻词》。"〕在凛冽的西风中，秋海棠虽然很快就会凋零，不免让人平添悲凉情绪，但是，毕竟能够给孤寂的行边之人带来一丝安慰。这些创作实际表明，边塞词人们的视野更加开阔了，他们用手中的词笔，不仅为荒寒的边塞增添了几分暖意，也给边塞词"增添了一些新因素"（张宏生《论清初边塞词》）。跟这些作品中的实景实写相比，纳兰的这首《临江仙》在一定程度上可以说是虚景实写，而且还实实在在地写出了某些在这类作品中所没有的东西。

临江仙　谢饷樱桃

绿叶成阴春尽也①，守宫偏护星星②。留将颜色慰多情③。分明千点泪，贮作玉壶冰④。　　独卧文园方病渴⑤，强拈红豆酬卿。感卿珍重报流莺⑥。惜花须自爱，休只为花疼。

[注释]

①"绿叶"句：杜牧《叹花》："自恨寻芳到已迟，往年曾见未开时。狂风落尽深红色（一作'如今风摆花狼藉'），绿叶成阴子满枝。"喻指妇嫁生子。②"守宫"句：张华《博物志》卷四："蜥蜴或名蝘蜓，以器养之，食以朱砂，体尽赤。所食满七斤，治捣万杵，点女人肢体，终身不灭。唯房室事则灭，故号守宫。"喻樱桃红若宫砂。星星，同"猩猩"。皮日休《重题蔷薇》："浓似猩猩初染就，轻如燕燕欲凌空。"③"留将"句：既指樱桃，又指人。颜师古《隋遗录》卷上：大业十二年（616），隋炀帝将幸江都，宫女半不随驾，争泣留帝，帝意不回，"因戏以帛题二十字赐守宫女云：'我梦江南好，征辽亦偶然。但存颜色在，离别只今年。'"《吴氏本草》："樱桃味甘，主调中，益脾气，令人好颜色，美志气。"④"分明"二句：王嘉《拾遗记》卷七："魏文帝所爱美人，姓薛，名灵芸，常山人也。……咸熙元年，谷习出守常山郡，闻亭长有美女而家甚贫，时文帝选良家子女以入六宫，习以千金宝赂聘之。既得，乃以献文帝。灵芸闻别父母，歔欷累日，泪下沾衣。至升车就路之时，以玉唾壶承泪，壶则红色。既发常山，及至京师，壶中泪凝如血矣。……灵芸未至京师十里，帝乘雕玉之辇，以望车徒之盛，嗟曰：'昔者言朝为行云，暮为行雨，今非云非雨，非朝非暮。'改灵芸之名曰夜来，入宫后居宠

爱。"鲍照《代白头吟》:"直如朱丝绳,清如玉壶冰。"王昌龄《芙蓉楼送辛渐》:"洛阳亲友如相问,一片冰心在玉壶。"吴伟业《戏题仕女图》之五:"四壁萧条酒数升,锦江新酿玉壶冰。"⑤"独卧"句:司马相如曾任孝文园令,患消渴疾,称病闲居。后人以文园称之,文园病渴因指文人患病。杜牧《为人题赠》:"文园终病渴,休咏白头吟。"李东阳《走笔次成国病中见寄》:"嗟予亦抱文园渴,漫倚高歌到夕阳。"⑥流莺:《礼记·月令》郑玄注:"含桃,樱桃也。"《淮南子·时则训》高诱注:"含桃,莺所含食,故言含桃。"李商隐《百果嘲樱桃》:"流莺犹故在,争得讳含来。"又《深树见一颗樱桃尚在》:"惜堪充凤食,痛已被莺含。"

[评析]

　　这首《临江仙》的主旨,学界有四种不同的说法。其一,苏雪林先生认为是写纳兰与宫女的恋情。此说,夏承焘先生早有定评:"甚傅会。"其二,张草纫先生《纳兰词笺注》认为是写为内臣分送帝王所赐之樱桃的宫女,含恋恋之意。此说与词题中"饷"字颇不谐。其三,赵秀亭、冯统一先生《饮水词笺校》在"饷"字上进一步做文章,推测答谢对象是纳兰座师徐乾学。此说中有精彩处,然未必与篇中略显轻艳的情调相合。其四,张秉戍先生《纳兰词笺注》认为是答谢友人馈赠之作。纳兰全篇既咏物又抒情,人、情、事合一,雅俗兼容,如果不是刻意写来,以求泛泛酬应之作不致堕入流俗,此说倒可稍解读者对词作中友朋间调笑暧昧之举的疑惑。文人伎俩,莫可洞测。马大勇教授就此提出,词写给侍女或侍妾,亦无不可。虽读来不免稍有别扭之处,也不妨备为一解。

　　写樱桃,或与樱桃相关的题材,纳兰之前的一些作品,路数是相对清晰的。或直写其可宝贵,如孙逖的《和咏廨署有樱桃》:"上林天禁里,芳树有红樱。江国今来见,君门春意生。香从花绶转,色绕佩珠明。海鸟衔初实,吴姬扫落英。切将稀取贵,羞与众同荣。为此堪攀折,芳蹊处处成。"或仅以之为话头,抒写痛切感人之情。如李煜的《临江仙》:"樱桃落尽春归去,蝶翻金粉双飞。子规啼月小楼西。画帘珠箔,惆怅卷金泥。　　门巷寂寥人去后,望残烟草低迷。炉香闲袅凤凰儿。空持罗带,回首恨依依。"相比而言,纳兰似乎总是为某种莫名的情思所牵绊,写得十分纠结。

临江仙　寒柳

飞絮飞花何处是,层冰积雪摧残①。疏疏一树五更寒。爱他明月好,憔悴也相关。　　最是繁丝摇落后,转教人忆春山。湔裙梦断续应难②。西风多少恨,吹不散眉弯。

[注释]

①"层冰"句:《楚辞·招魂》:"层冰峨峨,积雪千里。"②湔裙:《北齐书·窦泰传》:"窦泰,字世宁,大安捍殊人也。初,泰母期而不产,大惧。有巫曰:渡河湔裙,产子必易。泰母从之,俄而生泰。"李商隐《柳枝五首·序》:"……明日,余比马出其巷,柳枝丫鬟毕妆,抱立扇下,风郛一袖,指曰:'若叔是,后三日,邻当去溅裙水上,以博山香待,与郎俱过。'余诺之。"

[评析]

这首《临江仙》,赵秀亭先生《纳兰丛话》通过重新解读"湔裙梦"典故,得出词借咏柳而抒伤悼之幽情的结论。此前,杨希闵有云:"托驿柳以寓意,其音凄唳,荡气回肠。"(《词轨》卷七)"凄唳"云云,是从词作"寓意"之深沉着眼。吴梅先生则这样说:"同时有佟世南《东白堂词》,较容若略逊,而意境之深厚,措词之显豁,亦可与容若相勒。然如《临江仙·寒柳》、《天仙子·渌水亭秋夜》、《酒泉子·荼蘼谢后作》,非容若不能作也。"(《词学通论》)意境"深厚"云云,仅就此阕而言,与杨希闵所言并无不同,又将《临江仙》与其他两首词并列观照,视点似乎也不是明确集中在它的悼亡主题上。这样看来，词篇暗含悼亡的说法应属莫须有（此处借指不是必须有）。

宋代的咏物之作，经由柳永的图形写貌，苏轼开始物我合一，到周邦彦将身世飘零之感、仕途沦落之悲、情场失意之苦与所咏之物融为一体，为南宋咏物词重寄托开示法门。再到姜夔看似不紧扣所咏之物、重在传神的创作姿态，创作主体贯注其中的感情非但没有弱化，反而更为强烈，一定意义上意味着宋代乃至历代咏物词审美理想的确立。也许正是在全面参照咏物词史的意义上，陈廷焯对纳兰的这首词赞赏有加："容若《饮水词》，才力不足，合者得五代人凄婉之意。余最爱其《临江仙·寒柳》云：'疏疏一树五更寒。爱他明月好，憔悴也相关。'言中有物，几令人感激涕零。容若词亦以此篇为压卷。"（《白雨斋词话》卷六）

对于以上相关词论，尚可补充说明两点。佟世南曾与陆进、张星耀于康熙十七年（1678）编成《东白堂词选初集》，其所作如《山花子·无题》："芳信无由觅彩鸾。人间天上见应难。瑶瑟暗萦珠泪满，不堪弹。　　枕上片云巫岫隔，楼头微雨杏花寒。谁在暮烟残照里，倚阑干。"另如《御街行·寄怀王丹麓，即次原韵》（纷纷黄叶摇空砌）、《兰陵王·咏柳赠别和周美成韵》（雨丝直），等等，均婉丽流畅，含蓄蕴藉，跟所编词选中体现出的主张基本相符，而未必一定都逊于纳兰，可以共同昭示一代旗人词创作面貌。（亦郭则沄《清词玉屑》卷一"盛时人才辈出，即声律余事，可觇其凡"之意。）又，佟世南在词选序言中宣称：词"昉于陈隋，广于二唐，盛于北宋，衰于南宋"，可见重北宋而轻南宋是"当时普遍存在的一种词学宗尚"（闵丰《诗学模范与词格重建——清初当代词选中的辨体与尊体》）。这样看来，纳兰的"才力不足"其实是识力不足造成的，在当时一部分词人中应该也是"普遍存在"的，毋庸讳言。从这个角度着眼，似乎能够看出，以朱彝尊为代表的"浙西词派"某些核心观点的提出,犹如项庄舞剑,不无一定的现实针对性。

临江仙

夜来带得些儿雪,冻云一树垂垂①。东风回首不胜悲②。叶干丝未尽,未死只颦眉③。　　可忆红泥亭子外,纤腰舞困因谁④。如今寂寞待人归。明年依旧绿,知否系斑骓。

[注释]

①"冻云"句:方干《冬日》:"冻云愁暮色,寒日淡斜晖。"杜甫《和裴迪登蜀州东亭送客逢早梅相忆见寄》:"江边一树垂垂发,朝夕催人自白头。"②"东风"句:赵鼎《鹧鸪天》:"分明一觉华胥梦,回首东风泪满衣。"③颦眉:垂落之柳叶。骆宾王《王昭君》:"古镜菱花暗,愁眉柳叶颦。"④"可忆"二句:李白《鲁郡尧祠送窦明府薄华还西京》:"红泥亭子赤阑干,碧流环转青锦湍。"柳永《夜半乐》:"舞腰困力,垂杨绿映,浅桃秾李夭夭,嫩红无数。"

[评析]

这首《临江仙》应该也是咏寒柳之作,当与前首合读。词在对现在情景的描绘与对过往时光的追怀中纠结缠绵,由"叶干"二句串联并表露伤悼情意。结二句悬想来春,咏物而不滞留于物,益见悲情。

陈维崧、顾贞观均有《临江仙·秋柳》,人、柳若即若离,寓含凄凉身世之感,亦为"言之有物"者,录以对读:"自别西风憔悴甚,冻云流水平桥。并无黄叶伴飘飖。乱鸦三四点,愁坐话无憀。　　云压西村茅舍重,怕他榾柮同烧。好留蛮样到春宵。三眠明岁事,重斗小楼腰。""向日宫莺千百啭,而今几点归鸦。西风著意做繁华。飘残三月絮,冻合一江花。　　自是心情寥落尽,不堪重系香车。永丰西畔即天涯。白头金缕曲,翠黛玉钩斜。"又,此前柳如是的一首《金明池·咏寒柳》:"有恨寒潮,无情残照,正是潇潇南浦。更吹起、霜条孤影,还记得旧时飞絮。况晚来、烟浪离迷,见行客、特地瘦腰如舞。总一种凄凉,十分憔悴,尚有燕台佳句。　　春日酿成秋日雨。念畴昔风流,暗伤如许。纵饶有、绕堤画舸,冷落尽、水云犹故。忆从前、一点春风,几隔着重帘,眉儿愁苦。待约个梅魂,黄昏月淡,与伊深怜低语。"作于脱离陈子龙后,显见对秦观、周邦彦、姜夔诸家词用力甚深。陈寅恪先生认为,从中可约略窥见其"学问嬗蜕,身世变迁之痕迹"(《柳如是别传》)。

在咏柳诗词系列中,王士禛作于顺治十四年(1657)的《秋柳》四首也值得一提:"秋来何处最消魂,残照西风白下门。他日差池春燕影,只今憔悴晚烟痕。愁生陌上黄骢曲,梦远江南乌夜村。莫听临风三弄笛,玉关哀怨总难论。""娟娟凉露欲为霜,万缕千条拂玉塘。浦里青荷中妇镜,江干黄竹女儿箱。空怜板渚隋堤水,不见琅琊大道王。若过洛阳风景地,含情重问永丰坊。""东风作絮糁春衣,太息萧条景物非。扶荔宫中花事尽,灵和殿里昔人稀。相逢南雁皆愁侣,好语西乌莫夜飞。往日风流问枚叔,梁园回首素心违。""桃根桃叶镇相怜,眺尽平芜欲化烟。秋色向人犹旖旎,春闺曾与致缠绵。新愁帝子悲今日,旧事公孙忆往年。记否青门珠络鼓,松枝相映夕阳边。"这不只是因为其吟咏主题与新柳、寒柳相关而又不尽相同,也不是由于青年王士禛才情丰茂,纳兰曾以一首《浣溪沙·红桥怀古和阮亭韵》(无恙年年汴水流)和其当年著名的"红桥唱和"词三首之一的《浣溪沙》(北郭清溪一带流),而是因为作品在未必不著一字中得尽风流,而这"风流"中,却包蕴着非同一般的故国之思。

临江仙　寄严荪友

别后闲情何所寄，初莺早雁①相思。如今憔悴异当时。飘零心事，残月落花知。　　生小不知江上路，分明却到梁溪。匆匆刚欲话分携。香消梦冷，窗白一声鸡②。

[注释]

①初莺早雁：借指春去秋来。萧子显《自序》："早雁初莺，开花落叶。"
②"窗白"句：胡曾《早发潜水驿谒郎中员外》："半床秋月一声鸡，万里行人费马蹄。"

[评析]

这首赠寄词作于康熙十六年（1677）夏至十七年春之间。词写因思念挚友而生寂寥之感，但无人能晓，以致产生梦幻，梦见自己到了朋友的家乡，然而"刚欲"一诉别后离情，却又梦断"香消"，令人不胜怅惘。康熙十五年（1676）初夏，严绳孙南归，纳兰有《别荪友口占》二首：

离亭人去落花空，潦倒怜君类转蓬。便是重来寻旧处，萧萧日暮白杨风。

半生余恨楚山孤，今夜送君君去吴。君去明年今夜月，清光犹照故人无。

"君去"二句中所包蕴的情意，足堪与此词相互发明。

当年三十出头的傅庚生先生以"鬼才"称赏纳兰词，虽认为陈廷焯"仙词不如鬼词"（《白雨斋词话》卷七）之论为"所见者甚偏",其说实多受包括陈廷焯在内的一些评论家的沾溉——程颐以"鬼语"评小山词,许昂霄《词综偶评》以"仙才鬼才,兼而有之"评秦观《黄金缕》(妾本钱塘江上住),是另外两个更早的相关著名论断——而所论甚深细:"仙品、鬼才,何由判耶?试别举他例以明之。温飞卿《商山早行》云云,吟哦之余,觉有清清洒洒之致,是仙品也。纳兰容若《临江仙》(别后闲情何所寄)云云,寓目之顷,俄有踽踽悷悷之情,是鬼才也。""仙品与鬼才,非止谓作品之光景如仙似鬼也。凡情旨超越,能脱却烟火气者,皆仙品;意境奇突而机关诡谲者,皆谓为鬼才矣。""神工浑成,鬼斧精镂,雕镂之工,鬼词尚已,学而难便企及也;天授之巧,神词托焉,瞠乎不可跻攀也。故仙亦好,鬼亦好,要以各在其性灵之真为愈。人各有能有不能,未可相强也。学者于此,宜审辨淄渑,毋妄议臧否。"(《中国文学欣赏举隅》十三)堪称能传言在他人只可意会者,与张德瀛题咏纳兰《饮水词》所云"听唱鲍家诗"(《耕烟词》卷一)相通——鲍照《代蒿里行》被认为诗到情真之处,鬼亦能唱,后因以"鲍家诗"代称之——也为诠释纳兰词提供了一个颇具理论色彩的新思路。

临江仙　永平[①]道中

独客单衾谁念我,晓来凉雨飕飕[②]。械书欲寄又还休。个侬[③]憔悴,禁得更添愁。　　曾记年年三月病[④],而今病向深秋。卢龙风景白人头。药炉烟里,支枕听河流[⑤]。

[注释]

①永平:清直隶府名,治所在卢龙,辖迁安、抚宁、昌黎、涞州、乐亭、临榆等县。②"晓来"句:王禹偁《月波楼咏怀》:"江蓠烟漠漠,官柳雨飕

飔。"③个侬：那人。陈克《渔家傲》："晚景看来浑似旧。沉吟久。个侬争得知人瘦。"④"曾记"句：韩偓《春尽日》："把酒送春惆怅在，年年三月病恹恹。"⑤"药炉"二句：王彦泓《澄江病瘧口占》："归去不妨翻本草，药炉声里伴秋灯。"叶适《西江月》："啄残栖老付谁论。谩要睡余支枕。"河，泺河。

[评析]

纳兰另有一首《临江仙·卢龙大树》：

雨打风吹都似此，将军一去谁怜。画图曾见绿阴圆。旧时遗镞地，今日种瓜田。　　系马南枝犹在否，萧萧欲下长川。九秋黄叶五更烟。只应摇落尽，不必问当年。

借物咏怀。据"卢龙风景"一语，可推知这首《临江仙》与之大约同作于康熙二十一年（1682）觇梭龙途中。上片"独客"二句，以设问点明自己"独客单衾"的孤寂。"械（jiān）书欲寄"三句从对面着笔，欲写自己愁怀难遣，欲寄还休的矛盾心理，偏说怕因此"书"而增加妻子的相思之愁。下片进一步写客愁难解，相思难耐。前二句从得"病"时间之长写出愁病之深重。后三句宕开一笔，以"卢龙"景、"药炉烟"和"河流"声的眼前景结"白人头"的无尽情。其中"支枕听河流"一句，间接借鉴叶适《西江月·和李参政》（识贯事中枢纽）中"谩要睡余支枕"、陆游《中春连日得雨雷亦应候》中的"睡余支枕听莺语，醉里题窗记燕来"，语带清闲，稍稍消解了全篇的悲怆苍凉意绪。

从对面着笔，是"揉直使曲"（袁枚《续诗品·取径》）手法之一种。此法由《诗·周南·卷耳》创辟："采采卷耳，不盈顷筐。嗟我怀人，寘彼周行。陟彼崔嵬，我马虺隤。我姑酌彼金罍，维以不永怀。陟彼高冈，我马玄黄。我姑酌彼兕觥，维以不永伤。陟彼砠矣，我马瘏矣。我仆痡矣，云何吁矣。"刘熙载认为："只'嗟我怀人'一句是点明主意,余者无非做足此句。"(《艺概》卷三)后三章"做足此句"之法就是"叠单使复",从对面着笔,表现绵绵情思。再往后,这种写法便逐渐形成传统。徐干《室思》中"既厚不为薄,想君时见思",徐陵《关山月》中"思妇高楼上,当窗应未眠",都是如此,不仅写出相思之苦、之深、之浓,增强了表达效果,而且句法灵动,不使"倦心齐生"。至于王昌龄的《从军行》和杜甫的《月夜》,等等,更为凝练深沉,自不待言。这种写法,在纳兰词中也是屡见而非一见,因为补叙如上。

鬓云松令

枕函香,花径漏①。依约相逢,絮语黄昏后。时节薄寒人病酒。划地东风,彻夜梨花瘦。　　掩银屏,垂翠袖。何处吹箫,脉脉情微逗。肠断月明红豆蔻②。月似当初,人似当初否③。

[注释]

①花径漏:杜甫《腊日》:"侵陵雪色还萱草,漏泄春光有柳条。"②红豆蔻:范成大《桂海虞衡志》:"红豆蔻花丛生,叶瘦如碧芦。春末发,初开花先抽一干,有大箨包之。箨解花见,一穗数十蕊,淡红鲜妍如桃杏花色。蕊重则下垂如蒲萄……每蕊心有两瓣相并,词人托兴如比目、连理云。"③"月似"二句:秦观《水龙吟》:"念多情但有,当时皓月,向人依旧。"

[评析]

这首词收入《今词初集》,当是纳兰早年痴痴怀恋之作。上片写情痴入幻,仿佛在"落花""病酒"之后的"黄昏"与伊人再度相会,笔法亦虚亦实。下片写触景生情,"月明"花红,箫声"逗"情,又想起往昔欢处,不禁"肠断"神伤,写来亦实亦虚。结末"月似当初,人似当初否"二句的反诘反衬收束,可比于纳兰另一首《菩萨蛮》(梦回酒醒三通鼓)中"空有当时月。月也异当时"的凄怀泠泠。

欧阳修有一首《生查子》："去年元夜时，花市灯如昼。月到柳梢头，人约黄昏后。　今年元夜时，月与灯依旧。不见去年人，泪满春衫袖。"通过对照"去年"和"今年"元夜情景的不同，写出一段难以忘怀的缠绵情事。无论是其简明而又饶有意味之处，还是物是人非的失落之感，都与崔护《题城南庄》异曲同工："去年今日此门中，人面桃花相映红。人面不知何处去，桃花依旧笑春风。"当然，欧词似能更见语言的错综回环之美，也更具民歌风情。所以，徐士俊有这样的评价："元曲之称绝者，不过得此法。"(卓人月《古今词统》卷三)金圣叹《唱经堂批欧阳永叔词十二首》所评与之有相同之处："只谓其清空一气如活，盖其笔法高妙，非人之所及也。"盖其间确有相通之处。纳兰词不仅内在的意蕴和轻倩的风格酷似欧词，上、下片结构相同而情感有明显变化的写法，也与欧词非常相似，而且这种变化，还都是通过在末二句上用力而表现出来的。无怪乎张渊懿于《清平初选后集》卷六评曰："柔情婉转，无限风姿。"

于中好

独背斜阳上小楼①。谁家玉笛韵偏幽②。一行白雁遥天暮，几点黄花满地秋③。　惊节序，叹沉浮。秾华④如梦水东流。人间所事堪惆怅⑤，莫向横塘问旧游⑥。

[注释]

①"独背"句：严仁《醉桃源》："倚阑看处背斜阳。风流暗断肠。"
②"谁家"句：李白《春夜洛城闻笛》："谁家玉笛暗飞声，散入春风满洛

城。"③"几点"句：李清照《声声慢》："满地黄花堆积。憔悴损，如今有谁堪摘。"④秾（nóng）华：《诗·召南》："何彼秾矣，唐棣之华。"郑玄笺："兴者，喻王姬颜色之美盛。"朱熹《诗集传》："秾，盛也。"⑤"人间"句：曹唐《张硕重寄杜兰香》："人间何事堪惆怅，海色西风十二楼。"所事，云事事。⑥"莫向"句：苏州、南京等地皆有横塘，以是泛指江南。温庭筠《池塘七夕》："万家砧杵三篙水，一夕横塘似旧游。"贺铸《青玉案》："凌波不过横塘路。但目送、芳尘去。"

[评析]

这是一首秋日登高怀远词。临晚登楼，独自怅望，目见耳闻白雁鸣去，黄花满地，笛韵清幽，不禁触景伤感。这种惆怅情怀，兼由节序变换、人事升沉、繁华易逝、好景不长交织引发，不免愁上添愁。一结余韵不尽，启人联想。全篇怀人之意有类张先《一丛花令》："伤高怀远几时穷。无物似情浓。离愁正引千丝乱，更东陌、飞絮濛濛。嘶骑渐遥，征尘不断，何处认郎踪。　双鸳池沼水溶溶。南北小桡通。梯横画阁黄昏后，又还是、斜月帘栊。沉恨细思，不如桃杏，犹解嫁东风。"然纳兰词更像是念友，而不是仅仅限于情人间的相思苦恋，所以风貌格调与张词的婉媚清丽相殊。

怀远未免独惆怅，登高必难成绝响。早在盛唐，杜甫的《登高》是这样写的："风急天高猿啸哀，渚清沙白鸟飞回。无边落木萧萧下，不尽长江滚滚来。万里悲秋常作客，百年多病独登台。艰难苦恨繁霜鬓，潦倒新停浊酒杯。"全篇缘情选景，景中寓情，表达壮志难酬、悲愤潦倒的深沉感喟，境界雄浑阔大。所感喟者，近于更早的王粲《登楼赋》中所云："惟日月之逾迈兮，俟河清其未极。冀王道之一平兮，假高衢而骋力。惧匏瓜之徒悬兮，畏井渫之莫食。步栖迟以徙倚兮，白日忽其将匿。风萧瑟而并兴兮，天惨惨而无色。兽狂顾以求群兮，鸟相鸣而举翼。原野阒其无人兮，征夫行而未息。心凄怆以感发兮，意忉怛而憯恻。循阶除而下降兮，气交愤于胸臆。夜参半而不寐兮,怅盘桓以反侧。"将纳兰词置于这一整体的文学题材系列中,其内蕴的广狭深浅能够看得更清楚。

于中好

雁帖寒云次第飞①。向南犹自怨归迟。谁能瘦马关山道,又到西风扑鬓时。　　人杳杳,思依依②。更无芳树有乌啼。凭将扫黛③窗前月,持向今宵照别离。

[注释]

①"雁帖"句:帖,同"贴",靠近。舒亶《虞美人》:"背飞双燕贴云寒。独向小楼东畔、倚阑看。"刘禹锡《秋江晚泊》:"暮霞千万状,宾鸿次第飞。"②思依依:高观国《更漏子》:"情悄悄,思依依。天寒一雁飞。"③扫黛:画眉。李商隐《又效江南曲》:"扫黛开宫额,裁裙约楚腰。"陆游《次李季章哭夫人韵》之一:"遥知最是伤心处,衫袂犹沾扫黛痕。"

[评析]

这是一首塞上思归之作。上片写北雁南飞,犹"怨归迟",雁可向南,人却难归,人已难归,偏偏又像上回,古道瘦马,西风扑鬓。下片写怀思袅袅,又闻乌啼,悬想同一明月,双照别离。全篇二、三句一层,翻腾转进,自然流畅,语近情遥,深婉动人。纳兰另有同调之作:

冷露无声夜欲阑。栖鸦不定朔风寒。生憎画鼓楼头急,不放征人梦里还。　　秋淡淡,月弯弯。无人起向月中看。明朝匹马相思处,知隔千山与万山。

与本篇分写两地情思,非但可以相互映衬,"合而观之,更见经营之妙"(盛冬铃《纳兰性德词选》)。

此篇之中颇为引人注目的跌宕转折处,令人联想到晏幾道的某些词作。如《蝶恋花》:"梦入江南烟水路。行尽江南,不与离人遇。睡里消魂无说处。觉来惆怅消魂误。　欲寄此情书尺素。浮雁沉鱼,终了无凭据。却倚缓弦歌别绪。断肠移破秦筝柱。"因思念而入梦,入梦却不见,不见仍销魂,销魂更惆怅。于是弄琴倾诉,无奈心烦意乱,最终弦断音希,而情思绵绵难止。全篇非如易安所谓"苦无铺叙"(《词论》),而是更见高超又韵味无穷。小山"能于小令之中,具有长调之气格"(刘永济《唐五代两宋词简析》),即将长调铺叙中的腾挪、转折、顿挫等章法追求,与短篇之中传达丰富思致的小令家法结合起来,创造性地发展小令艺术。说纳兰词学小山——集名《侧帽》取自晏幾道《清平乐》(春云绿处)中"侧帽风前花满路"句乃其心仪小山之一例——这也应该是其中的一个方面,虽不能至,心向往之。

于中好　送梁汾南还,为题小影

握手西风泪不干。年来多在别离间。遥知独听灯前雨,转忆同看雪后山①。　凭寄语,劝加餐②。桂花时节约重还。分明小像沉香缕③,一片伤心欲画难④。

[注释]

①"转忆"句:王彦泓《岁除日即事》:"浮尘扰扰一身闲,独看城南雪后山。"②"凭寄语"二句:《古诗十九首》:"弃捐勿复道,努力加餐饭。"王彦泓《满江红》:"欲寄语,加餐饭。难嘱咐,鱼和雁。"③"分明"句:李贺《答赠》:"沉香熏小像,杨柳伴啼鸦。"顾贞观《南乡子》:"无计与传神,小像沉香只暗熏。"④"一片"句:高蟾《金陵晚望》:"世间无限丹青手,一

片伤心画不成。"韦庄《金陵图》："谁谓伤心画不成,画人心逐世人情。"元好问《家山归梦图》："卷中正有家山在,一片伤心画不成。"

[评析]

康熙十六年（1677）十二月十五日,纳兰寄严绳孙书有云："华峰在都,相得甚欢,一旦忽欲南去,令人几日心闷。数年之间,何多离别！订在明年八月间来都,若吾哥明春北来则已,否则秋间即促其发轫,亦吾哥之大惠也。"康熙十七年（1678）正月十七日,顾贞观离京南行。据知纳兰这首送别词作于此时段区间,"年来多在别离间"、"桂花时节约重还"等均切题,为实写,又与"遥知"二句对双方别后相思情景的想象交错行文,具见笔势动宕与"握手"惜别情深。"小影"乃纳兰画像。

纳兰为与顾贞观的每一次分别所作的诗词作品都是如此披肝沥胆,自然超拔。如康熙二十年（1681）顾贞观丁内艰南归,纳兰送行的一诗一词也是这样。《送梁汾》：

西窗凉雨过,一灯乍明灭。沉忱从中来,绵绵不可绝。如何此际心,更当与君别。南北三千里,同心不得说。秋风吹蓼花,清泪忽成血。

一行清泪化成血,是伤悲已极语。《木兰花慢·立秋夜雨,送梁汾南行》：

盼银河迢递,惊入夜,转清商。乍西园蝴蝶,轻翻麝粉,暗惹蜂黄。炎凉。等闲瞥眼,甚丝丝、点点搅柔肠。应是登临送客,别离滋味重尝。　　疑将。水墨画疏窗。孤影淡潇湘。倩一叶高梧,半条残烛,做尽商量。荷裳。被风暗剪,问今宵、谁与盖鸳鸯。从此羁愁万叠,梦回分付啼螀。

淅沥秋雨,搅断寸寸离肠,从此以后,万叠别愁,唯有梦回时分,付与寒蝉凄切。所以,谈到纳兰沾染汉人风气,从好的一方面来看,应该主要是就在与顾贞观等人交往中受其影响而言。

南乡子　捣衣[①]

鸳瓦已新霜。欲寄寒衣转自伤。见说征夫容易瘦,端相[②]。梦里回时仔细量。　　支枕怯空房[③]。且拭清砧[④]就月光。已是深秋兼独夜[⑤],凄凉。月到西南更断肠[⑥]。

[注释]

①捣衣:杨慎《丹铅总录》:"古人捣衣,两女子对立执一杵,如舂米然。尝见六朝人画捣衣图,其制如此。"②端相:犹端详,细看。周邦彦《意难忘》:"夜渐深,笼灯就月,子细端相。"③"支枕"句:王涯《秋夜曲》:"银等夜久殷勤弄,心怯空房不忍归。"④清砧:砧,捣具。杜甫《暝》:"半扇开烛影,欲掩见清砧。"杜牧《秋梦》:"寒空动高吹,月色满清砧。"⑤"已是"句:杜审言《和康五庭芝望月有怀》:"明月高秋迥,愁人独夜看。"⑥"月到"句:王彦泓《纪事》:"月到西南倍可怜,照人双笑影娟娟。"

[评析]

在古代,用生丝织成的绢质地较硬,裁制衣裳前需要捣软。这种看似平常的日常劳务,往往极易牵动情感,所以渐渐成为古典诗词中表现思妇怀念征人的常用题材,或者类似主题中的经典意象。如庾信的《题画屏风》之十一:"捣衣明月下,静夜秋风飘。锦石平砧面,莲房接杵腰。急节迎秋韵,新声入手调。寒衣须及早,将寄霍嫖姚。"李白的《子夜吴歌》之三:"长安一片月,万户捣衣声。秋风吹不尽，总是玉关情。何日平胡虏，良人罢远征。"韦庄的《捣练篇》："月华吐艳明烛烛，青楼妇唱捣衣曲。白袷丝光织鱼目，菱花绶带鸳鸯簇。临风缥缈叠秋雪，月下丁冬捣寒玉。楼兰欲寄在何乡，凭人与系征鸿足。"都堪称名篇。

借闺情以写征戍之苦，在宋词中并不多见。贺铸的系列"古捣练子"词，是颇为突出的代表性篇章。其中如《夜捣衣》："收锦字，下鸳机。净拂床砧夜捣衣。马上少年今健否，过瓜时见雁南飞。"结句运典，犹如使一折笔，便收含毫不尽之妙。《夜如年》："斜月下，北风前。万杵千砧捣欲穿。不为捣衣勤不睡，破除今夜夜如年。"在撼人心魄的杵声中，诉说难于"破除"的伤痛。《杵声齐》："砧面莹，杵声齐。捣就征衣泪墨题。寄到玉关应万里，戍人犹在玉关西。"结二句采用翻进一层的写法，每转而愈加深曲。晏幾道的《少年游》与之大抵相类："西楼别后，风高露冷，无奈月分明。飞鸿影里，捣衣砧外，总是玉关情。　王孙此际，山重水远，何处赋西征。金闺魂梦枉丁宁。寻尽短长亭。"纳兰的这首《南乡子》也是从怨妇的角度着手，虽然读来也不免稍稍有一丝距离感，但层层写来，情调深婉凄切，未可谓为寻常拟古之作。

顾贞观、严绳孙有同调同题词："嗳唉夜鸿惊。叶满阶除欲二更。一派西风吹不断，秋声。中有深闺万里情。　片石冷于冰。两袖霜华旋欲凝。今夜戍楼归梦里，分明。纤手频呵带月迎。""霜叶满城头。一片青砧万古愁。唯有啼痕点点在，衣裯。夜夜随君宿戍楼。　误妾定吴钩。不是萧郎爱远游。条脱旋宽双杵重，封侯。消得金堂几度秋。"其中，尤以顾词较纳兰之作为顿挫、沉郁。

南乡子　为亡妇题照

泪咽却无声。只向从前悔薄情。凭仗丹青重省识[①]，盈盈。

一片伤心画不成。　　别语忒分明。午夜鹣鹣②梦早醒。卿自早醒侬自梦，更更。泣尽风檐夜雨铃③。

[注释]

①省识：杜甫《咏怀古迹》："画图省识春风面，环佩空归夜月魂。"②鹣（jiān）鹣：《尔雅·释地》："南方有比翼鸟焉，不比不飞，其名谓之鹣鹣。"③"泣尽"句：李商隐《二月二日》："新滩莫悟游人意，更作风檐夜雨声。"

[评析]

　　这是一首题亡妇遗像词。遗像何人所绘，不得而知。卢氏去世后，纳兰悲怀难遣，遗像题词，犹如执手呼唤，泪眼相看，无语凝咽。过片"别语忒分明"，与纳兰《荷叶杯》（知己一人谁是）中"别语悔分明"，一字之差，各有千秋，各得其意。又"卿自早醒侬自梦"，似《金缕曲》（此恨何时已）中"人间无味"之意，情至语，亦自我解脱语，或许还不免生出离世超尘的幻念。严迪昌先生的解读甚得古人词心："设想爱妻'早醒'（逝去）也就早离尘海、弃去无味之人间，自己却仍梦着独处其间，了无生趣。"（《清词史》）

　　周之琦也有一首类似的作品《沁园春·题亡室沈淑人遗照》："描出伤心，月悴烟憔，回肠怎支。忆香消玉腕，愁停针线，病淹珠唾，怯试枪旗。命薄难留，魂柔易断，当日欢场已早知。良工笔，为传神个里，欲下还迟。　　离箱粉缟空思。剩倩影、幽房一帧携。看湘兰婀娜，重拈恨蕊，吴绡宛转，未了情丝。缓缓花开，真真酒暖，环佩归来可有期。无眠夜，礼金仙绣像，记否年时。"周氏中年丧妻，在此后的三十年左右时间里，多有悼念之作，款款深情，溢于言表，正如其《青衫湿遍》（瑶簪堕也）中所云："谁知此恨，只在今生。"男女之间，如果今生能得长相依，即便来世难结连理，这恨也是来生之恨，不在今生。沈氏突然辞世，周词才有此叹此问。与纳兰词措语非一,而情怀无不同。纳兰词对后世的影响,及后世词人在同一领域对纳兰词的局部超越,此为一例。

南乡子

飞絮晚悠飏①。斜日波纹映画梁②。刺绣女儿楼上立,柔肠。爱看晴丝百尺长。　风定却闻香。吹落残红在绣床③。休堕玉钗惊比翼④,双双。共唼⑤蘋花绿满塘。

[注释]

①"飞絮"句:曾觌《诉衷情》:"几番梦回枕上,飞絮恨悠扬。"②"斜日"句:王彦泓《梦游十二首》之十:"晓日波纹漾镜台,玲珑窗户压池开。"③"吹落"句:权德舆《相思曲》:"鹊语临妆镜,花飞落绣床。"④"休堕"句:杜牧《入茶山下题水口草市绝句》:"惊起鸳鸯岂无恨,一双飞去却回头。"⑤唼(shà):水鸟吃食。陆游《过建阳县》:"闲泛晴波唼绿蘋,却冲微雨傍烟汀。"

[评析]

这首词写"刺绣女儿"怀春。日斜飞絮,花落绣床,风定闻香,水映画梁,多情少女倦绣伫立,闲看鸳鸯共唼,绿蘋满塘,春怀怅怅,加以接连运用"爱看晴丝"的无聊、"休堕玉钗"的细节和怕"惊比翼"的心理反衬寂寂幽怀,写来生动传神,笔调轻灵。

《南乡子》一调从一开始就很容易写出旖旎风情。如李珣的一首:"相见处,晚晴天。刺桐花下越台前。暗里回眸深属意。遗双翠。骑象背人先过水。"欧阳炯的一首:"路入南中。桄榔叶暗蓼花红。两岸人家微雨后。收红豆。树底纤纤抬素手。"描写南疆风物,都颇有意致。又如张先的一首:"何处可魂消。京口终朝两信潮。

不管离心千叠恨,滔滔。催促行人动去桡。记得旧江皋。绿杨轻絮几条条。春水一篙残照阔,遥遥。有个多情立画桥。"如果对照张先同作于宋仁宗皇祐元年(1049)的《赠妓兜娘》诗,感觉会更明显:"十载芳州采白蘋,移舟弄水赏青春。当时自倚青春力,不信东风解误人。"同样是抒发相思恨别之情,诗作理性深沉,而词作活泼动宕,婉曲婀娜,在情趣与意象的相合相契中,一种玲珑摇荡之美扑面而来。纳兰的这首词大致上也是如此。

南乡子

何处淬吴钩①。一片城荒枕碧流②。曾是当年龙战③地,飕飕。塞草霜风满地秋。　　霸业等闲休。跃马横戈总白头。莫把韶华轻换了,封侯。多少英雄只废丘。

[注释]

①"何处"句:淬,浸染。吴钩,泛指刀剑。辛弃疾《水龙吟》:"把吴钩看了,栏干拍遍,无人会、登临意。"②"一片"句:刘禹锡《西塞山怀古》:"人世几回伤往事,山形依旧枕寒流。"李珣《巫山一段云》:"古庙依青嶂,行宫枕碧流。"③龙战:《周易·坤》:"龙战于野,其血玄黄。"后喻群雄争战。谢朓《和伏武昌登孙权故城诗》:"炎灵遗剑玺,当涂骇龙战。"胡曾《荥阳》:"当时天下方龙战,谁为将军作诔文。"

[评析]

这首词写深秋经行塞外古战场的感怀,当是康熙二十一年(1682)纳兰往觇梭龙时作。上片起以设问,已见凄怆,接以当年血染吴钩的龙战之地的苍茫景象,芜城一片,碧流依旧,瑟瑟秋风,塞草满地,更见悲凉。下片抒发兴亡、古今之慨,"霸业"易休,即使横戈跃马,也终将"英雄"老去,一切成空。

凭吊怀古，作为思考人生意义的重要触媒，一般都会引出英雄老去、霸业易休之类的感喟。如"霸业鼎图人去尽，独来惆怅水云中"（李群玉《秣陵怀古》）、"昔时霸业何萧索，古木唯多鸟雀声"（刘沧《邺都怀古》）、"楚王辛苦战无功，国破城荒霸业空"（胡曾《咏史诗·细腰宫》）、"霸业荒凉遗堞坠，但苍崖、日阅征帆渡。兴与废，几今古"（王千秋《贺新郎·石城吊古》）、"霸业已销歇，俯仰剩荒台"（林玉岩《水调歌头》）。黎廷瑞被赞为"宜兴之祖"（陈廷焯《白雨斋词话》卷八）的《念奴娇·题项羽庙》："鲍鱼腥断，楚将军、鞭虎驱龙而起。空费咸阳三月火，铸就金刀神器。垓丁兵稀，阴陵道狭，月暗云如垒。楚歌喧唱，山川都姓刘矣。悲泣。唤醒虞姬，为伊死别，血刃飞花碎。霸业销沉雠不逝。气尽乌江江水。古庙颓垣，斜阳红树，遗恨鸦声里。兴亡休问，高陵秋草空翠。"写来劲气直前，颇有"鞭虎驱龙"之势，"应为咏项羽第一词"（李调元《雨村词话》卷三）。当然，类似的喟叹也常在悼念时人词作中出现，如刘克庄《沁园春·送孙季蕃吊方漕西归》："岁暮天寒，一剑飘然，幅巾布裘。尽缘云鸟道，跻攀绝顶，拍天鲸浸，笑傲中流。畴昔奇君，紫髯铁面，生子当如孙仲谋。争知道，向中年犹未，建节封侯。　南来万里何求。因感慨桥公成远游。叹名姬骏马，都成昨梦，只鸡斗酒，谁吊新丘。天地无情，功名有命，千古英雄只么休。平生客，独羊昙一个，洒泪西州。"有感而发，沉痛激烈。

南乡子

烟暖雨初收。落尽繁花小院幽。摘得一双红豆子①，低头。说著分携泪暗流。　人去似春休。厄酒曾将酹石尤②。别自有人桃叶渡③,扁舟。一种烟波各自愁④。

[注释]

①红豆子:象征爱情或相思。王维《相思》:"红豆生南国,春来发几枝。劝君多采撷,此物最相思。"②石尤:石尤风,逆风,打头风。伊世杰《嫏嬛记》引《江湖纪闻》:"石尤风者,传闻为石氏女嫁为尤郎妇,情好甚笃。尤为商远行,妻阻之,不从。尤出不归,妻忆之,病亡,临亡长叹曰:'吾恨不能阻其行,以至于此。今凡有商旅远行,吾当作大风为天下妇人阻之。'"刘骏《丁督护歌》之一:"督护初征时,侬亦恶闻许。愿作石尤风,四面断行旅。"司空曙《送卢秦卿》:"无将故人酒,不及石尤风。"③桃叶渡:王献之送爱妾桃叶至秦淮渡口,临歧而歌,后因以桃叶名其地。在今南京。辛弃疾《祝英台近》:"宝钗分,桃叶渡。烟柳暗南浦。"④"一种"句:崔颢《黄鹤楼》:"日暮乡关何处是,烟波江上使人愁。"

[评析]

这首词,《瑶华集》有词题"孤舟",据知当为伤别之作。上片写别时情景,前两句渲染氛围:烟暖雨收,繁花落尽,小院幽静,其中首句以乐景写哀。末二句刻画伊人情态真切传神,摘赠红豆,低头垂泪,令人怜爱交加。(俞陛云先生《诗境浅说》云:"折芳馨以遗所思,采芍药以赠将离。自昔诗人骚客,每藉灵根佳卉,以寄芳悱宛转之怀。"亦此之谓也。)下片写别后幽怨。过片"人去"二句,写行人一去不回,盼断归舟。结句翻出相互思念之意,耐人寻味。全篇不断变换角度,情深款款,婉转道来,不类一般友情之作。

细味纳兰词,确实切于舟中孤兴主题。舟行水流,兴味茫茫,思绪悠悠,自古即然。如林子羽《满庭芳》:"小雨催寒,轻烟弄晚,空江一望模糊。片帆东去,谁念旅怀孤。寒雁连翔欲下,还惊起、相应相呼。栖泊处,拥篷欹枕,清梦绕菰蒲。　还思行乐处,有高阳酒侣。洛浦娇姝。空赢得半生,酒困诗癯。不道年来憔悴,但顾影、冷笑微吁。罗江上,天公还肯,容我钓鲈鱼。"钱塘舟中述怀之作,不失南宋清疏之气。蒋玉棱《高阳台》:"杏酪融香,饧胶粘恨,闲愁料理春人。过眼韶光,天涯时序逡巡。柳阴浓似江南岸,记柔黄、亲剪凉云。最难忘,梨雪红兰,燕子朱门。深闺定有登楼感,对长堤芳草,空怨王孙。落魄而今,花枝应笑离群。游丝已碍还乡梦,又东风、卷起珠尘。正无聊,篷背潇潇,细雨黄昏。"玉屏舟中适逢清明所作,"洵足追步"(李佳《左庵词话》卷下。按:此"李佳"乃继昌,字莲畦,李佳氏,汉军正白旗人。陈庆森《百尺楼词集》中有一阕《金缕曲》词题即云"题继廉访《左庵词话》")蒋春霖。黄理《百字令》:"酒醒何处,只扁舟一叶,离愁装满。如许东风偏作恶,吹面不教人暖。去固无情,行还有侣(谓洪介石),报道邮签缓。推篷遥望,依稀双店(地名)。田岸。　从此芳草连天,落花遍地,孤馆谁能遣。半月欢场成底事,过眼流光休算。雨散星零,燕南雁北,各有穷途感。春城寒食,卖饧声送箫远。"舟中寄怀同人,真挚感人。当然,也有包蕴特别意旨的作品,如汪元量《水龙吟》:"鼓鞞惊破霓裳,海棠亭北多风雨。歌阑酒罢,玉啼金泣,此行良苦。驼背模糊,马头匝匝,朝朝暮暮。自都门燕别,龙艘锦缆,空载得、春归去。　目断东南半壁,怅长淮、已非吾土。受降城下,草如霜白,凄凉酸楚。粉阵红围,夜深人静,谁宾谁主。对渔灯一点,羁愁一搁,谱琴中语。"随驾北迁,舟中夜闻故宫人弹琴的感赋之作,自然沉痛异常。

踏莎行

春水鸭头,春山鹦觜①。烟丝无力风斜倚②。百花时节好逢迎,可怜人掩屏山睡③。　　密语移灯,闲情枕臂。从教酝酿孤眠味④。春鸿不解讳相思，映窗书破人人字⑤。

[注释]

①"春水"二句：觜（zuǐ），鸟嘴。水色碧如鸭头，山花红似鹦嘴。李白《襄阳歌》："遥看汉水鸭头绿，恰似蒲萄初酦醅。"苏轼《送别》："鸭头春水浓于染，水面桃花弄春脸。"祢衡《鹦鹉赋》："绀趾丹嘴，绿衣翠衿。"觜（zī）如解作禽类头上的毛角，似亦通。②"烟丝"句：韩偓《春尽日》："柳腰入户风斜倚，榆荚堆墙水半淹。"③"百花"二句：毛文锡《河满子》："恨对百花时节，王孙绿草萋萋。"温庭筠《菩萨蛮》："无言匀睡脸。枕上屏山掩。"④"密语"三句：吴文英《玉烛新》："移灯夜语西窗，逗晓帐迷香，问何时又。"韩偓《厌花落》："但得鸳鸯枕臂眠，也任时光都一瞬。"范仲淹《御街行》："残灯明灭枕头欹。谙尽孤眠滋味。"⑤"映窗"句：人人，昵称。欧阳修《蝶恋花》："忆得前春，有个人人共。"又，雁行成人字，故睹雁而思人。辛弃疾《玉孙信》："更也没书来，那堪被、雁儿调戏。道无书、却有书中意。排几个、人人字。"书破，喻雁行不成"人"形。

[评析]

这首词写春天里的愁苦相思。上片写花红水绿，柳丝斜倚，伊人却百无聊赖，"掩屏山睡"，煞是"可怜"，落寞情怀在精神状态与宜人春景构成的强烈反差中得以透显。过片三句，通过对往昔欢乐情景的回忆，交代今日孤眠懒起之由。结末二句宕开一笔，盼望"人字""春鸿"带去一份思念之情。

"春鸿不解讳相思，映窗书破人人字"二句是纳兰此篇的亮点，由此联想到张炎的《解连环·孤雁》："楚江空晚。怅离群万里，恍然惊散。自顾影、欲下寒塘，正沙净草枯，水平天远。写不成书，只寄得、相思一点。料因循误了，残毡拥雪，故人心眼。　谁怜旅愁荏苒。谩长门夜悄，锦筝弹怨。想伴侣、犹宿芦花，也曾念春前，去程应转。暮雨相呼，怕蓦地、玉关重见。未羞他、双燕归来，画帘半卷。"写孤雁，寓身世，极尽离合之致，确有非画笔所能传、非言语所能尽者。特别是"写不成书"二句，据元代孔克齐

《至正直记》记载:"张叔夏《孤雁》有'写不成书,只寄得相思一点',人皆称之曰'张孤雁'。"可见当时也有盛名。群雁飞行时,或作"一"字,或作"人"字,此即为"书";而古人认为,雁足可以传书,据《汉书》,苏武出使匈奴被留十八年,匈奴王诡称其已死,汉使遂假托武帝在上林苑射猎,打到一只大雁,雁足上有苏武的书信,迫使匈奴王放回了苏武。所以,词句一语双关,既说出孤雁的形象无法排成完整的雁阵,即完整的字,只能写出一点,又表达出这一点仍然寄托着深深的情怀,从而把眼前之雁和苏武的故事联系了起来,也就顺理成章地逗出"料因循"以下三句。这三句仍然是从苏武的故事中来,由于孤雁之孤,无法写出完整的字,所以当然也就无法传信了。真是奇思妙想,前无古人。纳兰"春鸿"二句,在对心烦意怨的心理状态的生动描绘中,刻画出一片相思之情,尽管在情感的厚度上与张炎几乎判若天壤,也还是可以看做对其"写不成"二句在特定情感指向上的发展。

踏莎行　寄见阳

倚柳题笺①,当花侧帽②。赏心③应比驱驰好。错教双鬓受东风,看吹绿影成丝早。　　金殿寒鸦,玉阶春草④。就中冷暖和谁道。小楼明月镇长⑤闲。人生何事缁尘老。

[注释]

①"倚柳"句:刘过《沁园春》:"傍柳题诗,穿花劝酒,鞣蕊攀条得自如。"②侧帽:《周书·独孤信传》:"信在秦州,尝因猎日暮,驰马入城,其帽微侧。诘旦,而吏民有戴帽者,咸慕信而侧帽焉。"晏幾道《清平乐》:"侧帽风前花满路。冶叶倡条情绪。"③赏心:娱悦心志。聂冠卿《多丽》:"想人生,美景良辰堪惜。问其间、赏心乐事,就中难是并得。"④"金殿"二句:

王昌龄《长信秋词》:"玉颜不及寒鸦色,犹带昭阳日影来。"王维《杂诗》:"愁心视春草,畏向玉阶生。"⑤镇长:常常。韩愈《杏花》:"浮花浪蕊镇长有,才开还落瘴雾中。"晁端礼《上林春》:"谛蹀性□,娇痴做处,双眉镇长愁锁。"

[评析]

这首《踏莎行》,词题"寄见阳"出自张纯修刻本。纯修(1647~1706)字子安,号见阳,一号敬斋,河北丰润人。隶汉军正白旗。贡生。康熙十八年(1679)为湖南江华令,二十六年前后迁扬州府同知,三十二年升庐州知府。工书画篆刻,富收藏。著有《语石轩词》。这首词中表达出对赏心悦目的"倚柳""当花"生活的向往,对充任侍卫后的"驱驰"生涯的厌倦。衷肠深隐,只能道与挚友听。

能够成为这样的特殊听众,两人之间关系的亲密程度可想而知:"与长白成公容若称布衣交,相与切劘风雅,驰骋翰墨之场,其视簪绂之荣泊如也。"(曹鉴伦《皇清诰授中宪大夫江南庐州府知府加五级见阳张公墓志铭》)这就很能解释,张纯修何以于康熙三十年(1691)为故友精心刊刻《饮水诗词集》。(谢国桢先生《江浙访书记》曾盛赞张本"刊刻得极为整洁","字大悦目,读之足以起渌水于九原,慰人生之劳思"。不过,陈乃乾先生《清名家词·通志堂词》则说,此本"虽题顾贞观阅定,不免意为增删"。)张纯修与纳兰的词作往还也不算太少。如《菩萨蛮·看杏花,和容若韵》:"杏林几处花如织。朝来竞著寻山屐。满地落残红。难禁昨夜风。　远沙平似镜。人在春波影。携酒坐花间。相看谁最闲。"《浣溪沙·寄容若》:"薄宦天涯冷署中。相思人隔万山重。泪痕和叶一林红。　鹿鹿半生浑逝水,飘飘两袖自清风。浮云遮莫蔽寒空。"《点绛唇·咏兰,和容若韵》:"弱影疏香,乍开犹带湘江雨。随风拂处。似共骚人语。　九畹亲移,倩作琴书侣。清如许。纫来几缕。结佩相朝暮。"诸作清丽婉转，可以看出两人的词学宗尚有相同之处。

鹊桥仙　七夕

乞巧楼①空，影娥池②冷，佳节只供愁叹。丁宁休曝旧罗衣，忆素手、为予缝绽③。　　莲粉飘红④，菱丝翳碧，仰见明星空烂。亲持钿合梦中来，信天上、人间非幻。

[注释]

①乞巧楼：王仁裕《开元天宝遗事》："宫中以锦结成楼殿，高百尺，上可以胜数十人，陈以瓜果酒炙，设坐具，以祀牛、女二星。嫔妃各以九孔针、五色线向月穿之，过者为得巧之候。动清商之曲，宴乐达旦，士民之家皆效之。"孟元老《东京梦华录》："至初六、初七日晚，贵家多结彩楼于庭，谓之'乞巧楼'，铺阵磨喝乐、花瓜酒炙、笔砚针线。或儿童裁诗，女郎呈巧，焚香列拜，谓之乞巧。妇女望月穿针，或以小蜘蛛安合子内，次日看之，若网圆正，谓之得巧。"王建《宫词》："每年宫女穿针夜，敕赐诸亲乞巧楼。"梁辰鱼《普天乐》："羡谁家乞巧楼头，笑声喧玉倚香槛。"②影娥池：池名。郭宪《洞冥记》卷三："（汉武）帝于望鹄台西起俯月台，台下穿池，广千尺，登台以眺月。影入池中，使宫人乘舟弄月影，因名影娥池。"上官仪《咏雪应诏》："花明栖凤阁，珠散影娥池。"③"丁宁"二句：徐坚《初学记》引崔寔《四民月令》："七月七日曝经书及衣裳，不蠹。"缝绽，缝合，犹言缝衣。王彦泓《春暮减衣》："难消素手为缝绽，那得闲心问织缣。"④"莲粉"句：杜甫《秋兴八首》之七："波漂菰米沉云黑，露冷莲房坠粉红。"

[评析]

这是一首七夕悼亡词。"佳节"倚楼，俯瞰莲花飘零，"菱丝翳碧"，仰望长空，唯见明星灿烂，环顾"楼空"人去，物是人非，不禁满怀"愁叹"。"丁宁"二句是说怀想叮咛，不愿曝晒她从前缝制的衣裳，只怕再勾起痛苦的回忆。结二句扣紧题面，通过运典引发奇想，在虚实幻变之间进一步传达深婉情思。

悼亡之作，首重情长语重，不在文学式样、体制形式、篇章长短。比如以悼亡诗独步百代的潘岳，《悼亡赋》也写得凄恻婉转，而且，赋中不直抒惨怀，而是通过他那双沉痛悼念的眼睛，把所看到的凄惨景象表达出来，可谓曲尽其情，哀婉动人，也为后世之作开出法门。纳兰的一些百言左右的作品哀感顽艳，以真字为骨（谢桃坊先生在《清代词学复兴述评》中说，清词相比于宋词而言"社会化途径极为狭窄"，是词人们多在作品中表现真我的缘由之一），脍炙人口，已如本书所述。陈衍更以五言排律三百韵赋悼亡，前无古人。在七夕悼亡之作中，袁去华的一首《虞美人·七夕悼亡》也值得一提："娟娟缺月梧桐影。云度银潢静。夜深檐隙下微凉。醒尽酒魂何处、藕花香。　　鹊桥初会明星上。执手还惆怅。莫嗟相见动经年。犹胜人间一别、便终天。"牛女典故，秦观此前几乎已将其用到极致，此篇"莫嗟"二句大致承袭其字面意思，转用于发抒思念亡妻之情，写来更见哀怨凄绝。可以附带提及的是，杨芳灿序纳兰词有云："先生貂珥朱轮，生长华朊，其词则哀怨骚屑，类憔悴失职者之所为。盖其三生慧业，不耐浮尘，寄思无端，抑郁不释，韵淡疑仙，思幽近鬼，年之不永，即兆于斯。"一些人也常常视以下蒋敦复所云同样适用于纳兰："梅卿（即冯登府室）有'雪影压残鸟梦，月痕冷靠花身'二语，味之亦有鬼气，宜其不永年也。灵石尝自谓语涉幽怨，他日恐累君悼亡。且君以才名盖世，致境遇坎坷，若再擅闺房倡和之乐，不愈为造物所苦耶，乃绝意不作诗词。"（《芬陀利室词话》卷一）

望江南　宿双林禅院[①]有感

挑灯坐，坐久忆年时。薄雾笼花娇欲泣[②]，夜深微月下杨枝。催道太眠迟。　　憔悴去，此恨有谁知。天上人间俱怅望，经声佛火③两凄迷。未梦已先疑。

[注释]

①双林禅院：在阜成门外二里沟，万历四年（1576）建，毁于清末。②"薄雾"句：程垓《满江红》："薄霭笼花天欲暮，小风吹角声初咽。"毛先舒《风来朝》："正轻烟薄雾笼花泣，疑太早，又疑雨。"③佛火：崔液《上元夜》："神灯佛火百轮张，刻像图形七宝装。"

[评析]

双林禅院是卢氏康熙十七年（1678）七月安葬前厝柩之所，据可定此词与纳兰另外一首同调同题词的作期范围：

心灰尽，有发未全僧。风雨消磨生死别，似曾相识只孤檠。情在不能醒。　　摇落后，清吹那堪听。淅沥暗飘金井叶，乍闻风定又钟声。薄福荐倾城。

天人永隔，咫尺天涯，禅院久坐，佛火"凄迷"，神情恍惚之间，眼前仿佛闪现亡妻往昔"夜深"催寝的温馨细节，当时只道是寻常，而今勾起的却是无限哀痛和怀念。

纳兰又有一首《沁园春·代悼亡》，不明所代者何人：

梦冷蘅芜，却望姗姗，是耶非耶。怅兰膏渍粉，尚留犀合，金泥蹙绣，空掩蝉纱。影弱难持，缘深暂隔，只当离愁滞海涯。归来也，趁星前月底，魂在梨花。　　鸾胶纵续琵琶。问可及、当年萼绿华。但无端摧折，恶经风浪，不如零落，判委尘沙。最忆相看，娇讹道字，手剪银灯自泼茶。今已矣，便帐中重见，那似伊家。

与悼念卢氏诸作相比，真有霄壤之别。顾贞观也有一首代悼亡之作《金缕曲·悼亡》，对象正是纳兰，所和者为纳兰同调名作"此恨何时已"："好梦而今已。被东风、猛教吹断，药炉烟气。纵使倾城还再得，宿昔风流尽矣。须转忆、半生愁味。十二楼寒双鬓薄，遍人间、无此伤心地。钗钿约，悔轻弃。　　茫茫碧落音谁寄。更何年、香阶刬袜，夜阑同倚。珍重韦郎多病后，百感消除无计。那只为、个人知己。依约竹声新月下，旧江山、一片啼鹃里。鸡塞杳，玉笙起。"［梁启勋《曼殊室词话》卷一尝议及之。顾氏另有一首"用辛稼轩韵代别"之作《贺新凉》（愁向清辉说），《弹指词笺注》认为"代别"系假托之辞而非代言。］可见乃一时文人趣尚。钱钟书先生曾因此类作品难得真情，斥之为"替人垂泪，无病而呻"。至少从文学的角度而言，这样的评价是一针见血的。文人之情，于此等翻手云覆手雨之间，确有难以琢磨处。纳兰也不例外。

　　当然，这里面也还涉及一个如何判定的问题，尤其是对清代中后期词人而言。如吴兰修有两首词，意相仿佛，却深含宽解，不宜定为代悼亡："帘栊静悄。有小禽倒挂，深翠围绕。几折回廊，几点苔痕，都是屧声曾到。蘼芜隐约裙腰碧，衬一片、伤心斜照。甚东风、直恁无情，便把柳枝吹老。　　犹忆上头时候，鬓云梳乍起，眉妩慵扫。螺不禁浓，黛也嫌深，无可奈何怀抱。二分细腻三分怨，总未许、檀奴看饱。叹人生、几日相怜，惆怅满庭秋草。"（《绿意·绿春，家兰雪舍人侍姬也。蘼芜易老，风雨无情，感逝伤怀，言之酸楚，仿玉田体赋之》）"东风一夜吹愁醒。亭亭剩得花前影。苦忆旧眉痕。伤春瘦几分。　　绿阴池馆在。又是春无奈。帘畔唤琵琶。鹦哥长念他。"（《菩萨蛮·为兰雪题绿春小影》）判断的重要标准是，看作者自己是否"不打自招"。

百字令 废园有感

片红飞减①,甚东风不语、只催漂泊。石上胭脂花上露,谁与画眉商略②。碧甃瓶沉,紫钱钗掩③,雀踏金铃索。韶华如梦,为寻好梦担阁。　　又是金粉空梁,定巢燕子,一口香泥落④。欲写华笺凭寄与,多少心情难托。梅豆⑤圆时,柳绵飘处,失记当时约。斜阳冉冉,断魂分付残角⑥。

[注释]

①"片红"句:杜甫《曲江二首》之二:"一片花飞减却春,风飘万点正愁人。"②"石上"二句:胭脂,指落花。杜甫《曲江对雨》:"林花著雨燕脂湿,水荇牵风翠带长。"姜夔《点绛唇》:"数峰清苦,商略黄昏雨。"③"碧甃(zhòu)"二句:碧甃,井。紫钱,苔藓。杜甫《铜瓶》:"乱后碧井废,时清瑶殿深。铜瓶未失水,百丈有哀音。侧想美人意,应非寒甃沉。蛟龙半缺落,犹得折黄金。"白居易《井底引银瓶》:"井底引银瓶,银瓶欲上丝绳绝。石上磨玉簪,玉簪欲成中央折。瓶沉簪折知奈何,似妾今朝与君别。"李中《经废宅》:"玉纤素绠知何处,金井梧桐碧甃寒。"李贺《过华清宫》:"云生朱络暗,石断紫钱斜。"④"又是"三句:薛道衡《昔昔盐》:"暗牖悬蛛网,空梁落燕泥。"周邦彦《瑞龙吟》:"惜惜坊陌人家,定巢燕子,归来旧处。"陈亮《虞美人》:"水边台榭燕新归。一口香泥湿带、落花飞。"⑤梅豆:梅子。欧阳修《渔家傲》:"香满袖。叶间梅子青如豆。"马臻《和山村见寄诗韵二首》之一:"午睡醒来春事晚,枝头梅豆已生仁。"⑥"斜阳"二句:周邦彦《兰陵王》:"渐别浦萦回,津堠岑寂。斜阳冉冉春无极。"毛滂《惜分飞》:"今夜山深处。断魂分付。潮回去。"刘基《漫兴》:"睡足北窗清似水,数声残角起城乌。"

[评析]

这首词写由某废园引起的不胜感慨之意。上片写废园破败景象。落红无情，随风飘坠，红残石冷，瓶沉井寂，苔掩钗痕，雀踏铃索，一派暮春荒凉之景中似有人、事在焉。兼以枯寂中取撷生动兴象，已见郁结之意，故于结处生感，慨叹韶光本已如梦幻消失殆尽，亦且"担阁"追寻好梦。过片承上启下，演绎"空梁落燕泥"诗意，借以续写废园荒芜，透出空落心境，令人凄楚怆痛。篇末以"斜阳""残角"之景绾结上文层层逗出的"断魂""难托"之情。全阕情景相偕，章法紧密，虽微有瑕疵而无损大局。

所谓"瑕疵"，即周之琦所言"不协律"（谭献《箧中词》今集卷一引）。郑骞先生后来也提出，纳兰"天资不厚"，朱彝尊"才弱气短，且矜持过甚"，所以"二人长调均鲜佳者"（《成府谈词》）。而此前丁澎所评，则颇为不同："宋初周待制领大晟乐府，比切声调十二律，柳屯田增至二佰余阕。然亦有昧于音节，如苏长公犹不免'铁绰板'之讥。今饮水以侍卫能文，少年科第，间为诗余，其工于律吕如此，惜乎不能永年，悲夫。"（聂先等《名家词钞评》卷二，载朱崇才编《词话丛编续编》）谢章铤也称纳兰"长短调并工"（《赌棋山庄词话》卷十二）。考纳兰尝"以洪武韵改并联属，名《词韵正略》"（徐乾学《通议大夫一等侍卫进士纳兰君墓志铭》），虽似未曾流传下来——《饮水词笺校·前言》说纳兰"编刻过"此书，不知笺校者有否经眼——显见在这方面也是下过一番功夫的。当然，问题也可能正出在这里。兹录金堡（今释）所云为一旁证："予作诗，多用《洪武正韵》。或以出韵为疑。予笑曰：唐人图科第不敢出韵。若吾出韵，只失却一名诗僧耳。"（《遍行堂集缘起》）

有关废园之作不胜枚举，在所包蕴的今昔之感中，往往渗透一己情思。如吴文英《祝英台近·春日客龟溪游废园》："采幽香，巡古苑，竹冷翠微路。斗草溪根，沙印小莲步。自怜两鬓清霜，一年寒食，又身在、云山深处。　　昼闲度。因甚天也悭春，轻阴便成雨。绿暗长亭，归梦趁风絮。有情花影阑干，莺声门径，解留我、霎时凝伫。"唐圭璋先生盛赞此篇"文字极疏隽，而沉痛异常"（《唐宋词简释》）。其中，"绿暗"二句写归梦萦怀，不说柳絮引发归思，却说归梦追逐柳絮，围绕长亭飞舞，写尽内心的清冷凄寂，其精于造句若是。王策《琵琶仙·秋日游金陵黄氏废园》："秋士心情，况遇着、客里西风落叶。惆怅侧帽行来，隔溪景清绝。没半点、空香似梦，只几簇、野花谁折。莎雨寒幽，石烟荒淡，莺蝶飞歇。　　试问取、旧日繁华，有饼媪浆翁尚能说。道是廿年弹指，竟风光全别。真不信、寻常亭榭，也例逐、沧桑棋劫。何怪宋苑陈宫，荒蛩吊月。"结四句感慨苍茫，沉郁深厚，"他手每每倒说，意味转薄"（陈廷焯《白雨斋词话》卷四）。废园感怀词，女子、方外亦有作者，录以参读。庄盘珠《临江仙·游杨氏废园》："听说园林饶胜赏，谁知转眼沧桑。高台就圮曲池荒。花还如我瘦，草竟比人长。　　剩有旧时双燕子，衔泥绕遍回廊。孤松无伴立斜阳。新词吟宛转，往事费思量。"释超正《江城子·过废园》："竹篱花径小山幽。碧云浮。淡烟收。犹记当年，歌啸每临流。芳草无心随处绿，人去也，恨悠悠。　　飞来粉蝶弄轻柔。漫凝眸。上心头。惆怅今番，不似旧时游。人世茫茫浑似梦，聊一枕、学庄周。""花还如"二句以及"犹记当年"云云，均别饶韵致。

百字令

绿杨飞絮，叹沉沉院落、春归何许[1]。尽日缁尘吹绮陌[2]，迷却梦游归路。世事悠悠，生涯未是，醉眼斜阳暮。伤心怕问，断魂何处金鼓[3]。　　夜来月色如银，和衣独拥[4]，花影疏窗度。脉脉此情谁得识[5]，又道故人别去。细数落花[6]，更阑未睡，别是闲情绪。闻余长叹,西廊唯有鹦鹉⑦。

[注释]

①何许:何处。周邦彦《浪淘沙》:"念汉浦离鸿去何许,经时信音绝。"②绮陌:京城街道。刘沧《及第后宴曲江》:"归时不省花间醉,绮陌香车似流水。"③金鼓:战鼓,借指战争。李纲《江城子》:"见说浙河金鼓震,何日到,送归鸿。"④"夜来"二句:苏轼《行香子》:"清夜无尘。月色如银。"秦观《桃源忆故人》:"羞见枕衾鸳凤。闷则和衣拥。"⑤"脉脉"句:谁得,谁能。辛弃疾《摸鱼儿》:"千金纵买相如赋,脉脉此情谁诉。"⑥"细数"句:王安石《北山》:"细数落花因坐久,缓寻芳草得归迟。"⑦"闻余"二句:李商隐《无题四首》之四:"归来展转到五更,梁间燕子闻长叹。"

[评析]

这首词,《饮水词笺校》据"金鼓"、"故人别去"等,认为是纳兰于三藩战乱中送严绳孙南归之作。可从。开篇写景,绿杨飞絮,院落沉沉,缁尘吹陌,蕴涵与故人别后滋味。"世事悠悠"等句,转写痛苦现实中的悲哀心境。下片续写"脉脉此情",月色如银,花影度窗,和衣独拥,此际心情,孤苦无告。"又道"句说心绪本来还有"故人"识得,但"故人"别去,怎不令人慨然长叹。低回伤感中,细数落花,夜深难眠,闲情别绪,都付西廊鹦鹉,所谓"愁当鹦鹉争传处,痛在玲珑再唱时"(吴雯挽纳兰诗)。

唐宋词人的"闲情",在自然山水和园林池馆中挥洒,在花间尊前和诗词酬唱中抒发,借以彰显生活情趣,获得审美享受(详参刘尊明《论唐宋词中的"闲情"》)。如冯延巳《鹊踏枝》:"谁道闲情抛掷久。每到春来,惆怅还依旧。日日花前长病酒。不辞镜里朱颜瘦。　河畔青芜堤上柳。为问新愁,何事年年有。独立小桥风满袖。平林新月人归后。"寻常相思离别,写来与花间艳情之作不尽相同,既不像温庭筠那样醉心于女性服饰、容貌、举止的描绘,也不像韦庄那样多写具体情事,而是郁悒怨怅,若隐若现。又如贺铸《青玉案》:"凌波不过横塘路。但目送、芳尘去。锦瑟年华谁与度。月台花榭，琐窗朱户。只有春知处。　　碧云冉冉蘅皋暮。彩笔新题断肠句。若问闲情都几许。一川烟草，满城风絮。梅子黄时雨。"写情思却并非仅限于情爱。尤其是末四句，近取诸身，熔景入情，"兼兴中有比，意味更长"（罗大经《鹤林玉露》卷七）。其实，"闲情绪"在古人那里呈现出一种几乎无所不包的势头，因而需要在不同的语境中具体理解其义涵与表达方式。如纳兰的另一首《金缕曲·再赠梁汾，用秋水轩旧韵》：

酒浣青衫卷。尽从前、风流京兆，闲情未遣。江左知名今廿载，枯树泪痕休泫。摇落尽、玉蛾金茧。多少殷勤红叶句，御沟深、不似天河浅。空省识，画图展。　　高才自古难通显。枉教他、堵墙落笔，凌云书扁。入洛游梁重到处，骇看村庄吠犬。独憔悴、斯人不免。衮衮门前题凤客，竟居然、润色朝家典。凭触忌，舌难剪。

此中"闲情"断非等闲之情，虽然无有"秋水轩唱和"中遗逸之辈和旧家子弟难以言传的惆怅与悲凉，然于真诚为友中，慷慨直陈愤世之情，与当日唱和诸作在精神上有相通之处，而与这首《百字令》在艺术风貌上明显不同。

百字令

人生能几，总不如休惹、情条恨叶[①]。刚是尊前同一笑[②]，又到别离时节。灯炧挑残，炉烟爇尽，无语空凝咽[③]。一天凉露，芳魂此夜偷接[④]。　　怕见人去楼空[⑤]，柳枝无恙，犹扫窗间月。无分暗香深处住，悔把兰襟亲结[⑥]。尚暖檀痕，犹寒翠影,触绪添悲切。愁多成病,此愁知向谁说。

[注释]

①"人生"二句:韦庄《菩萨蛮》:"遇酒且呵呵。人生能几何。"洪瑹《水龙吟》:"念平生多少,情条恨叶,镇长使、芳心困。"②"刚是"句:王彦泓《续游十二首》之一:"又到尊前一笑同,履綦经月断过从。"③"灯灺(xiè)"三句:灯灺,灯烛。韩偓《无题》之一:"小槛移灯灺,空房锁隙尘。"爇(ruò),燃烧。柳永《雨霖铃》:"执手相看泪眼,竟无语凝噎。"④"芳魂"句:接,见。史达祖《醉落魄》:"雨长新寒,今夜梦魂接。"⑤"怕见"句:辛弃疾《念奴娇》:"楼去人空,旧游飞燕能说。"⑥"无分"二句:黄庭坚《江城子》:"有分看伊,无分共伊宿。"晏幾道《采桑子》:"别来长记西楼事,结遍兰襟。遗恨重寻,弦断相如绿绮琴。"

[评析]

这首词写相思别愁。上片首二句以设问领起别后心绪,正话反说,写人生苦短,偏又堕入情网的无奈。灯灺烟尽,无语凝咽,夜深凉露,是以凄清冷落之景衬托孤寂无依之情。因为情到深处,念想已极,才会产生与"芳魂""偷接"的幻想。下片回到眼下,柳枝仍扫窗间月,但"人去楼空",物是人非。孤寂落寞之中,不禁心生痛"悔"之意,是又一次的正话反说,实际上正好写出二人长隔闺帏的苦恼与情意深笃。所以,睹"檀痕""翠影"而思人,更觉愁恨倍增。最后以愁苦之多累成心病,却无可诉说作结,言外有意。

"愁病"与"愁病"之作,说得夸张一点,几乎是中唐以来词人生活与创作的常态与常态化表现,从而成为一种传统,纳兰自然不会例外。如赵长卿《清平乐》:"紫箫声断。窗底春愁乱。试著春衫羞自看。窄似年时一半。 一春长病厌厌。新来愁病重添。香冷倦熏金鸭,日高不卷珠帘。""窄似年时一半"句,说明"春愁"撩乱为表,为伊憔悴为里。孙麟趾《蝶恋花》:"斗草人稀深巷静。何事天涯,飘泊同萍梗。除却看花闲煮茗。更无别计消愁病。

并倚阑干怜瘦影。笑指蔷薇,记把归期订。料得海棠春睡醒。相似泪湿红绵冷。"漂泊天涯而起思归之情,如此,则"看花""煮茗"实非消泯愁病良策。女性"愁病"之作似乎更多,主要写传统的相思别情,也更见婉曲旖旎。如李佩金《长相思》:"思悬悬。望悬悬。人去天涯欲见难。音书更杳然。　　愁恹恹,病恹恹。愁病支离葬玉颜。问君怜不怜。"词笔颇有"隽峭"(丁绍仪《听秋声馆词话》卷十九)之致。钱斐仲《绮罗香·咏枕》:"蕙帐笼香,文裯藉玉,依约水晶帘里。好梦能圆,何必通中连理。带三分、腻鬓花香,渍几点、相思情泪。最愁他、莲漏迢迢,背灯无语抱鸳被。

相依孤旅更苦。谁见尘床自拂,素衾漫启。待托归魂,还被晓鸡催起。惯偷窥、双靥偎桃,也曾上、半肩行李。甚新来、愁病恹恹,日高犹倦倚。"轻清纤丽,疏密相间,尤以"双靥偎桃"与"半肩行李"属对工巧,应赏其慧而非责其纤(况周颐《玉栖述雅》)。当然,在朱淑真笔下,此"愁病"就绝非寻常愁病。朱氏一生备受情感的折磨与煎熬,因之将种种幽怨嗟叹、孤寂落寞一发于词:"独行独坐。独倡独酬还独卧。伫立伤神。无奈春寒著摸人。

此情谁见。泪洗残妆无一半。愁病相仍。剔尽寒灯梦不成。"(《减字木兰花·春怨》)闺怨愁恨的背后,是与不幸婚姻抗争却又孤立无援的才女心灵深处的呐喊。起首二句连下五个"独"字,足以表现其沉重到无以复加的孤独感。

沁园春

试望阴山,黯然销魂,无言徘徊。见青峰几簇,去天才尺①,黄沙一片,匝地②无埃。碎叶城荒,拂云堆远③,雕外寒烟惨不开。踟蹰久,忽砯崖转石,万壑惊雷④。　　穷边自足秋怀。又何必、平生多恨哉。只凄凉绝塞，蛾眉遗冢⑤，销沉腐草，骏骨空台⑥。北转河流，南横斗柄⑦，略点微霜鬓早衰。君不信，向西风回首，百事堪哀⑧。

[注释]

①④"去天"句、"忽砯（pīng）崖"二句：李白《蜀道难》："连峰去天不盈尺，枯松倒挂倚绝壁。飞湍瀑流争喧豗，砯崖转石万壑雷。"②匝地：遍地。孔平仲《送登州太守出城马上作》："青嶂倚空先有雪，黄沙匝地半和云。"③"碎叶"二句：碎叶城、拂云堆，皆唐时边塞地名，今分别在吉尔吉斯斯坦、内蒙古。此泛指边地。⑤蛾眉遗冢：青冢。杜牧《青冢》："青冢前头陇水流，燕支山上暮云秋。蛾眉一坠穷泉路，夜夜孤魂月下愁。"⑥骏骨空台：《战国策·燕策》：燕昭王收破燕后即位，卑身厚币，以招贤者，欲将报仇。……郭隗先生曰："臣闻古之君人，有以千金求千里马者，三年不能得。涓人言于君曰：'请求之。'君遣之。三月，得千里马，马已死，买其首五百金，反以报君。君大怒曰：'所求者生马，安事死马而捐五百金？'涓人对曰：'死马且买之五百金，况生马乎？天下必以王为能市马，马今至矣。'于是不能期年，千里之马至者三。今王诚欲致士，先从隗始。隗且见事，况贤于隗者乎？岂远千里哉？"于是昭王为隗筑宫而师之。乐毅自魏往，邹衍自齐往，剧辛自赵往，士争凑燕。梅尧臣《伤马》："空伤骏骨埋，固乏弊帷葬。"吴伟业《夜宿阜昌》："草没黄金台，犹忆昭王迎。"⑦斗柄：北斗七星，天枢、天璇、天玑、天权像斗，玉衡、开阳、瑶光像柄。韦应物《拟古》："天河横未落，斗柄当西南。"⑧"向西风"二句：李珣《巫山一段云》："西风回首不胜悲。暮雨洒空祠。"

[评析]

这首词是纳兰康熙二十一年（1682）觇梭龙时所作。词用赋法，首先描绘塞上独特风光，青峰如簇，黄沙匝地，寒烟不开，砯崖转石，万壑惊雷，"望"中奇丽荒远之景，令人黯然销魂，无语徘徊。再写"穷边"引发之"秋怀"已自令人沮丧，更何况霜鬓早衰，而平生还有诸如"蛾眉遗冢"、"骏骨空台"一类不了恨憾，蓦然回首，真是"百事堪哀"，万念易灰。至于纳兰词中所用边外古地名，均未必实指。处理此类情形的原则和方法，可参考程千帆先生《论唐人边塞诗中地名的方位、距离及其类似问题》。

作为文体意义的赋，本来包括敷陈、体物、铺采三个方面的义涵。以赋法为词，则通常是指用铺陈的方法写词。这里面其实涉及一个很重要的问题，即擅长某文类的作家在尝试创作彼文类时，可能出现此文类对彼文类的影响和渗透，于是带来常说的"辨体"及相关问题，适如钱钟书先生所云："名家名篇，往往破体，而文体亦因以恢弘焉。"（《管锥编·全汉文卷一六》）蒋寅先生指出，文体互参是中国古代文学创作中的一个习见现象，古人很早就注意到在诗词曲之间，在古文和时文、辞赋和史传之间，甚至在韵文和散文两大文类之间，普遍存在着互参现象，并且互参之际显示出以高行卑的体位定势，即高体位的文体可以向低体位的文体渗透，而反之则不可。这种定势及其艺术效果因为在书法中表现得最为直观易解，所以古代批评家常用书法来比喻和说明文体互参中的这种体位定势。书法术语"破体"也在唐代被引入文论，又在宋代浓厚的辨体意识中与"本色"构成一对有关文体互参的互补性概念，左右着人们对具体文体相参的审美评价。以高行卑的美学依据，实质上是"短板理论"，即作品整体的风格品位取决于体位最低的局部，以高行卑可以提升作品的风格品位，反之就会降低作品的风格品位。不过问题的复杂在于，在跨文类互参之际，由于涉及文体的功能，也存在不同程度的例外。（《中国古代文体互参中"以高行卑"的体位定势》）问题还有另外一面，如果从作者个性品格着眼，从理论上讲，文学创作上的难以兼长是一种客观现象。而如果从文类关系来看，更是如此。陈军《文类等级构成的中西比较研究》一文提出，文学史上文类之间的关系千姿百态，文类等级是其中"最为活跃的关系"之一。我国的文类等级构成紧密围绕文学作品置身的众多维面，融贯"正—反—合"的辩证思维，同时更加重视创作主体因素，更加重视学科间的交互性，更加强调历时性因素。这些，自然都会给众体兼擅增加不同的难度。

沁园春

丁巳重阳前三日，梦亡妇淡妆素服，执手哽咽，语多不复能记。但临别有云："衔恨愿为天上月，年年犹得向郎圆。"妇素未工诗，不知何以得此也。觉后感赋。

瞬息浮生，薄命如斯，低徊怎忘。记绣榻闲时，并吹红雨①，雕阑曲处，同倚斜阳。梦好难留，诗残莫续，赢得更深哭一场。遗容在，只灵飙②一转，未许端详。　　重寻碧落茫茫③。料短发、朝来定有霜。便人间天上，尘缘未断，春花秋叶，触绪还伤。欲结绸缪④，翻惊摇落⑤，减尽荀衣昨日香。真无奈，倩声声邻笛，谱出回肠⑥。

[注释]

①红雨：落花。李贺《将进酒》："况是青春日将暮，桃花乱落如红雨。"周邦彦《蝶恋花》："此会未阑须记取。桃花几度吹红雨。"②灵飙：灵风。《宋史·乐志》："后祀格思，灵飙肃然。"③"重寻"句：《唐诗注解》引《度人经》："东方第一天，有碧霞遍落，是云碧落。"白居易《长恨歌》："上穷碧落下黄泉，两处茫茫皆不见。"④"欲结"句：指夫妻之恩爱。李陵《与苏武》："独有盈觞酒，与子结绸缪。"⑤"翻惊"句：叶梦得《临江仙》："试问中间安小槛，此还长要追寻。却惊摇落动悲吟。"⑥"倩声声"二句：向秀《思旧赋·序》："邻人有吹笛者，发声寥亮。追思曩昔游宴之好，感音而叹，故作赋云。"回肠，犹悲思。徐陵《与杨仆射书》："岁月如流，平生何几，晨看旅雁，心赴江淮，昏望牵牛，情驰扬越，朝千悲而掩泣，夜万绪而回肠，不自知其为生，不自知其为死也。"

[评析]

　　这首悼亡词作于康熙十六年（1677）九月初六日（10月2日）。词以哀叹长吟起笔，说亡妻命薄，也是说两人情深缘浅。回味往日短暂而漫长的恩爱时光，尤能见出今日永诀、"未许端详"的痛苦不堪，以及"好梦"醒来、诗残难续后"深哭一场"中包蕴的无尽恨憾。下片承上而来，运典无痕，运笔疾徐有度，进一步刻画苦忆冥搜不可得的沉痛与哀伤，正是另一版本所谓"两处鸳鸯各自凉"。结三句真痛定思痛之笔。

　　这首词，汪刻本作：

　　　　瞬息浮生，薄命如斯，低徊怎忘。自那番摧折，无衫不泪，几年恩爱，有梦何妨。最苦啼鹃，频催别鹄，赢得更阑哭一场。遗容在，只灵飙一转，未许端详。　　重寻碧落茫茫。料短发、朝来定有霜。信人间天上，尘缘未断，春花秋月，触绪堪伤。欲结绸缪，翻惊漂泊，两处鸳鸯各自凉。真无奈，把声声檐雨，谱入愁乡。

似应为初稿。类似的情形，纳兰之后更是屡见不鲜。如叶衍兰有一首《大酺·题俪仙内子遗照》，《秋梦庵词钞》卷二作："甚返魂香，惊精树，莫慰孤鸾离镜。沉檀熏供养，剩绡帱留住，断肠仙影。暗麝飘残，娇蛾鏖损，犹带黄花秋病。芳容尚如昔，痛低鬟欲语，慧心谁证。算千缕愁丝，霎时尘梦，让卿先醒。　　书帷妆阁并。尽怜爱、都是凄凉境。今日个、寒侵翠被，泪洒犀帘，不争差、夜台情景。纵有钗盟在，怎问得、奈何天应。愿稽首、慈云肯。生世难卜，还怕春人薄命。又伤坠兰露警。"杨永衍编《粤东词钞二编》作："甚返魂香，惊精树，惨绝孤鸾明镜。沉檀熏供养，剩绡帱留住，断肠仙影。暗麝飘残，瘦蛾鏖损，犹带黄花秋病。芳容尚如昔，痛低鬟无语，伤心谁证。算千缕愁丝，霎时尘梦，让卿先醒。　　那曾福慧并。尽怜爱、都是凄凉境。今日个、寒侵翠被，泪洒犀帘，不争差、夜台情景。纵有钗盟在，怎问得、奈何天应。稽首祝、慈云肯。他生难卜，还怕风凄露警。又作春人薄命。"《粤东三家词钞》作："纵返魂香，忘忧草，莫慰孤鸾离镜。瑶京秋思断，剩绡帏遗挂，软红犹凝。庾岭梅荒，卢沟月暗，偕隐扁舟都冷。芳容浑如昔，痛颦眉欲语，慧心空证。算千种愁苗，霎时尘梦，让卿先醒。　　沉檀熏几净。卷帘看、仍带黄花病。谁念我、霜凋鬓缕，泪涩琴弦，不争差、夜台情景。待唤华鬘现，怎唤得、奈何天应。愿虔祝、慈云肯。生世难卜，还怕优昙无定。又伤露兰坠影。"可见，该阕在收入其词别集《秋梦庵词钞》后，情到深处的叶衍兰几乎是一字一泪地一再对原作进行了改易。（叶氏于别集初印本上亲笔修改稿本今藏上海图书馆，初印本的后印本据此作了更正。）"为情造文"，呕心沥血，也跟纳兰一样，取得了更好的审美效果。

摸鱼儿　送座主德清蔡先生①

问人生、头白京国，算来何事消得。不如罨画②清溪上，蓑笠扁舟一只。人不识。且笑煮、鲈鱼趁著莼丝碧③。无端酸鼻。向歧路消魂，征轮驿骑，断雁西风急。　　英雄辈，事业东西南北④。临风因甚成泣⑤。酬知有愿频挥手，零雨凄其此日⑥。休太息。须信道、诸公衮衮皆虚掷⑦。年来踪迹⑧。有多少雄心，几番恶梦，泪点霜华织。

[注释]

①词题：蔡启僔（1619～1683），字石公，号昆阳，浙江德清人。康熙

九年(1670)状元。康熙十一年(1672),纳兰举顺天乡试,蔡启僔、徐乾学分任正、副主考,因称"座主"。次年,蔡、徐二人以"副榜未取汉军卷"被劾(弹劾者乃给事中杨雍建,意谓:按规定,在正式录取名单外要再取若干名,给予汉军旗人一定的照顾,却没有这样做)。后于康熙十五年复官,十六年以病返里。②罨(yǎn)画:溪名,在浙江长兴,与德清同属乌程。③"且笑煮"句:《世说新语·识鉴》:"张季鹰辟齐王东曹掾,在洛见秋风起,因思吴中菰菜羹、鲈鱼脍,曰:'人生贵得适意尔,何能羁宦数千里以要名爵。'遂命驾便归。"④"事业"句:《礼记·檀弓》:"今丘也,东西南北之人也。"黄庭坚《同韵和元明兄知命弟九日相忆二首》之一:"早为学问文章误,晚作东西南北人。"⑤"临风"句:杜甫《与严二郎奉礼别》:"出涕同斜日,临风看去尘。"苏轼《次韵刘贡父省上喜雨》:"不用临风苦挥泪,君家自与竹林齐。"⑥"零雨"句:零雨,细慢之雨。《诗·豳风·东山》:"我来自东,零雨其濛。"孙楚《征西官属送于陟阳侯作诗》:"晨风飘歧路,零雨被秋草。"刘煮《菩萨蛮》:"雨零愁远路。路远愁零雨。"凄其,悲凉。《诗·邶风·绿衣》:"缔兮绤兮,凄其以风。"谢灵运《初发石首城》:"钦圣若旦暮,怀贤亦凄其。"杨万里《归去来兮引》:"翳翳流光将入,孤松抚处凄其。"⑦"须信道"句:杜甫《醉时歌》:"诸公衮衮登台省,广文先生官独冷。"⑧"年来"句:柳永《八声甘州》:"叹年来踪迹,何事苦淹留。"

[评析]

康熙十二年(1673),蔡启僔以横遭物议,与徐乾学同被"镌秩调用",随即以侍奉老母为由请辞,于是年秋黯然返里。纳兰作此词送之。起手即以深沉感喟逗出知心慰藉语,留恋京师不如归隐江湖,过自由自在的生活。"无端"以下转入伤别主题,以萧瑟景象渲染依依别情。下片再写临歧之际对座师的同情与宽慰,词法抑扬顿挫,情怀复杂微妙。

写师生深挚情谊的优秀词作,史上并不多见。苏轼的《西江月·平山堂》可为早先之一显例:"三过平山堂下,半生弹指声中。十年不见老仙翁。壁上龙蛇飞动。 欲吊文章太守,仍歌杨柳春风。休言万事转头空。未转头时皆梦。"睹物思人，感念恩德，由自己的坎坷经历想到恩师生前的某些遭遇，于是生发千般感慨。结二句为一篇之眼，是说斯人已逝，固然万事成空，而活在世上的人，又何尝不是像在梦中，终归不免一切空无。换句话说，人生既然不过是一场梦幻，那么，政治上的失意与挫折，又算得了什么呢？与白居易《自咏》所云"百年随手过，万事转头空"相较，读苏词显然更为接近于聆听智者的声音。所以，陈廷焯在《白雨斋词话》卷六中说："休言"二句能"唤醒痴愚不少"。可惜，唤不醒的"痴愚"者实复不少。

相见欢

微云一抹遥峰①。冷溶溶。恰与个人清晓、画眉同②。红蜡泪，青绫被③，水沉④浓。却向黄茅野店⑤、听西风。

[注释]

①"微云"句：秦观《满庭芳》："山抹微云，天连衰草，画角声断谯门。"又《泗州东城晚望》："林梢一抹青如画，应是淮流转处山。"②"恰与"句：个人，那人。周邦彦《瑞龙吟》："黯凝伫。因念个人痴小，乍窥门户。"《西京杂记》："文君姣好，眉色如望远山。"黄庭坚《纪梦》："窗中远山是眉黛，席上榴花皆舞裙。"③"红蜡"二句：温庭筠《更漏子》："玉炉香，红蜡泪。偏照画堂秋思。"庾信《谢赵王赉白罗袍裤启》："永无黄葛之嗟，方见青绫之重。"晁补之《摸鱼儿》："青绫被，莫忆金闺故步。"④水沉：水沉香。杜牧《为人题赠》："桂席尘瑶佩，琼炉烬水沉。"周邦彦《浣溪沙》："金屋无人风竹乱，衣篝尽日水沉微。"⑤黄茅野店：黄茅驿，指荒村野店。苏庠《鹧鸪天》："醉眠小坞黄茅店，梦倚高城赤叶楼。"王彦泓《丁卯首春余辞家薄游》："明朝独醉黄茅店，更有何人把烛寻。"

[评析]

这首词写塞上相思。上片写从"冷溶溶"的"遥峰",联想伊人清晓眉妩,不免心生怀念。"恰"字于寻常处见惊创。过片三句遥想闺中此时凄清孤寂的情景。一结拉回目前,黄茅野店,忍听西风猎猎,写出同样的感伤思念之情。

纳兰这首《相见欢》从思路到写法,几乎完全承袭贺铸的《梦相亲》:"清琴再鼓求凰弄。紫陌屡盘骄马鞚。远山眉样认心期,流水车音牵目送。　归来翠被和衣拥。醉解寒生钟鼓动。此欢只许梦相亲,每向梦中还说梦。"结末"此欢"二句,最能彰显词人的匠心独运,不仅以逆挽之势补叙"拥""被"后、"醉解"前做过的一场美梦,而且紧承"归来"二句抒发半梦半醒之间的深挚慨叹,可谓语痴入骨。只不过,纳兰不换情而移景,是将类似于贺词中刻骨的相思媚妩与无奈之情诉与剪剪西风。如此,则《续修四库全书提要·纳兰词提要》所云不差:"若以古人拟之,其词出入东山、小山、淮海之间矣。"

忆秦娥　龙潭口[①]

山重叠。悬崖一线天疑裂[②]。天疑裂。断碑题字,古苔横啮。　风声雷动鸣金铁[③]。阴森潭底蛟龙窟[④]。蛟龙窟。兴亡满眼,旧时明月[⑤]。

[注释]

①龙潭口:所在何处,说法种种,无有定谳。如北京宛平、河北保定、辽宁铁岭、吉林伊通州、山西盂县黑龙池、江苏南京龙潭镇等。②"悬崖"句:梁周翰《五凤楼赋》:"门呀洞缺,若天之裂。"③"风声"句:欧阳修《秋声赋》:"鈘鈘铮铮,金铁皆鸣。"④"阴森"句:司空图《狂题十八首》

之八:"轰霆搅破蛟龙窟,也被狂风卷出山。"⑤ "兴亡"二句:赵长卿《青玉案》:"满眼兴亡知几许。不如寻个,老松石畔,做个柴门户。"毛滂《踏莎行》:"碧云无信失秦楼,旧时明月犹相照。"

[评析]

这首词作于康熙二十一年(1682)春随扈东巡时。全篇满含不胜兴亡之感、无限怅惘之情。苍凉悲慨,寄思遥深。其冷峭雄峻处,非独与爱新觉罗·玄烨表露欣幸之情的《经叶赫故城》不同:"断垒生新草,空城尚野花。翠华今日幸,谷口动鸣笳。"与同行者高士奇《南楼令·叶赫城下咏雨中梨花》的风调含婉有异:"浅草乱山稠。惊沙黑水流。好春光、只似穷秋。刚得一枝花到眼,冷雨打,又还休。 遥忆小红楼。玉人楼上头。月溶溶、催和香篝。谁信东风欺绝塞,都不许,把春留。"在饮水词中亦属变体。

严迪昌先生在《清词史》中提出,由这首《忆秦娥》可以见出纳兰深受汉文化熏陶。与此篇相类似的情形和情怀,在有清以前的少数民族词人笔下,也有过相当精彩的表现。如被许为"百年以来,宗室中第一流人"(元好问《中州集》卷五)的完颜璹(shú),一曲《朝中措》,抚今追昔,意深笔曲,耐人寻味:"襄阳古道灞陵桥。诗兴与秋高。千古风流人物,一时多少雄豪。 霜清玉塞,云飞陇首,风落江皋。梦到凤凰台上,山围故国周遭。"又如萨都剌的怀古词:"石头城上,望天低吴楚,眼空无物。指点六朝形胜地,唯有青山如壁。蔽日旌旗,连云樯橹,白骨纷如雪。一江南北,消磨多少豪杰。 寂寞避暑离宫,东风辇路,芳草年年发。落日无人松径里,鬼火高低明灭。歌舞尊前,繁华镜里,暗换青青发。伤心千古,秦淮一片明月。"(《念奴娇·登石头城次东坡韵》)"古徐州形胜,消磨尽、几英雄。想铁甲重瞳,乌骓汗血,玉帐连空。楚歌八千兵散,料梦魂、应不到江东。空有黄河如带,乱山起伏如龙。 汉家陵阙动秋风。禾黍满关中。更戏马台荒,画眉人远，燕子楼空。人生百年如寄，且开怀、一饮尽千钟。回首荒城斜日，倚阑目送飞鸿。"（《木兰花慢·彭城怀古》）尽管无法与"大江东去"、"吴钩看了"相提并论，但也能够站在历史的高度，揭示成败不足论的道理。纳兰词的出现，令二人不能专美于前。

减字木兰花

相逢不语。一朵芙蓉著秋雨①。小晕红潮。斜溜鬟心只凤翘②。　　待将低唤。直为凝情恐人见。欲诉幽怀。转过回阑叩玉钗③。

[注释]

①"一朵"句：陈允平《侧犯》："晚凉倦浴，素妆薄试铅华靓。凝定。似一朵芙蓉泛清镜。"②"斜溜"句：周邦彦《南乡子》："不道有人潜看着，从教。掉下鬟心与凤翘。"③叩玉钗：张台柱《思帝乡》："独立花阴下，扣钗儿。"

[评析]

李清照写过一首《点绛唇》："蹴罢秋千，起来慵整纤纤手。露浓花瘦。薄汗轻衣透。　　见客入来，袜刬金钗溜。和羞走。倚门回首。却把青梅嗅。"虽然可能对韩偓《偶见》诗有所借鉴："秋千打困解罗裙，指点醍醐索一尊。见客入来和笑走，手搓梅子映中门。"但下片短短五句，将妩媚多情的少女一刹那间复杂、娇羞的心理状态刻画得更为婉曲细腻，情辞两臻绝顶，一切尽在不言中。纳兰的这首《减字木兰花》，稍稍改变抒情策略，在无我中写出有我之境，如芙蓉著雨、鬟心凤翘、凝情恐人、回阑叩钗，传意会于言表，与易安词同样精彩成功。纳兰天赋词才，这首词是一个相当突出的例证。

纳兰《通志堂集》中有词四卷，凡300首，康熙三十年（1691）编刻，这首《减字木兰花》收在第四卷。此阕，西陵词人陈淏编选的《精选国朝诗余》作：

相逢不语。一抹芙蓉著秋雨。眉眼红潮。斜溜金钗与凤翘。　　待将低唤。无限疑情恐人见。欲诉情怀。选梦凭他到镜台。

赵秀亭、冯统一先生《饮水词笺校》以为，由相关异文可见其"初稿面貌"，但并未提供确凿依据。查陈淏选本，其中有纳兰《水龙吟·再送荪友南还》一首，是该集之编刻不应早于康熙十五年（1676）。又有胡胤瑗《鹊桥仙·闰六月七日》一首，由"胤"字不避讳及"闰六月"四见于康熙年间（分别是康熙三年、康熙二十二年、康熙四十一年及康熙六十年），可推定该集为康熙刊本，刻于康熙二十二年（1683）后或康熙四十一年（1702）后。赵、冯笺校本还以为，据结句中"选梦"（沈宛之号并沈氏词集名）一语和"镜台"所用典故，以及成、沈康熙二十三、二十四年之交结缡的事实，可知这首《减字木兰花》应作于其时。而如果确实是这样，却恰好能够证明陈淏选本之编刻只应晚于康熙四十一年。此时，《通志堂集》刊行已至少十余年矣。所以，综合起来看，编者陈淏改窜原作的可能性要更大些。

对此，需要进一步指出的是，从去伪存真的文献学角度考虑，擅改原作自然是一种恶习，但是，如果是选家"主动改窜"（闵丰《清初清词选本考论》。另可参叶晔《清代词选集中的擅改原作现象——以〈明词综〉为中心的考察》）而产生的异文，就不宜轻易放过，因为这种改词甚至比选词能更为直接地提供词学批评的心理动机和具体操作方式等方面的信息,正是体认选本词学理念及至词史嬗变所需要的。

海棠春

落红片片浑如雾①。不教更觅桃源路②。香径晚风寒,月在花飞处。　蔷薇影暗空凝伫。任碧𩖶③、轻衫萦住。惊起早栖鸦,飞过秋千去。

[注释]

①"落红"句:沈约《八咏诗·会圃临春风》:"游丝暧如烟,落花雾似雾。"②桃源路:桃源典,一出陶渊明《桃花源记》,指武陵人入桃花源事;一出刘义庆《幽明录》,指刘晨、阮肇入天台桃源洞事。范仲淹《定风波》:"花花映浦。无尽处。恍然身入桃源路。"晏几道《风入松》:"却似桃源路失,落花空记前踪。"③碧𩖶(zhǎn):随风摇动的花枝。张炎《风入松》:"小窗晴碧𩖶帘波。昼影舞飞梭。"

[评析]

这首词写月下凝伫的情境。香径晚风,月下飞花,落红如雾,蔷薇影暗,碧𩖶萦住,栖鸦飞去。"凝伫无言密意多"(谢邁《减字木兰花》),多半是由于"人面不知何处"(晁端礼《醉桃源》)。全篇含婉空灵,显出一派朦胧的美感。

月下之美,也还有别样的写法,主要取决于作者的一怀情思。如李白《月下独酌》其一:"花间一壶酒,独酌无相亲。举杯邀明月,对影成三人。月既不解饮,影徒随我身。暂伴月将影,行乐须及春。我歌月徘徊,我舞影零乱。醒时同交欢,醉后各分散。永结无情游,相期邈云汉。"月下独酌本也是极苦闷无聊的事情,但作者却通过将月、影一类无知无情之物拟人化,引为同调,写得煞是热闹欢腾。而化无情为有情的关键，在于这一份同样寂寞孤独之情的背后，不是儿女情多，而是无人可与共语的、希望宏图大展的壮志豪情。

少年游

算来好景只如斯。唯许有情知。寻常风月，等闲谈笑，称意即相宜。　　十年青鸟音尘断，往事不胜思。一钩残照，半帘飞絮①，总是恼人时。

[注释]

① "一钩"二句：陈允平《望江南》："满地落花春雨后，一帘飞絮夕阳西。"张炎《疏影》："闭门约住青山色，自容与、吟窗清绝。怕寒夜、吹到梅花，休卷半帘明月。"

[评析]

这首《少年游》写"往事""恼人"，与纳兰另一首《鹊桥仙》题旨相同：

> 梦来双倚，醒时独拥，窗外一眉新月。寻思常自悔分明，无奈却、照人清切。　　一宵灯下，连朝镜里，瘦尽十年花骨。前期总约上元时，怕难认、飘零人物。

自然道来，质直中见婉曲。

这里的"自然"，自然是跟雕琢、人力相对的范畴，接近于天工（亦沈世良论词绝句所云"谁知天授非人力，别有聪明饮水词"之意），而不是王国维"以自然之眼观物，以自然之舌言情"（《人间词话》）中所指的"自然"。罗钢先生在《一个词的战争——重读王国维诗学中的"自然"》中提出,"野蛮民族有真正之文学"(浦江清《王静安先生之文学批评》引王国维语)的观念,作为把视为审美范畴的"自然"与所谓"野蛮民族"联系在一起的理论尝试,不是来源于中国古代思想传统,而是来源于西方思想传统中的"原始主义"自然观,才是王国维称赞纳兰词的理论出发点。但是,纳兰其人实已具备深厚而系统的汉文化修养,甚至被梁启超推举为"清初学人第一"[按:此乃以讹传讹。梁氏手迹尚存,作"清文苑传中第一人"。又,张舜徽先生在《清人文集别录》中说"至其(指纳兰性德)问学之事,致力未深,宜其无自得之语"];具有深厚文化积淀的词体文学,经过长时间的锤炼,艺术形式已经十分精致成熟,形成了自己独具的主题、意象、风格和技巧,与赫尔德所赞赏的西方古代民歌完全不同,后者所长的仅仅是一种质朴、粗糙、原生态的表现方式,"不适宜于写到纸上","更不是一些僵死的形之于文字的诗篇"。因此,王国维把"自然之眼"、"自然之舌"与"汉人习气"对立起来,并通过"崛起于方兴之族"、"未染汉人习气"(《人间词话》)来说明纳兰的个人天才,解释纳兰词的艺术成就,就都是不适宜的。罗文进一步分析指出,如果把王国维笔下的"自然"看做中西两种诗学传统争夺符号意义的场所,那么,这场战斗的结果是:西方浪漫主义时代流行的原始主义、有机主义、非理性主义等三种"自然"观,通过各种具体的思想路径,以彼此交错的方式汇聚到王国维笔下的"自然"中,成为了它的理论主体,压抑甚至放逐"自然"在中国古代诗学中原来负载的种种意义。西方思想正是通过对现代中文里许多类似"自然"这样的词语的符号意义的占领,才得以牢固地建立起在中国现代思想中的权威地位。

满庭芳

堠雪翻鸦,河冰跃马①,惊风吹度龙堆。阴磷夜泣②,此景总堪悲。待向中宵起舞③,无人处、那有村鸡。只应是,金笳暗拍,一样泪沾衣④。　　须知今古事,棋枰胜负,翻覆如斯。叹纷纷蛮触⑤,回首成非。剩得几行青史,斜阳下、断碣残碑。年华共,混同江⑥水,流去几时回。

[注释]

①"堠(hòu)雪"二句:堠,古代瞭望敌情之土堡,或记里程的土堆。曹溶《踏莎行》:"堠雪翻鸦,城冰浴马,捣衣声里重门闭。"②"阴磷"句:阴磷,磷火。元稹《代曲江老人百韵》:"破船沉古渡,战鬼聚阴磷。"卢弼《塞上四时词》:"陇头流水关山月,泣上龙堆望故乡。"③中宵起舞:《晋书·祖逖传》:"(祖逖)与司空刘琨俱为司州主簿,情好绸缪,共被同寝。中夜闻荒鸡鸣,蹴琨觉,曰:'此非恶声也。'因起舞。"辛弃疾《贺新郎》:"我最怜君中宵舞,道男儿、到死心如铁。"④"只应是"三句:洪皓《江梅引》:"更听胡笳,哀怨沾衣。"⑤蛮触:《庄子·则阳》:"有国于蜗之左角者,曰触氏,有国于蜗之右角者,曰蛮氏。时相与争地而战,伏尸数万。"白居易《禽虫十二章》之七:"蟭螟杀敌蚊巢上,蛮触之争蜗角中。"⑥混同江:松花江。

[评析]

这首词作于康熙二十一年(1682)往觇梭龙时。身历当年"龙战"之地,兼以羁旅行役,漂泊天涯,因将"今古"兴亡之叹与"年华"易逝之慨汇入茫茫边愁。

类似的情怀,前人的诗词作品中都分别吟咏过,可备参酌。如李白《登广武古战场怀古》:"秦鹿奔野草,逐之若飞蓬。项王气盖世,紫电明双瞳。呼吸八千人,横行起江东。赤精斩白帝,叱咤入关中。两龙不并跃,五纬与天同。楚灭无英图,汉兴有成功。按剑清八极,归酣歌大风。伊昔临广武,连兵决雌雄。分我一杯羹,太皇乃汝翁。战争有古迹,壁垒颓层穹。猛虎啸洞壑,饥鹰鸣秋空。翔云列晓阵,杀气赫长虹。拨乱属豪圣,俗儒安可通。沉湎呼竖子,狂言非至公。抚掌黄河曲,嗤嗤阮嗣宗。"托古讽今,借史言志,据"拨乱属豪圣"句,知有是时无英雄如昔人之叹。又如吴伟业《满江红·蒜山怀古》(沽酒南徐),可与辛弃疾《永遇乐·京口北固亭怀古》前后辉映:"千古江山,英雄无觅,孙仲谋处。舞榭歌台,风流总被,雨打风吹去。斜阳草树,寻常巷陌,人道寄奴曾住。想当年,金戈铁马,气吞万里如虎。　元嘉草草,封狼居胥,赢得仓皇北顾。四十三年,望中犹记,烽火扬州路。可堪回首,佛狸祠下,一片神鸦社鼓。凭谁问,廉颇老矣,尚能饭否。"两相比较,辛词疏放,吴词稍"涩于稼轩"(谭献《箧中词》今集卷一)。陈洵《海绡说词》所云梦窗词笺释之法,有助于解吴词之所谓"涩":"见为涩者,以用事下语处求之。见为留者,以命意运笔中得之也。"也就是说,类似于吴伟业《满江红》这样的作品,如能着力于"用事下语处"求解,可免昧于其晦。

忆王孙

西风一夜剪芭蕉。满眼芳菲总寂寥。强把心情付浊醪①。读离骚。洗尽秋江日夜潮。

[注释]

①浊醪(láo):浊酒。江淹《恨赋》:"浊醪夕引,素琴晨张。"

[评析]

这首词,《饮水词笺校》据汪刻本末句作"洗尽湘江日夜潮",

推断它可能作于三藩乱时。思路很好,但这个仅基于一字校勘的证据尚嫌薄弱。秋风起兮,"芳菲"消歇,"寂寥"满眼,秋感倍增。这江潮般奔涌的愁情,借酒而浇终归还是难于排解,所以需要再加上"读离骚",才能将难言之隐一"洗"了之。

饮酒读骚,既能表明伤心人的"别有怀抱"(谭献《箧中词》今集卷四),词之所写断非寻常伤春悲秋一类意旨,更可以成为该阕系年的有力旁证。古代文人追捧《离骚》,因由之一是:"自风雅寝声,莫或抽绪,奇文郁起,其《离骚》哉!"(刘勰《文心雕龙·辨骚》)"读骚"因之具有永恒趣味,所谓"文人情深于《诗》、《骚》,古今一也"(章学诚《文史通义·诗教上》)。与饮酒读骚有关的《饮酒读骚图》,是陈洪绶崇祯十六年(1643)"避乱南下时作"(孔尚任《享金簿》,载黄宾虹、邓实编《中华美术丛书》初集第七辑)。画面为一高士饮酒读骚,斜向构图,布局奇特,着墨不多,寄慨孔多。自明清之际以迄晚清,文人骚客对其中所包蕴的人文情怀和人生境界无不向往有加。如朱和羲以"饮酒读骚堂"为室名(谢章铤《赌棋山庄词话》续编三)。黄德峻作有《醉太平·自题饮酒读骚图》:"衔杯兴遒。浇书兴幽。美人香草风流。是新愁旧愁。　年前楚游。尊前楚讴。人生月几当头。问青天语不。"至于吴藻创作杂剧《饮酒读骚图》(又名《乔影》),则是渴望男女平等、追求个性解放的真实写照(详参张宏生《吴藻〈乔影〉及其创作的内外成因》),不过,这已经是另外一个话题了。

卜算子　咏柳

娇软不胜垂,瘦怯那禁舞①。多事年年二月风,剪出鹅黄缕②。　　一种可怜生，落日和烟雨③。苏小④门前长短条，即渐迷行处。

[注释]

①"娇软"二句：杨广《望江南》："堤上柳，烟里不胜垂。"高观国《解连环》："隔邮亭、故人望断，舞腰瘦怯。"②"多事"二句：贺知章《咏柳》："不知细叶谁裁出，二月春风似剪刀。"刘弇《清平乐》："著意隋堤柳。搓得鹅儿黄欲就。"（此首作者，《乐府雅词》卷中作赵令畤）杨维桢《杨柳词》："杨柳董家桥，鹅黄万万条。"③"一种"二句：一种可怜生，一样可怜。姚合《杨柳枝》："桥边陌上无人识，雨湿烟和思万重。"④苏小：苏小小，南朝钱塘名妓。白居易《杭州春望》："涛声夜入伍员庙，柳色春藏苏小小。"温庭筠《杨柳枝八首》之三："苏小门前柳万条，毵毵金线拂平桥。"

[评析]

这首词的词题，蒋重光《昭代词选》作"新柳"。杨柳在诗词题咏中主要用于表达离情别绪。如白居易的《青门柳》："青青一树伤心色，曾入几人离恨中。为近都门多送别，长条折尽减春风。"也被赋予发抒艳情的功能。如李之仪的《谢池春》："残寒销尽，疏雨过、清明后。花径敛余红，风沼萦新皱。乳燕穿庭户，飞絮沾襟袖。正佳时，仍晚昼。著人滋味，真个浓如酒。　　频移带眼，空只恁、厌厌瘦。不见又思量，见了还依旧。为问频相见，何以长相守。天不老，人未偶。且将此恨，分付庭前柳。"像杨万里《新柳》那样几乎纯粹摹写情态的，似乎并不多见："柳条百尺拂银塘，且莫深青只浅黄。未必柳条能蘸水，水中柳影引他长。"一个"引"字，描摹柳条和水中倒影相连，富于动感和画面感，尽显"诚斋体"神采。而像白居易的另一首《喜小楼西新柳抽条》："一行弱柳前年种，数尺柔条今日新。渐欲拂他骑马客，未多遮得上楼人。须教碧玉羞眉黛，莫与红桃作麴尘。为报金堤千万树，饶伊未敢苦争春。"个中的别有韵味，如"苦争春"之类，就需要具体辨析。

纳兰的这首《卜算子》，由勾勒柔柳之形，进而写其神韵，用笔清丽空灵，虽刻画而无伤其神理，虽脉脉含情而"不著一字"。结末"苏小门前"二句用典，更饶深婉迷离之致。或谓全阕别有寄托，主要就是由这两句可能含蕴的意味所引发，与纳兰另一首《淡黄柳·咏柳》过片"长条莫轻折。苏小恨、倩他说"所云情形不无相似之处。不过，在找到确凿、充分的文献依据之前，还是把它当做一首很不错的咏物词来欣赏为好。

青玉案　宿乌龙江①

东风卷地飘榆荚。才过了、连天雪。料得香闺香正彻。那知此夜，乌龙江畔，独对初三月。　　多情不是偏多别。别离只为多情设。蝶梦百花花梦蝶②。几时相见，西窗剪烛，细把而今说。

[注释]

①乌龙江：黑龙江。②"蝶梦"句：《庄子·齐物论》："昔者庄周梦为胡蝶，栩栩然胡蝶也，自喻适志与！不知周也。俄然觉，则蘧蘧然周也。不知周之梦为胡蝶与，胡蝶之梦为周与？周与胡蝶，则必有分矣。此之谓物化。"

[评析]

这首《青玉案》作于康熙二十一年（1682）春纳兰随扈东巡时。词写塞上相思，深切动人。上片写宿地早寒，暗透凄凉，逗出对闺中情景的悬想，顺势带出此时此地心绪。过片三句在些许幽怨中婉转道出一己之"多情"多思，最后化用李商隐诗意，落实此刻如梦似幻的感受，虚实相间，寄寓归思。

论词诗词有一种相对固定的创作模式，即从评论对象的作品中选取若干有特色的词句，加以剪裁点染，作为发抒己见、论定对象词人创作个性风貌的依据。这样一来，也有助于读者根据论词诗词提供的作品线索,理解、判断论者意旨。顾随先生很看重纳兰的这首词,其《临江仙·题纳兰饮水、侧帽二词》云:"笔底回肠婉转,梦中万里关山。断肠不只赋离鸾。生成应有恨,哀乐总无端。蝶梦百花已苦,百花梦蝶堪怜。乌龙江上月初三。自开新境界,何必似花间。"点化纳兰词中"多情"三句,堪称巧妙自然。不过,也有必要指出,论词诗词的角度往往具有一定的排他性,即如纳兰的这首《青玉案》,也许能够支撑"自开新境界,何必似花间"的结论,但却未必完全符合顾先生在其他地方推崇的"苍秀"之风。

满江红　茅屋新成却赋

问我何心,却构此、三楹茅屋。可学得、海鸥无事,闲飞闲宿①。百感都随流水去,一身还被浮名束。误东风、迟日杏花天,红牙曲②。　　尘土梦,蕉中鹿③。翻覆手,看棋局④。且耽闲殢酒⑤,消他薄福。雪后谁遮檐角翠,雨余好种墙阴绿。有些些、欲说向寒宵,西窗烛。

[注释]

①"可学得"二句:古人每每使用与海鸥为伴表示闲适或隐居,事见《列子·黄帝》海上之人玩鸥故事。杜甫《江村》:"自来自去堂上燕,相亲相近水中鸥。"②"误东风"二句:迟日,春日。杜审言《渡湘江》:"迟日园林悲昔游,今春花鸟作边愁。"红牙,染成红色的象牙拍板。辛弃疾《满江红》:"佳丽地,文章伯。金缕唱,红牙拍。看尊前飞下,日边消息。"③"尘土梦"二句:《列子·周穆王》:"郑人有薪于野者,遇骇鹿,御而击之,毙之。恐人见之也,遽而藏诸隍中,覆之以蕉,不胜其喜。俄而遗其所藏之处,遂以为梦焉。顺途而咏其事,傍人有闻者,用其言而取之。既归,告其室人曰:向薪者梦得鹿而不知其处,吾今得之,彼直真梦矣。"刘克庄《念奴娇》:"似瓮中

蛇，似蕉中鹿，又似槐中蚁。"④"翻覆手"二句：《三国志·王粲传》："粲观人围棋，局坏，粲为覆之。棋者不信，以帕盖局，使更以他局为之。用相比较，不失一道。"杜甫《贫交行》："翻手作云覆手雨，纷纷轻薄何须数。"又《秋兴八首》之四："闻道长安似弈棋，百年世事不胜悲。"⑤"且耽"句：媂（tǐ），沉迷。许浑《送别》："莫媂酒杯闲过日，碧云深处是佳期。"秦观《梦扬州》："媂酒困花，十载因谁淹留。"刘过《贺新郎》："人道愁来须媂酒，无奈愁深酒浅。"

[评析]

　　康熙十六年（1677）末，顾贞观南归，至十九年始复还京。纳兰在此时段内营构茅屋，其原委，顾贞观跋纳兰致张纯修第一简云："'卿自见其朱门，贫道如游蓬户。'容兄因仆作此语，构此见招，有诗刻《饮水集》中。""卿自"云云，纳兰致张纯修第二十九简中有所提及："至长安中，烟波浩浩，九衢昼昏，元规尘污，非便面可却。以弟视之，正复支公所云'卿自见其朱门，贫道如游蓬户'耳。"茅屋既成，初名"藕渔"，再改称"草堂"（见纳兰致张纯修第一简），或作"花间草堂"，并赋词志感，一是这首《满江红》，另一首是《于中好》：

　　　　小构园林寂不哗。疏篱曲径仿山家。昼长吟罢风流子，忽听楸枰响碧纱。　　添竹石，伴烟霞。拟凭尊酒慰年华。休嗟髀里今生肉，努力春来自种花。

同一主题，角度小异而实质无大不同。

　　前引所谓"有诗"，是指纳兰写的《寄梁汾并葺茅屋以招之》：

　　　　三年此离别，作客滞何方。随意一尊酒，殷勤看夕阳。世谁容皎洁，天特任疏狂。聚首羡麋鹿，为君构草堂。

淡泊功名、仿效先贤之意，跟他在另外一首《拟古》诗中所表露的一样明显：

> 吾本落拓人，无为自拘束。倜傥寄天地，樊笼非所欲。

都能够成为《满江红》词旨的注脚。其实，"浮名"的挣脱与养"闲"，因其颇费踌躇，一直以来就为众多文人所关注和思考。于是，与纳兰词大致相同的主题，就不断出现在他们笔下。如米友仁的《小重山》："雨过风来午暑清。榴花红照眼，向人明。一枝低映宝钗横。菖蒲酒，玉碗十分斟。　引满听新声。小轩帘半卷，远山青。几人闲处见闲情。醒还醉，为趣妙难名。"周密《少年游》中的"花外琴台，竹边棋墅，处处是闲情"，韦骧《减字木兰花》中的"存养天真。安用浮名绊此身"，各有侧重，可以联系起来理解。这种情况，延续到晚清而未辍，又尤其以蒲华《秋山望瀑》款识中所题一诗为能揭明本旨："高泉泻石玉淙淙，古树盘旋似老龙。人为浮名闲不得，吾从此地乐吾纵。"

满江红

代北燕南，应不隔、月明千里[①]。谁相念、胭脂山下，悲哉秋气[②]。小立乍惊清露湿，孤眠最惜浓香腻。况夜乌、啼绝四更头，边声[③]起。　销不尽，悲歌意。匀不尽，相思泪。想故园今夜，玉阑谁倚。青海[④]不来如意梦，红笺[⑤]暂写违心字。道别来、浑是不关心，东堂桂[⑥]。

[注释]

① "代北"二句：代，代州，在山西。燕，河北。谢庄《月赋》："美人

迈兮音尘阙,隔千里兮共明月。"②"谁相念"二句:胭脂山,燕支山。杜审言《赠苏绾书记》:"知君书记本翩翩,为许从戎赴朔边。红粉楼中应计日,燕支山下莫经年。"宋玉《九辩》:"悲哉!秋之为气也。"③边声:李陵《答苏武书》:"胡笳互动,牧马悲鸣,吟啸成群,边声四起。"范仲淹《渔家傲》:"四面边声连角起。千嶂里,长烟落日孤城闭。"④青海:喻边地。陆游《夜游宫》:"想关河,雁门西,青海际。"⑤红笺:晏殊《清平乐》:"红笺小字。说尽平生意。"晏幾道《思远人》:"渐写到别来,此情深处,红笺为无色。"⑥东堂桂:科考及第。《晋书·郤诜传》:郤诜以对策上第,拜仪郎。后迁官,"(晋)武帝于东堂会送,问诜曰:'卿自以为何如?'诜对曰:'臣举贤良对策,为天下第一。犹桂林之一枝,昆山之片玉。'帝笑。侍中奏免诜官,帝曰:'吾与之戏耳,不足怪也。'诜在任威严明断,甚得四方声誉"。李频《赠桂林友人》:"君家桂林住,日伐桂枝炊。何事东堂树,年年待一枝。"李商隐《无题二首》之一:"昨夜星辰昨夜风,画楼西畔桂堂东。身无彩凤双飞翼,心有灵犀一点通。"齐己《赠孙生》:"待折东堂桂,归来更苦辛。"张先《感皇恩》:"第名天陛首平津。东堂桂,重占一枝春。"

[评析]

这是一首语淡情深的行人念家词,可能作于康熙二十二年(1683)秋纳兰随扈五台山期间。起首写千里共婵娟,独自悲伤。"小立乍惊"、"孤眠最惜"二句转入描摹相思情景,再以乌啼、"边声"烘托苦情,收束上片。层层转折,婀娜多姿。下片进一步写相思之痛。前四句说"悲歌"不堪消受,清泪暗流不止。接下来转为从对方着笔,推想所爱之人此刻也在为离别而感伤,唯有通过写下书信上那些"违心"的话语聊以自慰。凄婉绵长,一倍关情。

李佳《左庵词话》卷上有云:"词最忌板,须用虚字转折方活。如任、看、正、待、乍、怕、总、向、爱、奈、似、但、料、想、更、算、况、怅、快、早、尽、凭、叹、方、将、未、已、应、若、莫、念、甚、倘、便、怎、恁等类皆是。"当然也有两字如"那堪"、三字如"更能消"者。柳永作词,极擅运用虚字,如

《八声甘州》："对潇潇暮雨洒江天，一番洗清秋。渐霜风凄紧，关河冷落，残照当楼。是处红衰翠减，苒苒物华休。惟有长江水，无语东流。　　不忍登高临远，望故乡渺邈，归思难收。叹年来踪迹，何事苦淹留。想佳人、妆楼颙望，误几回、天际识归舟。争知我、倚阑干处，正恁凝愁。"词以清雄之气写奇丽之情，上景下情，情景交织，脉络分明。这跟柳永善于在开篇和篇章转折处运用虚字调度是分不开的。以虚字承转勾勒，所以左右盘旋，流转灵活；以虚字呼唤，便觉空灵清虚之气往来其间，可收疏宕空清之妙。纳兰于此道亦可谓深造有得。

诉衷情

冷落绣衾谁与伴，倚香篝①。春睡起，斜日照梳头。欲写两眉愁。休休②。远山残翠收③。莫登楼。

[注释]

①香篝：熏笼。陆游《五月十一日睡起》："茶碗嫩汤初得乳，香篝微火未成灰。"②"欲写"二句：写，犹画。休休，犹言不要。李清照《凤凰台上忆吹箫》："休休。这回去也，千万遍阳关，也则难留。"③"远山"句：林逋《秋日西湖闲泛》："疏苇先寒折，残虹带夕收。"

[评析]

这首《诉衷情》写闺中愁怨。春日迟迟，闺人睡起，慵懒无聊，无意梳妆，是因为大好春光，幽栖孤寂，无人与共，所谓"女为悦己者容"。薄暮将至，远山残翠，不愿登高望远，唯恐"行人更在春山外"，徒添一缕忧愁。全篇平淡自然，蕴藉有致。

同样写闺中愁怨，李清照的同调之作是这样写的："夜来沉醉卸妆迟。梅萼插残枝。酒醒熏破春睡，梦断不成归。人悄悄，月依依。翠帘垂。更挼残蕊,更捻余香,更得些时。"沉醉不醒,梅妆凋残,起首即暗示别有忧隐。接下来写梅香熏破鸳梦,醒来只有帘幕低垂,多情明月,照人无眠。于是,只好不断地揉弄残梅,以消磨那孤寂难熬的时光。全篇似取意于《诗·邶风·柏舟》中"耿耿不寐,如有隐忧",以真切之笔写难堪之情,无穷幽怨与心断神伤含吐不露,尽显雅人深致。男子而拟作闺音,相比于女子闺音总体而言似乎还是隔了一层,这首词就是一个显著的例证。

水调歌头　题岳阳楼图①

落日与湖水,终古岳阳城。登临半是迁客②,历历数题名。欲问遗踪何处,但见微波木叶,几簇打鱼罾③。多少别离恨,哀雁下前汀。　忽宜雨,旋宜月,更宜晴④。人间无数金碧,未许著空明⑤。淡墨生绡谱就,待倩横拖一笔,带出九疑青⑥。仿佛潇湘夜,鼓瑟旧精灵⑦。

[注释]

①岳阳楼:在湖南岳阳西门。纳兰所题《岳阳楼图》,未详何人绘。②迁客:贬谪之人。范仲淹《岳阳楼记》:"迁客骚人,多会于此。"③"但见"二句:《九歌·湘夫人》:"袅袅兮秋风,洞庭波兮木叶下。"谢庄《月赋》:"洞庭始波,木叶微脱。"王褒《渡河北》:"秋风吹木叶,还似洞庭波。"罾(zēng),渔网。④"忽宜雨"三句:陈与义《菩萨蛮》:"南轩面对芙蓉浦。宜风宜月还宜雨。"⑤"人间"二句:金碧,金碧山水画。未许,未如此。苏轼《海市》:"东方云海空复空,群仙出没空明中。"⑥"淡墨"三句:王安石《题惠崇画》:"方诸承水调幻药,洒落生绡变寒暑。"谱,绘画。九疑,九疑山,亦作九嶷山,在湖南宁远。《水经注·湘水》:"蟠基苍梧之野,峰秀数郡之间,罗岩九举,各导一溪,岫壑负阻,异岭同势,游者疑焉,故曰九疑山。"⑦"仿佛"二句:《后汉书·马融传》李贤注:"湘灵,舜妃,

溺于湘水，为湘夫人也。"钱起《湘灵鼓瑟》："曲终人不见，江上数峰青。"

[评析]

题图之作，如果能够做到画中态与画外意交织熔铸，便是上品。如苏轼的《惠崇〈春江晓景〉》："竹外桃花三两枝，春江水暖鸭先知。蒌蒿满地芦芽短，正是河豚欲上时。"而如果还能做到与心中情浑然一体，就是极品。纳兰的这首《水调歌头》，围绕画中所绘景致多方描摹，同时楔入与岳阳楼有关的人事慨叹，一气贯注，笔意灵动。然就词论词，终嫌情浅。

题咏之作，在高明的作者手上，图画与实历的不同其实并不妨碍真情实感的抒发，因而也就不应该存在绝然的区分。在"迁客"的题作中，张舜民的一首《卖花声·题岳阳楼》比较有代表性："木叶下君山。空水漫漫。十分斟酒敛芳颜。不是渭城西去客，休唱阳关。　　醉袖抚危阑，天淡云闲。何人此路得生还。回首夕阳红尽处，应是长安。"起二句，以萧萧落叶、水空迷蒙之下的秋月景象烘托谪贬失意的悲凉心境。再将镜头转回楼内，一个"敛"字写出尊前气氛的沉闷与女子的深情，反用王维诗意，更将凄怆悲慨之情溢于言表。下片写凭栏独立，仰望回首，万般感怀。过片二句中，"醉袖"呼应"十分斟酒"，针线绵密；浓烈的抒情中插入一笔"天淡云闲"的写景，既引起下文，又能显出张弛有度，跌宕多姿。结二句运用夺胎换骨之法，在典故的巧妙化用中将眷恋、怨愤、期待等种种复杂矛盾的情绪和盘托出。作品的典范意义往往在于它的超越性，历代有关岳阳楼的题咏只是一个方面的例证。与类似于张舜民的词相比较而言，纳兰词的纸上得来终觉浅，在这里主要是与个人经历乃至性格气质有关。

当然，从另外的角度看，文字表达也存在一个自身的局限性问题。面对一幅画在视觉上所造成的美，有时确实很难找到合适的语词去描述。而且，以带有很强理性功能的语言叙事时，也往往会格式化和秩序化某些原初信息，使之在相应的方面有所损耗，就像陶渊明《饮酒》其五中所说的"此中有真意，欲辨已忘言"（参包兆会《"图文"体中图像的叙述与功用——以古典文学和摄影文学中的图像为例》，载张宏生、钱南秀主编《中国文学：传统与现代的对话》）。而且，就更大的方面着眼，所谓"浅"，其实也是基于不同的人生阶段所产生的一种审美价值判断，按照叶嘉莹先生的理解，纳兰词的好处也许真的在于"即浅为深且即浅为美"（《清词丛论·论纳兰性德词》。按：吴世昌先生在《词林新话》中提出，清初各大家词，尤其是纳兰词明白可诵可懂，是由于"取法乎上"，又云"此开国现象也"）的意境与风格。

纳兰此阕今存手书扇面，尾署："题画，书为孟公道兄正，松花江渔成德。"查《清人室名别称字号索引》及《清代人物生卒年表》，此"孟公"当即安璿。安璿（1629～1703），字孟公，号苍涵，江苏无锡人。工书画。顺治十一年（1654）曾与同里词人顾景文、顾贞观昆仲、严绳孙、秦保寅等结"云门社"。

天仙子　渌水亭秋夜

水浴凉蟾①风入袂。鱼鳞蹙损金波碎②。好天良夜酒盈尊③，心自醉。愁难睡。西南月落城乌起④。

[注释]

①水浴凉蟾：水中映月。贺铸《菱花怨》："露洗凉蟾，潦吞平野，三万顷非尘界。览胜情无奈。"葛长庚《菊花新》："渺渺烟霄风露冷，夜未央、凉蟾似水。"②"鱼鳞"句：鱼鳞，水纹。白居易《早春西湖闲游》："小桥装雁齿，轻浪鬐鱼鳞。"金波，月光。《汉书·郊祀歌》："月穆穆以金波，日华耀以宣明。"③酒盈尊：顾敻《更漏子》："歌满耳，酒盈尊，前非不要论。"

④ "西南"句：城乌，城楼上的乌鸦。张继《枫桥夜泊》："月落乌啼霜满天，江枫渔火对愁眠。"温庭筠《更漏子》："花外漏声迢递。惊塞雁，起城乌。"

[评析]

这首词描绘渌水亭秋夜之景，抒发秋感。清风明月，好天良夜，惹人心醉，却彻夜难眠。至于何以美景如斯而伤感愁闷一至于此，篇中含吐未露。是"自古逢秋悲寂寥"（刘禹锡《秋词》）的瑟瑟秋情？"心怯空房不忍归"（王涯《秋夜曲》）的缠绵幽怨？"何处庭前新别离"、"照他几许人肠断"（白居易《中秋月》）的万千联想？"坐看牵牛织女星"（杜牧《七夕》）的哀怨惆怅？还是"此生此夜不长好，明月明年何处看"（苏轼《中秋月》）的深沉慨叹？或者是多种情绪莫名交织兼而有之？都正好留给读者发挥想象的空间。

吴文英有一首《声声慢·陪幕中饯孙无怀于郭希道池亭，闰重九前一日》："檀栾金碧，婀娜蓬莱，游云不蘸芳洲。露柳霜莲，十分点缀成秋。新弯画眉未稳，似含羞、低护墙头。愁送远，驻西台车马，共惜临流。　知道池亭多宴，掩庭花、长是惊落秦讴。腻粉阑干，犹闻凭袖香留。输他翠涟拍凳，瞰新妆、时浸明眸。帘半卷，带黄花、人在小楼。"其中，上片着重描写园林秋景，语词丽密，金碧辉煌，与依依离情相得益彰。两相对照，益见纳兰此阕词风与词法之疏淡。

天仙子

梦里蘼芜①青一剪。玉郎经岁音书远②。暗钟明月不归来，梁上燕。轻罗扇。好风又落桃花片。

[注释]

①蘼芜：香草名。《玉台新咏·古诗八首》之一："上山采蘼芜，下山逢故夫。"谢朓《和王主簿季哲怨情诗》："相逢咏蘼芜，辞宠悲团扇。"薛道衡《昔昔盐》："垂柳覆金堤，蘼芜叶复齐。"孟郊《古薄命妾》："春山有蘼芜，泪叶长不干。"张孝祥《踏莎行》："舞彻霓裳，歌残金缕。蘼芜白芷愁烟渚。"
②"玉郎"句：顾敻《遐方怨》："玉郎经岁负娉婷，教人争不恨无情。"

[评析]

这是一首伤春念远词。词以"梦里蘼芜"开篇，定下怨情的基调。再以比对"暗钟"与"明月"渲染情绪，以罗扇之"轻"反衬心情抑郁。结句绾合全篇，尽显含蕴悠长，其中"好风"是乐景写哀，"又落"吻合"经岁""不归"，写的是心灵悸动。全篇清丽深婉，简淡轻灵，其情景起落流畅自然处，"不减五代人手笔"（陈廷焯《词则·大雅集》卷五），高处或过之。试以韦庄同调名作二首并读："蟾彩霜华夜不分。天外鸿声枕上闻。绣衾香冷懒重熏。人寂寂，叶纷纷。才睡依前梦见君。""梦觉云屏依旧空。杜鹃声咽隔帘栊。玉郎薄幸去无踪。一日日，恨重重。泪界莲腮两线红。"同写念远之情，尤其是前阕中"依前"二字，有一箭多雕之用。与纳兰词一样，都当得起"雅隽绝伦"（《清平初选后集》卷一田茂遇评语）之评。

浪淘沙 望海

蜃阙半模糊。踏浪惊呼①。任将蠡测笑江湖②。沐日光华还浴月，我欲乘桴③。　　钓得六鳌④无。竿拂珊瑚⑤。桑田清浅问麻姑⑥。水气浮天天接水，那是蓬壶⑦。

[注释]

①"蜃阙"二句：蜃阙，海市蜃楼。《史记·天官书》："海旁蜃气象楼台，广野气成宫阙然。"许敬宗《奉和春日望海》："惊涛含蜃阙，骇浪掩晨光。"萨都剌《黯淡滩歌》："欢呼踏浪桴歌去，晴雪洒面风吹衣。"②"任将"句：蠡，瓢或勺。《汉书·东方朔传》：东方朔答客难云："语曰'以管窥天，以蠡测海，以莛撞钟'，岂能通其条贯，考其文理，发其音声哉！"《庄子·秋水》："秋水时至，百川灌河，泾流之大，两涘渚崖之间不辨牛马。于是焉河伯欣然自喜，以天下之美为尽在己。顺流而东行，至于北海，东面而视，不见水端，于是焉河伯始旋其面目，望洋向若而叹曰：'野语有之曰：闻道百以为莫己若者。我之谓也。且夫我尝闻少仲尼之闻而轻伯夷之义者，始吾弗信，今我睹子之难穷也，吾非至于子之门，则殆矣，吾长见笑于大方之家。'"③乘桴：桴，木筏。《论语·公冶长》："子曰：道不行，乘桴浮于海。"严仁《水龙吟》："我欲乘桴，从兹浮海，约任公子。"④六鳌：《列子·汤问》：渤海之东，有大壑焉，其中有五山：岱舆、员峤、方壶、瀛洲、蓬莱，常随波上下往还。帝恐流于西极，失群仙圣之居，乃使巨鳌十五举首而戴之，迭为三番，六万岁一交焉，五山始峙而不动。而龙伯之国有大人，举足不盈数步而暨五山之所，一钓而连六鳌，合负而趣归其国。岱舆、员峤二山流于北极，沉于大海，仙圣之播迁者巨亿计。李中《送王道士游东海》："必若思三岛，应须钓六鳌。"⑤"竿拂"句：杜甫《送孔巢父谢病归游江东兼呈李白》："诗卷长流天地间，钓竿欲拂珊瑚树。"刘克庄《木兰花慢》："只怕先生渴睡，钓竿拂著珊瑚。"⑥"桑田"句：麻姑，女仙。葛洪《神仙传》卷三："麻姑自说：接待以来，已见东海三为桑田。向到蓬莱，水又浅于往昔会时略半也，岂将复还为陵陆乎！方平笑曰：圣人皆言，海中行复扬尘也。"⑦蓬壶：王嘉《拾遗记》卷一："三壶则海中三山也。一曰方壶，则方丈也；二曰蓬壶，则蓬莱也；三曰瀛壶，则瀛洲也。形如壶器。"李纲《减字木兰花》："茫茫云海。方丈蓬壶何处在。"

[评析]

纳兰边塞词笼罩着一层悲哀的情调，是人所共知的事实，但这并不是说他的边塞词都如此。比如这首作于康熙二十一年（1682）

随扈东巡时的《浪淘沙》,是写在山海关眺望大海的情形,一种豪迈之情夹杂着浓重的惊喜,在纳兰词中堪称别调。当然,悲哀一直是纳兰的基调,只是这种悲哀往往蕴涵着他"对社会历史的情感性思考"(张宏生《论清初边塞词》),于是,至少跟同时代的人相比,这一点便足以构成纳兰边塞词中较有特色的一个方面。即如这首《浪淘沙》,一切景语皆是情语,面对瑰伟雄奇之景,八面来风,浮想联翩,既隐含淑世难求所催生的出尘想往之意,也有身在"江湖"不由自主的无奈情思。个中昂扬之气,可与其《鹧鸪天》(谁道阴山行路难)相参。

纳兰的这首《浪淘沙》之于其边塞词整体,颇似李清照《渔家傲》之于其总体风格。这是另一层意义上的一与多的关系,这类作品的意义往往有超出文本本身的地方。李清照在视野拓展之后,词境有时变得非常开阔,如《渔家傲》:"天接云涛连晓雾。星河欲转千帆舞。仿佛梦魂归帝所。闻天语。殷勤问我归何处。 我报路长嗟日暮。学诗漫有惊人句。九万里风鹏正举。风休住。蓬舟吹取三山去。"起、结以惊人的海天景象,又以一问一答连缀上、下片,严整中极动荡之致,迤逦中闻风雷之声,见出灵动的艺术构想和表现力。全篇气势磅礴,雄浑高迈,有似苏、辛一派,构成漱玉词审美境界的另外一面,不唯在李清照集中为仅见,即使在整个宋代女性词中,也很突出。女子而作壮语,又可以理解为是与"男子而作闺音"相对应的存在,非仅限于性别文学认知意义一端而已。

纳兰此篇也有超出边塞题材一端的认知意义。一般地看,清初词坛长调学辛,小令则大多学花间。比较特出的例外是阳羡词派,他们的某些小令往往将这两种主流词法取向打成一片,雄健劲爽,别具一格。如陈维崧的《点绛唇·夜宿临洺驿》:"晴髻离离,太行山势如蝌蚪。稗花盈亩。一寸霜皮厚。 赵魏燕韩,历历堪回首。悲风吼。临洺驿口。黄叶中原走。"蒋景祁的《临江仙·归舟未发,蓼洲信宿月下》:"谁挽银河天上水,倾成万里波涛。晴江一望可容刀。烟含山势远,风定月轮高。　　屈指归程应计日,蓼洲今夜前宵。章江不上广陵潮。沙明扬子渡,螺现小金焦。"风格明显与当时受云间派影响者的婉丽清幽有所不同。纳兰词在清初波澜壮阔的词学大潮中,也能表现出转益多师继而自我超越的一面,从而成为清初词极具特色的组成部分之一。

浪淘沙

红影湿幽窗。瘦尽春光。雨余花外却斜阳①。谁见薄衫低髻子②,抱膝思量。　　莫道不凄凉。早近持觞。暗思何事断人肠③。曾是向他春梦里,瞥遇回廊④。

[注释]

①"雨余"句:雨余,雨后。秦观《画堂春》:"东风吹柳日初长。雨余芳草斜阳。"温庭筠《菩萨蛮》:"雨后却斜阳。杏花零落香。"②髻子:发髻。李清照《浣溪沙》:"髻子伤春懒更梳。晚风庭院落梅初。"③"暗思"句:李珣《浣溪沙》:"镂玉梳斜云鬓腻,缕金衣透雪肌香。暗思何事立斜阳。"④"瞥遇"句:王彦泓《瞥见》:"别来清减转多姿,花影长廊瞥见时。"

[评析]

这首《浪淘沙》刻画花落春瘦之际"抱膝思量"的断肠人。上片犹如运用"蒙太奇"手法,将发生在同一时间不同空间的景象与画面进行交叉剪切,在重新衔接中产生新的意义,并顺势推出人物形象。下片尤其是"曾是"结二句,犹如镜头中的闪回,主要交代因思成梦之由,同时也是对再度回廊瞥见、以消别来清减不无期待,写来深具含蓄蕴藉之美。

陈廷焯曾经指出:"容若词不减飞涛,然一则精丽中有飞舞之致,一则纤绵中得凄婉之神,笔路又各别。"(《云韶集》卷二十四)评语中提及的丁澎以及包括丁澎在内的"西泠十子","皆出卧子先生之门"(毛先舒《白榆集·小传》)。一个是云间后学,一个长于小令,丁澎与纳兰两人自然就在特定意义上具备了进行比较的基础。当然,丰富复杂的清初词学环境,既是原因,又是结果,即在清初催生出"精丽"与"纤绵"这两种有一定代表性的词风的同时,也会反过来因为多种不同笔路的蓬勃发展而造成更为复杂丰富的词学生态,影响清初乃至整个清代词学路向的转换,成为清词中兴的有机组成部分。从这样的角度着眼,可以看出深入探究纳兰词以及与之相关的"西泠十子"等词人、群体或流派所具有的联动价值。

在"西泠十子"中,丁澎词作中虽然颇有延续云间词风者,如《声声慢·秋夜和李清照韵》(梧梢挂月)、《柳初新·本意》(雪残小苑东风住)、《爪茉莉·闺怨和屯田韵》(密缄轻裁)、《品令·幽怀》(手捻相思子)、《凤衔杯·旧恨和柳七韵》(屏前私结今生愿)、《临江仙·春睡》(麝歇薰篝金鸭冷),可谓愈出愈妍,"凄楚回环,伤情欲绝"(徐釚《词苑丛谈》卷五),但也有一些作品,如《贺新郎·塞上》,处新政难测之地而发其慨然之情,气势腾越:"苦塞霜威冽。正穷秋、金风万里,宝刀吹折。古戍黄沙迷断碛,醉卧海天空阔。况毳幕、又添明月。榆历历兮云械械,只今宵、便老沙场客。搔首处,鬓如结。 羊裘坐冷千山雪。射雕儿、红翎欲坠,马蹄初热。斜鞚紫貂双纤手,挡罢银筝凄绝。弹不尽、英雄泪血。莽莽晴天方过雁,漫掀髯、又见冰花破。浑河水,助悲咽。"与张丹以故国伤痛启变词风变化于前的悲慨之作一样,都基本泯除了云间前期词风的痕迹。两相结合,可以见出清词渐自明末流风中蜕变痕迹之一端。相比而言,十子之中的毛先舒学步云间而阑入《花间》、《草堂》门径,沈谦时时以曲家手眼填词,与云间词人纠明词以雅正,并严分词曲畛域的趋向不同,又可以见出清初未能脱尽明词习气者之众。这样看来,纳兰词的与之"各别",在很大程度上可以理解为清词正走在创作的康庄大道之上的一种恢弘表征。

南楼令

金液镇心惊①。烟丝似不胜②。沁鲛绡、湘竹无声③。不为香桃怜瘦骨,怕容易,减红情④。　　将息报飞琼。蛮笺署小名⑤。鉴凄凉、片月三星⑥。待寄芙蓉心上露,且道是,解朝酲⑦。

[注释]

①"金液"句:金液,长生药。葛洪《抱朴子·金丹》:"金液,太乙所服而仙者也,不减九丹。"可借指治病之药。王彦泓《述妇病怀》:"难凭银叶镇心惊,侍女床前不敢行。"②"烟丝"句:刘禹锡《杨柳枝》:"炀帝行宫汴水滨。数株杨柳不胜春。"③"沁鲛绡"句:任昉《述异记》:"南海出鲛绡纱,一名龙纱,其价百余金,以为服,入水不濡。"陆游《钗头凤》:"春如旧。人空瘦。泪痕红浥鲛绡透。"张华《博物志》卷八:"尧之二女,舜之二妃,曰湘夫人。舜崩,二妃啼,以涕挥竹,竹尽斑。"④"不为"三句:李商隐《海上谣》:"海底觅仙人,香桃如瘦骨。"方千里《水龙吟》:"绿态多慵,红情不语,动摇人意。"⑤"将息"二句:将息,调养。飞琼,女仙。《太平广记·女仙》:"唐开成初,进士许瀍游河中,忽得大病,不知人事,亲友数人,环坐守之。至三日,蹶然而起,取笔大书于壁曰:'晓入瑶台露气清,坐中唯有许飞琼。尘心未尽俗缘在,十里下山空月明。'书毕复寐。及明日,又惊起,取笔改其第二句曰'天风飞下步虚声'。书讫,兀然如醉,不复寐矣。良久,渐言曰:昨梦到瑶台,有仙女三百余人,皆处大屋。内一人云是许飞琼,遣赋诗。及成,又令改,曰:不欲世间人知有我也。既毕,甚被赏叹,令诸仙皆和,曰:君终至此,且归。若有人导引者,遂得回耳。"晏幾道《南乡子》:"深意托双鱼。小剪蛮笺细字书。"⑥"鉴凄凉"句:《诗·唐风·绸

缪》:"绸缪束薪,三星在天。"秦观《南歌子》:"水边灯火渐人行。天外一钩残月、带三星。"⑦"待寄"三句:吴文英《齐天乐》:"芙蓉心上三更露,茝香潋泉玉井。"朝酲(chéng),宿酒未醒。王仁裕《开元天宝遗事》:"贵妃每宿酒初消,多苦肺热。尝凌晨独游后苑,傍花树以手攀枝,口吸花露,藉其露液润于肺也。"

[评析]

这首《南楼令》,《饮水词笺校》认为是纳兰在卢氏病重时所作,竭力求医无效,万般无奈之下,祈求神仙施以援手。有一定的道理。不过,也有一点疑惑,如果真是这样的情况,不知纳兰何以密集运典,将一件本来大大方方的事情,写得如此典丽而又扑朔迷离。张秉戍先生则认为,从词深曲的意思来看,像是写给某一情人的。

其实,如果把这首词理解为只是抒发一种幽眇的情思,亦无不可。饮过佳酿,心情久久不能平静。清泪长流,为的是那容易消减的情意。鸿雁传书,寄去的是自己的心意,可以用来稍稍宽慰相互之间同样如痴如醉的相思之情。结三句自然绾合起句,已显出针线绵密,借清露解酒写浓情宽解,更是不落俗套。与纳兰此词大致相近的写法,在前代词人中并非一见,似乎能够作为旁证。如赵彦端的《谒金门》:"春不尽。处处与情相趁。谁道刘郎家恁近。一年花不问。　　双剪画罗春胜。今夜月圆如镜。怎得酒阑心易定。试将金液镇。"

生查子

短焰剔残花,夜久边声寂。倦舞却闻鸡①,暗觉青绫湿。天水接冥濛②,一角西南白。欲渡浣花溪③,远梦④轻无力。

[注释]

①"倦舞"句：参见前《满庭芳》（堆雪翻鸦）。②冥濛：幽暗不明。江淹《杂体诗·颜特进延之侍宴》："青林结冥濛，丹巘被葱蒨。"王泠然《夜光篇》："游人夜到汝阳间，夜色冥濛不解颜。"③浣花溪：在四川成都西郊，溪旁有杜甫草堂。张泌《江城子》："浣花溪上见卿卿。脸波明。黛眉轻。"④远梦：李白《忆襄阳旧游》："归心结远梦，落日悬春愁。"

[评析]

这首《生查子》，《饮水词笺校》认为是纳兰新举进士不久所作，在对"三藩之乱"战事的关注中，写出请缨无路的幽怨与慨叹。这显然比认为是边地之作的观点更为可取。词写赋闲在家，遥想战事，夜起徘徊，惆怅难眠。"倦舞"句用古典而翻新意，自然贴切。

纳兰的这种情绪在同时所作《送荪友》中也有所体现：

> 人生何如不相识，君老燕南我燕北。何如相逢不相合，更无别恨横胸臆。留君不住我心苦，横门骊歌泪如雨。君行四月草萋萋，柳花桃花半委泥。江流浩淼江月堕，此时君亦应思我。我今落拓何所止，一事无成已如此。平生纵有英雄血，无由一溅荆江水。荆江日落阵云低，横戈跃马今何时。忽忆去年风雨夜，与君展卷论王霸。

诗中有"人生何如不相识"的凄怆别情，正话反说，也有"我今落拓"的幽怨愤懑，直抒胸臆，两相融和，更能表达出知己难离之痛。报国无门、壮志难酬的心绪，在纳兰此后的诗词中，基本上再没有如此激切、明显的发露。

生查子

惆怅彩云飞,碧落知何许。不见合欢花①,空倚相思树。
总是别时情,那待分明语。判得最长宵,数尽厌厌②雨。

[注释]

①合欢花:乔木,花淡红色,如马缨,俗称马缨花。欧阳修《渔家傲》:"雨摆风摇金蕊碎。合欢枝上香房翠。"②厌厌:绵长。冯延巳《长相思》:"红满枝。绿满枝。宿雨厌厌睡起迟。"宋无名氏《檐前铁》:"悄无人,宿雨厌厌,空庭乍歇。"

[评析]

这首《生查子》写相思别愁。上片借"彩云飞"起兴,类似于《诗·周南·关雎》中"关关雎鸠,在河之洲"之类,意在点明相思的对象杳无归期,相思者如今只落得"空倚相思树"的悲凉处境。下片转写愁人自苦自慰,甘愿忍受孤凄之苦,长宵不寐,在点点滴滴的雨声中辗转反侧,追思别时况味。这里运用的是"倒提"(盛冬铃《纳兰性德词选》)之法,妙在能将离情之苦、相思之深表现得更为真切生动,深细婉转。

纳兰的这种写法,基本上是承袭温庭筠的《更漏子》:"玉炉香,红蜡泪。偏照画堂秋思。眉翠薄,鬓云残。夜长衾枕寒。梧桐树,三更雨。不道离情正苦。一叶叶,一声声。空阶滴到明。"对于温词"语弥淡,情弥苦"的"清真"(谢章铤《赌棋山庄词话》卷八)之美,俞平伯先生的解读,大致上可以移评纳兰词的好处:"后半首写得很直,而一夜无眠却终未说破,依然含蓄。"(《唐宋词选释》)也能够视为对谭献评语中所谓"书家'无垂不缩'之法"(周济《词辨》卷一)最为明白如话的解释。此法不只

"开北宋先声"（陈廷焯《云韶集》卷一），亦且为后世词人开出法门。

忆桃源慢

斜倚熏笼①，隔帘寒彻，彻夜寒于水。离魂何处，一片月明千里。两地凄凉多少恨，分付药炉烟细。近来情绪，非关病酒②，如何拥鼻③长如醉。转寻思、不如睡也，看道④夜深怎睡。

几年消息浮沉⑤，把朱颜、顿成憔悴。纸窗风裂，寒到个人衾被。篆字香消灯烛冷，忽听塞鸿嘹唳。加餐千万，寄声珍重，而今始会当日意。早催人、一更更漏，残雪月华满地。

[注释]

①"斜倚"句：白居易《后宫词》："红颜未老恩先断，斜倚熏笼坐到明。"②非关病酒：李清照《凤凰台上忆吹箫》："新来瘦，非干病酒，不是悲秋。"③拥鼻：《晋书·谢安传》："安本能为洛下书生咏，有鼻疾，故其音浊，名流爱其咏而弗能及，或手掩鼻以效之。"后以拥鼻指吟咏读书，与离愁相关。唐彦谦《春阴》："天涯已有销魂别，楼上宁无拥鼻吟。"顾敻《更漏子》："旧欢娱，新怅望。拥鼻含颦楼上。"欧阳修《和应之同年兄秋日雨中登广爱寺阁寄梅圣俞》："旧社更谁能掩鼻，新秋有客独登高。"④看道：犹料想。尚仲贤《洞庭湖柳毅传书》："我且拿起来，只口将他吞于腹中，看道可还有本事为非作歹哩。"⑤消息浮沉：《世说新语·任诞》："殷洪乔作豫章郡，临去，都下人因附百许函书。既至石头，悉掷水中，因祝曰：'沉者自沉，浮者自浮，殷洪乔不能作致书邮。'"

[评析]

这是一首怀念友人之作。"几年消息浮沉"，明月千里，两地凄凉，夜深怎睡？纸窗风裂，香消灯烛，更漏催人，塞鸿嘹唳，忆珍重加餐，"而今始会当日意"，"强烈的伤感伴和着深情的回忆荡胸而出，以真挚自然胜"（盛冬铃《纳兰性德词选》）。真挚自然是纳兰词的影响施与后世词坛的一个重要方面。

纳兰对后世词坛的影响大小，有助于判定他在清初词坛地位的高低，而对后世词坛产生的影响究竟如何，重要的判断指标之一是，有没有词人直接摹习他的某些词作，具体情形又怎样。（另外的指标，至少还包括不同时代的词选本或词丛编中收入纳兰词，丛刻如聂先、曾王孙辑《百名家词钞》、汪世泰辑《八家词钞》、陈乃乾辑《清名家词》等，基本上有整体收录的意思，重存而轻选，也需要引起重视。）潘飞声自序《粤东词钞三编》有云："飞声少时稍学为诗，于词则未解声律也。尝读先大父《灯影词》，拟作数首，携谒陈朗山先生。先生以为可学，授以成容若、郭频伽两家词。由此渐窥唐宋门径，心焉乐之。"从纳兰性德、郭麐入手，以求窥得"唐宋门径"，这是陈良玉（号朗山）指授后辈学词的独到之处，从中可见其对纳兰词的独特看法，以及受纳兰词之重性灵抒写影响的程度之深。又，夏敬观曾经明确提出：近代词人叶英华"尤长小令，殆《饮水》、《侧帽》之亚也"（《忍古楼词话》）。所举出的例证，如《点绛唇·夏日即事》："老树当檐，夕阳影里鸣蝉闹。柴门却扫。静觉清风到。　睡醒呼童，竹坞支茶灶。幽香窈。绿胎含笑。夜合花开了。"《浪淘沙》："灯灺坠金虫。倦眼惺忪。梦回愁倚锦屏东。梧叶雨疏声点滴，秋病人慵。　小札寄芙蓉。问讯匆匆。百凡珍重可怜侬。影瘦黄花香瘦蝶，恼煞西风。"《添字南乡子·春阴》："软绿泛烟芜。天影模糊。唤尽春魂总未苏。底事雨鸠频逐妇，呱呱。水涨溪桥池也无。　飞絮一帘扶。莫谩愁沽。好趁梨花醉玉壶。规取渔樵身入画，疏疏。试仿云林淡墨图。"都可以称得上"缠绵靡极"（潘祖荫《花影吹笙词钞序》），也确实与纳兰词在某些方面相似。不过，细绎之下，与其说这些作品是学习纳兰词，还不如说是学习唐五代词。倒是叶英华的一首长调作品《忆桃源慢》值得注意："深护熏篝，匀调茗碗，约梦余寒滞。春色三分，已度二分流水。旧事心头重打迭，宛转蚕眠丝细。近真瘦也，腰围带减，情怀未饮浑如醉。尽销凝，永夜无眠，到底如何得睡。　十年青鬓痕消漫，低徊镜中憔悴。绣衾慵覆，冷暖倩谁料理。蜡泪红凝香篆结，暗逐浮云身世。情缘今古，他生未卜，钿钗双负团圆意。谱相思，笙声花影，斜月淡黄满地。"不仅体式完全依照纳兰所创该调（此据傅梦秋编《词调辑遗》），写法上更是有明显模仿的痕迹。另外，谭献认为，单调小令，"上不侵诗，下不堕曲，高情远韵，少许胜多，残唐北宋后成罕格"，冯煦"有意于此"，"深入容若、竹垞之室"（《复堂日记》卷四），颇不易到。汪承庆也被蒋敦复认为是"瓣香"纳兰"长调"者："沧江乐府七人中，汪君稚泉年少多才，余见其所著《兰笑词》，诧曰：'此词家射雕手也。长调音节浏亮，顿挫生姿，瓣香纳兰容若，而绝少衰飒气。小令中腔，芬芳悱恻，不堕南宋人云雾。加以学力，鄙人当退避三舍矣。'"（《芬陀利室词话》卷三）又云所举汪氏《霓裳中序第一》（玫阶雨乍歇）和《高阳台》（倚病镌愁）—"似梦窗"—"似碧山"。若果如蒋氏所言，倒反过来为体认纳兰长调提供了可能的新思路。

青衫湿遍　悼亡

青衫湿遍，凭伊慰我，忍便相忘。半月前头扶病，剪刀声、犹在银𫓧①。忆生来、小胆怯空房②。到而今，独伴梨花影，冷冥冥、尽意凄凉。愿指魂兮识路，教寻梦也回廊。　咫尺玉钩斜③路，一般消受，蔓草残阳。判把长眠滴醒，和清泪、搅入椒浆④。怕幽泉、还为我神伤。道书生薄命宜将息，再休耽、怨粉愁香⑤。料得重圆密誓，难禁寸裂柔肠⑥。

[注释]

①"半月"二句：扶病，带病劳作。张纲《绿头鸭》："莫学我，年年对月，扶病江干。"银釭，银灯。晏幾道《鹧鸪天》："今宵剩把银釭照，犹恐相逢是梦中。"②"忆生来"句：常理《古离别》："小胆空房怯，长眉满镜愁。"③玉钩斜：在扬州，隋炀帝葬宫人处。借指墓地。周实丹《秋虫》："秋雨衰梧金井畔，荒烟野蔓玉钩斜。"苏轼《与舒教授张山人参寥师同游戏马台书西轩壁兼简颜长道二首》之一："路失玉钩芳草合，林亡白鹤古泉清。"陈子龙《江都绝句同让木赋六首》之二："千重阁道覆云霞，宫女东都自忆家。当日便为伤别地，胡香不起玉钩斜。"④椒浆：祭奠所用酒浆，以椒浸制。《九歌·东皇太一》："蕙肴蒸兮兰藉，奠桂酒兮椒浆。"王逸注："椒浆，以椒置浆中也。"宋·无名氏《奉礼歌》："衮衣辉焕，宝佩琳琅。奠椒浆。"⑤怨粉愁香：王沂孙《金盏子》："厌厌地、终日为伊，香愁粉怨。"⑥"难禁"句：《世说新语·黜免》："桓公入蜀，至三峡中，部伍中有得猿子者。其母缘岸哀号，行百余里不去，遂跳上船，至便即绝。破视其腹中，肠皆寸寸断。公闻之，怒，命黜其人。"

[评析]

卢氏卒于康熙十六年（1677）五月三十日，据词中"半月前头"语，此篇当为纳兰初赋悼亡之作。全篇凄情苦语，出以促节短音，阴阳两隔，相将神伤。"慰我"云云，可证叶舒崇"悼亡之吟不少，知己之恨犹多"（《皇清纳腊氏卢氏墓志铭》）之不诬。上片"半月"句以下的细节描写，显系对前代悼亡诗中睹物思人、追忆生活细节写法的进一步发展，如潘岳《悼亡诗》其一中"望庐思其人，入室想所历。帷屏无仿佛，翰墨有余迹。流芳未及歇，遗挂犹在壁"，元稹《遣悲怀三首》其一中"顾我无衣搜荩箧，泥他沽酒拔金钗。野蔬充膳甘长藿，落叶添薪仰古槐"、其二中"衣裳已施行看尽，针线犹存未忍开"、其三中"唯将终夜长开眼，报答平生未展眉"等。下片"道书生薄命"以下四句，一再转换角度，尤能道得人们心中有、笔下无的情深与伤恸。

《青衫湿遍》是纳兰自度曲,与《人月圆》之又名《青衫湿》者不同。周之琦《怀梦词》中有效纳兰此调者,序云:"道光己丑夏五,余有骑省之戚,偶效纳兰容若词为此。虽非宋贤遗谱,音节有可述者。"词曰:"瑶簪堕也,谁知此恨,只在今生。怕说香心易折,又争堪、烬落残灯。忆兼旬、病枕惯懵腾。看宵来、一样恹恹睡,尚猜他、梦去还醒。泪急翻嫌错莫,魂消直恐分明。　回首并禽栖处,书帏镜槛,怜我怜卿。暂别常忧道远,况凄然、泉路深扃。有银笺、愁写瘗花铭。漫商量、身在情长在,纵无身、那便忘情。最苦梅霖夜怨,虚窗递入秋声。"下片"暂别"五句说原本连短暂的分离都担心相隔太远,有"银笺"也害怕写"瘗花铭"一类忧伤的文字,而今又当如何面对爱妻遽然离世的事实?尤见情深而真,几欲"掩过"(李慈铭《越缦堂日记》)纳兰,后来居上。

酒泉子

谢却荼蘼①。一片月明如水。篆香消,犹未睡。早鸦啼。

嫩寒无赖罗衣薄②。休傍阑干角③。最愁人,灯欲落。雁还飞。

[注释]

①荼蘼:花名。张邦基《墨庄漫录》卷九:"酴醾花或作荼蘼,一名木香,有二品。一种花大而棘,长条而紫心者为酴醾。一品花小而繁,小枝而檀心者为木香。"高濂《草花谱》:"荼蘼花,大朵色白,千瓣而香,枝根多刺。(王琪《春暮游小园》)诗云'开到荼蘼花事了',为当春尽时开耳。"②"嫩寒"句:嫩寒,微寒。王诜《踏青游》:"金勒狨鞍,西城嫩寒春晓。"无赖,犹无奈。③"休傍"句:柳永《凤凰阁》:"相思成病,那更潇潇雨落。断肠人在阑干角。"张元干《楼上曲》:"明朝不忍见云山。从今休傍曲阑干。"

[评析]

　　这首词,《瑶华集》所收有词题:"无题"。在诗词阐释传统中,因为有了像李商隐难以索解又令人欲罢不能的《无题》一类诗的存在,后来者对于以"无题"为题的作品,一般都会不由自主地展开想象,认为它们可能会与恋情相关,所谓无题胜有题。(按:李商隐无题诗读解详情,可参钱钟书先生《谈艺录》及刘学锴、余恕诚先生《李商隐诗歌集解》。)这首《酒泉子》中简洁幽婉的意象组合所传达出的情景,如花事阑珊,篆香燃尽,早鸦鸣啼,辗转反侧,月明如水,清辉寒体,阑干愁倚,灯落雁飞,也仿佛共同作出了某种暗示,让人产生联想。其实,"无题"也还可以作另外一种理解,即作者希望表达,或者说希望与读者分享的,只是某种细微的但却是莫可名状的情绪上的感发与触动。

　　陈廷焯很欣赏这首词,自然是以其"沉郁说"衡量的结果,大致上是认为它在审美体验的表达上"欲露不露,反复缠绵"(《白雨斋词话》卷一),达到了"委婉而深厚"(《白雨斋词话》卷五)的创作高境。陈廷焯又在《词则·闲情集》中说这首词"情词凄惋,似韦端己手笔"。看法与词话所论不完全相同。《闲情集》中这两句简短的评语,至少包含了三层意思。首先,间接揭示出纳兰词哀婉的总特征除在爱情题材和边塞主题中有突出展示之外,在像《酒泉子》一类的杂感中也有相当充分的表现。其次,直接判断纳兰词与韦庄的作品是相通的,这首词便是一个例证。韦庄的词,如代表作之一的《菩萨蛮》:"人人尽说江南好。游人只合江南老。春水碧于天。画船听雨眠。　　垆边人似月。皓腕凝霜雪。未老莫还乡。还乡须断肠。"以白描手法写出游子所见所思,语言自然,情调疏朗,抒情显豁。与纳兰的《酒泉子》相比较,的确在语言使用、抒情方式上有一些相近的地方。简单地说,就是两人的词都称得上情深语秀。这也说明,纳兰词之所以能够在整体上展现出高水平，是与他酷爱并重视学习唐五代词分不开的。最后，认为这首《酒泉子》抒发的是一种"闲情"。不过，虽然是本不必深求的"闲情"，纳兰词却仍然明确体现出了情感细腻含蓄、意致深沉幽远的特色，也比较符合王国维"以自然之眼观物，以自然之舌言情"的评价。忠实于自己的真情实感，毫不做作地表达出来，纳兰词的动人之处，也正在于此。

凤凰台上忆吹箫　除夕得梁汾闽中信，因赋①

荔粉初装，桃符欲换，怀人拟赋燃脂②。喜螺江双鲤③，忽展新词。稠叠频年离恨，匆匆里、一纸难题。分明见、临缄重发④，欲寄迟迟。　　心知。梅花佳句，待粉郎香令，再结相思⑤。记画屏今夕，曾共题诗。独客料应无睡，慈恩梦、那值微之⑥。重来日，梧桐夜雨，却话秋池。

[注释]

①词题：《瑶华集》作"辛酉除夕得顾五闽中消息"。顾五，即顾贞观。②"荔粉"三句：荔粉，粉荔枝，新春食品。杨慎《艺林伐山》："《玉烛宝典》云：洛阳人家，正旦造丝鸡、蜡燕、粉荔枝。故宋人贺正启有'瑞英饯腊，粉荔迎年'之句。"吴绮《八节长欢》："荔粉桃符，饯将残腊，催送新年。"桃符，旧时所用门神，以桃木板制成。《本草集解》："李时珍曰：《风俗通》曰东海度朔山有大桃蟠屈千里，其北有鬼门，二神守之，曰神荼、郁垒，主领众鬼。黄帝因立桃板于门，画二神以御凶鬼。《典术》云：桃乃西方之木，五木之精，仙木也。味辛气恶，故能压伏邪气，制百鬼。今人门上用桃符辟邪，以此也。"王安石《除日》："爆竹声中一岁除，春风送暖入屠苏。千门万户瞳瞳日，总把新桃换旧符。"燃脂，点燃灯烛。徐陵《玉台新咏序》："于是燃脂暝写，弄笔晨书。"③"喜螺江"句：螺江，螺女江，在福建福州西北。双鲤，书信。张先《虞美人》："愿君书札来双鲤。古汴东流水。"④临缄

重发:张籍《秋思》:"复恐匆匆说不尽,行人临发又开封。"⑤"梅花"三句:"再结相思",《瑶华集》作"一样凄迷",下有注:"辛稼轩客三山,有梅花相思之句。'粉郎香令',梁汾集中语。"辛弃疾《定风波》:"极目南云无过雁。君看。梅花也解寄相思。"据王谠《唐语林》,三国时何晏面白如傅粉,人称粉郎。柳永《甘草子》:"却傍金笼共鹦鹉,念粉郎言语。"香令,为荀彧事。习凿齿《襄阳记》:"刘季和性爱香,谓张坦曰:'荀令君至人家,坐幕三日,香气不歇。'"⑥"慈恩梦"句:慈恩,慈恩寺。孟棨《本事诗·征异》:"元相公稹为御史,鞫狱梓潼。时白尚书在京,与名辈游慈恩,小酌花下,为诗寄元曰:'花时同醉破春愁,醉折花枝当酒筹。忽忆故人天际去,计程今日到梁州。'时元果及褒城,亦寄《梦游》诗曰:'梦君兄弟曲江头,也向慈恩院里游。驿吏唤人排马去,忽惊身在古梁州。'千里神交,合若符契,友朋之道,不期至欤。"

[评析]

这首词作于顾贞观入福建按察使吴兴祚幕府期间,时在康熙十七至二十年(1678~1681)。《瑶华集》此首词题标为"辛酉"除夕,非是,因当年元夕顾氏曾与朱彝尊等人聚饮于纳兰花间草堂。

适逢佳节,纳兰念友之情正切,而此时恰好收到顾贞观寄自闽中的信函,于是援笔赋词。上片在点明除夕之景、怀人之意和得信之事后,即转入写读后之感,通过巧妙点化张籍《秋思》诗意,暗逗出顾氏与自己都是同样的情深一往。下片以"心知"二字领起,虚笔实写——向往酬答优游生活,回忆从前美好时光,逆料梁汾此时寂寥,盼望来日再度重逢,一气而下,具见脉脉真情。顾贞观有一首《望海潮》:"青烟散后,绿云重绾,今来欲见何缘。每约花时,共听莺处,将归几度留连。冰玉语空传。信书生薄命,自古而然。谁遣刚风,无端吹折到青莲。 品题真负当年。倩泪痕和酒,滴醒长眠。香令还家,粉郎依旧,知他一笑幽泉。慧业定生天。怕柔肠侠骨,难忘人间。莫更多情,漫劳天上葬神仙。"作于纳兰去世之后,个中"香令"、"粉郎"等句,可见对这一韵事的追念缅怀。

好友间除夕酬唱,例非罕见。如白居易的《除夜寄微之》:"鬓毛不觉白毵毵,一事无成百不堪。共惜盛时辞阙下,同嗟除夜在江南。家山泉石寻常忆,世路风波子细谙。老校于君合先退,明年半百又加三。"元稹的《除夜酬乐天》:"引帷绥箷乱毵毵,戏罢人归思不堪。虚涨火尘龟浦北,无由阿伞凤城南。休官期限元同约,除夜情怀老共谙。莫道明朝始添岁,今年春在岁前三。"除夕是阖家团圆、辞旧迎新的传统节日,当此之际,纵情欢乐本是题中应有之义:"蟋蟀在堂,岁聿其莫。今我不乐,岁月其除。"(《诗·唐风·蟋蟀》)元、白之作,友情荡漾,联袂展示出了一个属于他们两人的、特别的除夕。成、顾步武其后,一同其妙。

渔 父

收却纶竿落照红。秋风宁为剪芙蓉①。人淡淡,水濛濛。吹入芦花短笛中。

[注释]

①"收却"二句:纶竿,钓竿。邢昺《尔雅疏》:"今江东人呼荷花为芙蓉。"依《说文解字》,未发为菡萏,已发为芙蓉。白居易《长恨歌》:"归来池苑皆依旧,太液芙蓉未央柳。"

[评析]

"渔父"词作为一个独特的传统题材系列,通过描写渔父生活及其生活环境,借以抒发隐逸之思乃至悟道参禅,同时,作为文化符码,以追求人格独立、精神自由为要义,对提升人生境界有着重要的启迪意义。大历年间,张志和创作《渔父》五首,其第一首云:"西塞山前白鹭飞。桃花流水鳜鱼肥。青箬笠,绿蓑衣。斜风细雨不须归。"体现了隐逸之乐和自在无拘的词心,境界潇洒,"妙通造化"(刘熙载《艺概》卷四。按:柳宗元《江雪》:"千山鸟飞绝,万径人踪灭。孤舟蓑笠翁,独钓寒江雪。"天怀淡定,风趣静峭,俞陛云先生《诗境浅说》以为有张志和《渔父》"所未道之境")。这组词不仅一时递相唱和,而且远播日本。纳兰的这首《渔父》,是题于徐釚《枫江渔父图》上的作品,时在康熙十八年(1679)。虽然与朱彝尊、屈大均、徐乾学、王士禛等一众题跋题咏者角度未必全不同,但借题发挥,清秀超逸,句句写景,句句含情,"同人以为可与张志和并传"(徐釚《词苑丛谈》卷五)。

首句为全篇定下基调,夕阳西下,悠然收竿,在景象的勾绘中传递出一种逍遥自在的情绪。次句写秋风残荷,摇曳凄美,以一"宁"字连缀,暗示出作者的持守与超脱之意。纳兰"常有山泽鱼鸟之思"(韩菼《通议大夫一等侍卫进士纳兰君神道碑铭》),这种独特的思路,也很可能出自唐人郭恭的《秋池一枝莲》:"秋至皆零落,凌波独吐红。托根方所得,未肯即随风。"接下来,随着时间的流逝,镜头由近景推为远观,天青水蔼,舟摇影去,静谧安和,颇有天人合一的意境。结句寓情于景,芦花飘飞,短笛悠扬,秋情无边,既有归去来兮的坦然洒脱,又有对归去之后的美好憧憬。一个"吹"字,写来栩栩如生,使人如身历其境。顾贞观有同调词,似为和韵纳兰:"十里烟波唤小红。问他鸥鹭可相容。人淡荡,影空濛。一笠重寻是画中。"角度微异,可以参读。

望海潮　宝珠洞①

汉陵风雨,寒烟衰草,江山满目兴亡②。白日空山,夜深清呗,算来别是凄凉。往事最堪伤。想铜驼巷陌,金谷风光③。几处离宫，至今童子牧牛羊。　　荒沙一片茫茫。有桑干④一线，雪冷雕翔。一道炊烟，三分梦雨⑤，忍看林表⑥斜阳。归雁两三行。见乱云低水，铁骑荒冈。僧饭黄昏，松门凉月⑦拂衣裳。

[注释]

①宝珠洞：或位于今北京西郊八大处。②"寒烟"二句：王安石《桂枝香》："六朝旧事随流水，但寒烟、芳草凝绿。"辛弃疾《念奴娇》："虎踞龙蟠何处，只有兴亡满目。"③"想铜驼"二句：金谷，金谷园，晋石崇筑于洛阳。何逊《车中见新林分别甚盛》："金谷宾游盛，青门冠盖多。"刘禹锡《杨柳枝》："金谷园中莺飞乱，铜驼陌上好风吹。"周邦彦《瑞鹤仙》："寻芳遍赏，金谷里，铜驼陌。"④桑干：桑干河。朱彝尊《最高楼》："望不尽、军都山一面，流不尽、桑干河一线。"⑤梦雨：王若虚《滹南诗话》："盖雨之至细，若有若无者，谓之'梦'。"李商隐《重过圣女祠》："一春梦雨常飘瓦，尽日灵风不满旗。"苏轼《次韵林子中春日新堤书事见寄》："为报年来杀风景，连江梦雨不知春。"贺铸《怨三三》："对梦雨廉纤。愁随芳草，绿遍江南。"⑥林表：谢朓《休沐重还丹阳道中诗》："云端楚山见，林表吴岫微。"李善注："表，犹外也。"⑦松门凉月：寺门。王勃《游梵宇三觉寺》："萝幌栖禅影，松门听梵音。"朱彝尊《夏初临》："驱马斜阳，到鸣钟、佛火黄昏。伴残僧，千山万水，凉月松门。"

[评析]

这首词，《饮水词笺校》以为是纳兰"早期习作，作期应在康熙十四年前"。往事堪哀，对景难排，词以今昔兴亡之感统领全篇，引起下文，继以平铺直叙之法，描绘所见景象，情在其中。

《望海潮》一调，众所周知的名篇出自柳永："东南形胜，三吴都会，钱塘自古繁华。烟柳画桥，风帘翠幕，参差十万人家。云树绕堤沙。怒涛卷霜雪，天堑无涯。市列珠玑，户盈罗绮竞豪奢。重湖叠巘清嘉。有三秋桂子，十里荷花。羌管弄晴，菱歌泛夜，嬉嬉钓叟莲娃。千骑拥高牙。乘醉听箫鼓，吟赏烟霞。异日图将好景，归去凤池夸。"将城市生活的繁华描绘得淋漓尽致，可谓"承平气象，形容曲尽"（陈振孙《直斋书录解题》卷二十一）。在后世词家的追和之作中，严绳孙的一首《望海潮·钱塘怀古，和柳屯田》有所创变："吴颠越蹶，玄黄战罢，无多钱赵兴亡。城桥宵严，宫鸦晓起，潮声依旧钱塘。绮丽最难忘。有蜀船红锦，粤橐沉香。别样风流，翠翘金凤内家妆。　　笙歌十里湖光。更沈云菰米，坠粉莲房。一道愁烟，三分流水，恼人唯有斜阳。尽日绕荒冈。又秋营画角，粉队军装。指点六陵，衰草下牛羊。"吴绮对严作评价颇高："往余解组溪干，系船河曲，见当垆之酒母，瓮酿百花；有题壁之词人，墨成五彩，则严子荪友所制《望海潮》一章也。"（《秋水词序》）如果把下片第四、五、六三句对照起来看，纳兰词局部模仿严词的痕迹确实比较重。不过，除对传统主题取向继续有所调整之外，纳兰词还是显出了独特的个性风貌，即全篇笼罩着哀凄伤感的情调。

满江红　为曹子清题其先人所构楝亭，亭在金陵署中[①]

籍甚平阳，羡奕叶、流传芳誉[②]。君不见、山龙补衮，昔日兰署[③]。饮罢石头城下水，移来燕子矶边树[④]。倩一茎、黄楝作三槐，趋庭处[⑤]。　　延夕月，承晨露。看手泽[⑥]，深余慕。更凤毛才思，登高能赋[⑦]。入梦凭将图绘写，留题合遣纱笼护[⑧]。正绿阴青子盼乌衣，来非暮[⑨]。

[注释]

①词题：曹寅（1659～1712），字子清，号荔轩，又号楝亭，隶满洲正白旗。曹雪芹祖父。康熙二十九年（1690）以郎中差苏州织造，经二年，改江宁织造，连任二十年之久。二女均被选作王妃。著有《楝亭集》。②"籍甚"二句：籍甚，盛大。《汉书·陆贾传》："贾以此游汉廷公卿间，名声籍

甚。"平阳,曹参受封平阳侯。奕叶,累世。蔡邕《琅琊王傅蔡朗碑》:"奕叶载德,常历宫尹。"③"君不见"二句:山龙,衮服上所绘章纹。《晋书·舆服志》:"王公衣山龙以下九章,卿衣华虫以下九章。"补衮,补救、规谏帝王过失。《诗·大雅·烝民》:"衮职有阙,维仲山甫补之。"兰署,唐秘书省为兰署。④"饮罢"二句:尉迟偓《中朝故事》:"赞皇公李德裕,博达之士也。居廊庙日,有知奉使于京口。李曰:还日,金山下扬子江中冷水,与取一壶来。其人举棹日,醉而忘之。泛舟上石头城下,方忆及,汲一瓶于江中,归献之。李公饮后,惊讶非常,曰:江表水味,有异于顷岁矣。此水颇似建业石城下水。其人谢过,不敢隐也。"燕子矶,在南京东北郊观音门外,三面悬绝临江,状若飞燕。⑤"倩一茎"二句:《周礼·秋官·朝士》:"面三槐,三公位焉。"《论语·季氏》:"(孔子)尝独立,(孔)鲤趋而过庭。曰:'学诗乎?'对曰:'未也。''不学诗,无以言。'鲤退而学诗。"后因以三槐喻三公,趋庭谓承父教。⑥手泽:先人或前辈遗物、遗墨等。《礼记·玉藻》:"父没而不能读父之书,手泽存焉尔。"⑦"更凤毛"二句:《世说新语·容止》:"王敬伦风姿似父。作侍中,加授桓公公服,从大门入。桓公望之曰:'大奴固自有凤毛。'"有凤毛者,犹凤雏。晁端礼《永遇乐》:"龙阁先芬,凤毛荣继,当世英妙。"《汉书·艺文志》:"传曰:不歌而诵谓之赋,登高能赋可以为大夫。"⑧"留题"句:王定保《唐摭言》:"王播少孤贫,尝客扬州惠昭寺木兰院,随僧斋餐,诸僧厌怠,播至,已饭矣。后二纪,播自重位出镇是邦,因访旧游,向之题已皆碧纱幕其上。播继以二绝句曰:'二十年前此院游,木兰花发院新修。而今再到经行处,树老无花僧白头。''上堂已了各西东,惭愧阇黎饭后钟。二十年来尘扑面,如今始得碧纱笼。'"⑨"正绿阴"二句:张先《倾杯》:"芳菲故苑。深红尽、绿叶阴浓,青子满枝头。"文天祥《杏花》:"春老绿阴青子近,东风来往一吹嘘。"《南齐书·王僧虔传》:"甲族向来多不居宪台,王氏以分枝居乌衣者,位官微减,僧虔为此官,乃曰:此是乌衣诸郎坐处,我亦可试为耳。"周应合《景定建康志》:"乌衣巷在秦淮南,晋南渡,王谢诸名族居此,时谓其子弟为乌衣诸郎。"《后汉书·廉范传》:"建中初,迁蜀郡太守,其俗尚文辩,好相持短长,范每厉以淳厚,不受偷薄之说。成都民物丰盛,邑宇逼侧,旧制禁民夜作,以防火灾,而更相隐蔽,烧者日属。范乃毁削先令，但严使储水而已。百姓为便，乃歌之曰：'廉叔度，来何暮。不禁火，民安作。平生无襦今五绔。'在蜀数年，坐法免归乡里。"

[评析]

这首《满江红》，《饮水词笺校》以为作于曹寅携《楝亭图卷》至京后，时在康熙二十四年（1685）五月，距纳兰亡故不及一月。前一年冬，纳兰随扈南巡，曾至江宁织造府，会曹寅。周汝昌先生的考证，结论大体不误，但推论环节不无疑问："据词中'绿阴青子'之语，断非冬日口气。"（《红楼梦新证·史事稽年》）纳兰词前有序《曹司空手植楝树记》，就中所云，即可证之："余友曹君子清，风流儒雅，彬彬乎兼文学政事之长，叩其渊源，盖得之庭训者居多。子清为余言，其先人司空公当日奉命督江宁织造，清操惠政，久著东南。于时尚方资黼黻之华，闾阎鲜杼轴之叹，衙斋萧寂，携子清兄弟以从，方佩觿佩韘之年，温经课业，靡间寒暑。其书室外，司空亲栽楝树一株，今尚在无恙。当夫春葩未扬，秋实不落，冠剑廷立，俨如式凭。嗟乎！曾几何时，而昔日之树，已非拱把之树，昔日之人，已非童稚之人矣。语毕，子清愀然念其先人。余谓子清：'此即司空之甘棠也。惟周之初，召伯与元公尚父并称，其后伯禽抗世子法，齐侯伋任虎贲，直宿卫，惟燕嗣不甚著。今我国家重世臣，异日者，子清奉简书乘传而出，安知不建牙南服，踵武司空。则此一树也，先人之泽，于是乎延，后世之泽，又于是乎启矣。可无片语以志之？'因为赋长短句一阕。同赋者，锡山顾梁汾。"

纳兰在这首词中连用典实，赞美之情溢于言表，跟他的绝大部分作品不同，很大一部分原因在于题赠对象与清室的特殊关系（曹寅的嫡母孙氏曾是康熙帝乳母），但运典又较为恰切，典雅不失气度，婉曲无碍流畅。顾贞观的和词与之笔路酷肖，却在情绪的发露方面相对有所克制，录以并读："绣虎才华，曾不减、司空清誉。

还记得、当年绕膝,雁行冰署。依约阶前双玉笋,分明海上三珠树。忆一枝、新荫小书窗,亲栽处。　柯叶改,霜和露。云舍杳,空追慕。拟乘轺即日,旧游重赋。暂却缁尘求独赏,层修碧槛须加护。早催教、结实引鹓雏,相朝暮。"

浣溪沙

一半残阳下小楼。朱帘斜控①软金钩。倚栏无绪不能愁。有个盈盈骑马过②,薄妆浅黛亦风流。见人羞涩却回头。

[注释]

①控:下垂、弯曲貌。史隽之《望海潮》:"八窗尽控琼钩。送帆樯杳杳,潮汐悠悠。"②"有个"句:严绳孙《虞美人》:"暗愁如雾又黄昏。有个盈盈相并、说游人。"

[评析]

这首《浣溪沙》以词写故事,撷取生活中的一个常见场景,通过描绘一名怀春女子的羞涩形象,表达抒情主人公的一怀愁绪,情韵清丽。

梁启勋曾经指出:"至于词则以格律与字数所限,不宜于叙事,更无论矣。中间唯赵德麟以十二首《蝶恋花》写《会真记》,开出以词曲叙事之法门。厥后遂有孔芸亭之《桃花扇》传奇,以四十出之长篇叙述晚明南朝故事之杰作。元明之传奇,实不啻举词曲不宜叙事之桎梏,揉碎而摧废之也。噫嘻,此非穷则变、变则通之明效欤。"(《曼殊室词话》卷三,《曼殊室随笔》辑录本,载《词话丛编续编》)话虽如此说,赵令畤的作品毕竟还是适当借助了词前序文的补充说明功能。到了明、清之际,情况就发生了比较大的变化,"传奇"的概念已经开始体现在散文和诗词中,吴伟业以歌行体入词,就是一种传奇式的写法。吴氏十三首《满江红》,以史事、时事入词,连缀吟咏,可称词中"梅村体"。如其中的一首《满江红·蒜山怀古》:"沽酒南徐,听夜雨、江声千尺。记当年、阿童东下,佛狸深入。白面书生成底用,萧郎裙屐偏轻敌。笑风流北府好谭兵,参军客。　人事改,寒云白。旧垒废,神鸦集。尽沙沉浪洗,断戈残戟。落日楼船鸣铁锁,西风吹尽王侯宅。任黄芦苦竹打荒潮,渔樵笛。"咏杨文骢抗清事,声悲情苦,以《明史》杨氏本传所云衡之,若合符契。又,龚鼎孳顺治八年(1651)之前所作的《白门柳》五十九首,描写他和"秦淮八艳"之一的顾媚的一段情史,跟李雯应该是承继秦观、毛滂、赵令畤而来的"题西厢图二十则"系列词作一道,都继承了晚唐五代以来以词写故事的传统,也是清初以传奇之法为词的明确表现,后出转精,显示出"词的表现功能在进一步增强"(张宏生、冯乾《白门柳:龚顾情缘与明清之际的词风演进》)。他们的创造,显然可能会对包括纳兰在内的词人们产生较为直接的影响。

菩萨蛮

梦回酒醒三通鼓①。断肠啼鴂②花飞处。新恨隔红窗。罗衫泪几行。　相思何处说③。空有当时月④。月也异当时。团圞⑤照鬓丝。

[注释]

①"梦回"句:朱淑真《春宵》:"梦回酒醒春愁怯,宝鸭烟销香未歇。"孙洙《菩萨蛮》:"楼头尚有三通鼓。何须抵死催人去。"②啼鴂(jué):《汉书·扬雄传》注:"鶗鴂,一名子规,一名杜鹃,常以立夏鸣,鸣则众芳皆歇。"张先《千秋岁》:"数声鶗鴂。又报芳菲歇。"③"相思"句:韦庄《应

天长》:"暗相思,无处说。惆怅夜来烟月。"④"空有"句:晏幾道《采桑子》:"白莲池上当时月,今夜重圆。"⑤团圞:任华《寄杜拾遗》:"积翠扈游花匼匝,披香寓值月团圞。"

[评析]

  这是一首伤情之作。郁怀难遣,长夜无眠,酒醒梦回,鼓已三通,此刻偏偏又传来杜鹃的悲啼声,不禁倍感凄怆,清泪涟涟。但此情谁诉?忍顾明月依旧在,却与当时大不同,现在只是孤零零地映照着月下一人,让人更觉孤单清冷。一种况味凄楚处,应有得于韦庄《应天长》:"别来半岁音书绝。一寸离肠千万结。难相见,易相别。又是玉楼花似雪。 暗相思,无处说。惆怅夜来烟月。想得此时情切。泪沾红袖黦。"

  词中"空有当时月。月也异当时"二句,寻常语写来,有非同寻常的感慨,多少能够让我们想到刘希夷《代悲白头翁》中的"年年岁岁花相似,岁岁年年人不同",以及张若虚《春江花月夜》中的"人生代代无穷已,江月年年只相似"等名句。纳兰对于"空有"二句显然颇为自得,所以在同调词中重复使用:

  催花未歇花奴鼓。酒醒已见残红舞。不忍覆余觞。临风泪数行。 粉香看又别。空剩当时月。月也异当时。凄清照鬓丝。

惹人怀疑二者当初或为一词。事实上,类似的"互见"情形在文学史上并非罕见。如晏殊的七律《示张寺丞王校勘》:"元巳清明假未开,小园幽径独徘徊。春寒不定斑斑雨,宿酒难禁滟滟杯。无可奈何花落去,似曾相识燕归来。游梁赋客多风味,莫惜青钱万选才。"作者曾将颈联原原本本地移植到自己的词作中:"一曲新词酒一杯。去年天气旧亭台。夕阳西下几时回。 无可奈何花落去,似曾相识燕归来。小园香径独徘徊。"(《浣溪沙》)结果,非但没有削弱,反而在新的语境中取得了强烈的审美效果,即在悲哀之中显出一种内省,甚至隐隐透出一缕哲人之思,将妙手偶得之句赋予了一定的形而上的意义。与纳兰稍有不同的是,晏殊的做法,无论是诗先词后,还是词先诗后,都称得上"诗词互见,各有佳处"(陈廷焯《白雨斋词话》卷五)。

相见欢

落花如梦凄迷①。麝烟②微。又是夕阳潜下、小楼西③。
愁无限,消瘦尽,有谁知。闲教玉笼鹦鹉、念郎诗。

[注释]

①"落花"句:秦观《浣溪沙》:"自在飞花轻似梦,无边丝雨细如愁。"②麝烟:焚麝香散发出的烟。温庭筠《菩萨蛮》:"深处麝烟长。卧时留薄妆。"③夕阳潜下、小楼西:杜牧《题扬州禅智寺》:"暮霭生深树,斜阳下小楼。"

[评析]

落花如梦,麝烟微袅,夕阳西下,为伊憔悴无人晓,闲教鹦鹉念郎诗。这首《相见欢》在环境的渲染、细节的描摹和心理的刻画中,生动形象地描绘出闺中相思女子的无限惆怅与寂寞。一结从柳三变乐章变化而来,也同样能够做到艳而不纤,细腻传神。纳兰于制词一道深造有得,此为一例。

还不尽如此。人云诗中有画,而词中实亦有之。纳兰的这首词,和他所承袭的柳永《甘草子》都是这样:"秋暮。乱洒衰荷,颗颗真珠雨。雨过月华生,冷彻鸳鸯浦。 池上凭阑愁无侣。奈此个、单栖情绪。却傍金笼共鹦鹉。念粉郎言语。"在这两首词分别勾绘出的两幅图画中,最为别开生面的就是结末画龙点睛之句,因为其中包蕴的无尽内涵——抒情女主人公教鹦鹉所念的,也正是画图难足的"画外之音"。将念念不忘之情通过鹦鹉学"念"来表现,已是极含蓄婉曲之致,但怀想之意怎能真正遗忘,所以,本来是想借以疗治相思之苦并自我安慰的无奈之举,在不断重复的鸟语过后,却反而会不断增添一缕缕的凄凉伤感。这样,就使得词意又向前深入推进了一层。此外,彭孙遹《金粟词话》认为,柳词结二句乃"《花间》之丽句"。其实,柳词中"真珠"、"月华"、"金笼"等语,亦皆具艳丽藻彩,为的是在凄美环境与虚空心境的强烈对比中,收到反衬的奇妙功效。相比而言,纳兰词的画面要稍微简淡一些,相应地,其美学效果也就可能不免稍逊一筹。云间派殿军周稚廉亦有此类曲传神情之笔:"小鬟衫著轻罗。发如螺。睡起钗偏髻倒、唤娘梳。 心上事,春前景,闷中过。打叠闲情别绪、教鹦哥。"(《相见欢》)然较之纳兰词,又等而下之矣。

昭君怨

暮雨丝丝吹湿。倦柳愁荷①风急。瘦骨不禁秋②。总成愁。别有心情怎说。未是诉愁时节。谯鼓③已三更。梦须④成。

[注释]

①倦柳愁荷:史达祖《秋霁》:"江水苍苍,望倦柳愁荷,共感秋色。"②"瘦骨"句:吴文英《惜秋华》:"凡花瘦不禁秋,幻腻玉、腴红鲜丽。"③谯(qiáo)鼓:谯楼更鼓。毛开《江城子》:"坐听三通,谯鼓报笼铜。"④须:张相《诗词曲语辞汇释》:"须,犹应也。"柳永《玉女摇仙佩》:"须信画堂绣阁,皓月清风,忍把光阴轻弃。"

[评析]

这首词写愁情,立意虽不无平浅,但在轻巧勾勒中,尚能收有余不尽之妙。暮雨风急,瘦骨成愁,愁能"怎说",唯有梦中,但夜已深更,梦却不成,此情谁诉,于是愁上添愁。

结句"梦须成",担受全篇抒情力度逐渐聚集之重,是为词眼。这种写法,显系承继唐诗宋词中经典名篇而来。如杜甫《羌村三首》其一中末二句:"夜阑更秉烛,相对如梦寐。"写夜阑不寐,秉烛对视,恍如梦中,囊括乱世离情,令全章摇曳生姿。晏幾道在两宋词人中尤其善于创造如梦似幻的艺术境界,如《鹧鸪天》:"小令尊前见玉箫。银灯一曲太妖娆。歌中醉倒谁能恨,唱罢归来酒未消。　春悄悄,夜迢迢。碧云天共楚宫遥。梦魂惯得无拘检,又踏杨花过谢桥。"结二句写梦中追寻,得程颐"鬼语"之赏,意谓非人力所能为。(王夫之所编《唐诗评选》中选有两首"虎丘鬼"诗,诗中有云:"白日徒昭昭,不照长夜台。虽知生者乐,魂魄安能回"、"白日非我朝,青松为我门。虽复隔幽显,犹知念子孙",乃是真正的"鬼语",又似乎有一点编者评语中所谓的"生人之理"。)晚清女词人顾春有《既选宋词三卷遂以词中七言句集为三十九绝句》(诗题中"三十九"原作"三十八",此据张璋先生编校《顾太清奕绘诗词合集》)和《前年既选宋词集选中句得三十九截句今掇其余复成三十五首》两组诗,将小山此词中除"歌中"、"梦魂"二句以外的五个七言句全数集入选后绝句,也可见出其赏爱程度。又如《鹧鸪天》(彩袖殷勤捧玉钟)结二句:"今宵剩把银釭照,犹恐相逢是梦中。"写别后重逢,较之杜诗要更为细腻曲折。沈祖棻先生对这两句的鉴赏堪称鞭辟入里:"由于相思,曾经多次做梦,今天夜里是真的见面了,却反而疑惑起来,以为又在梦中。为了解除这个是真还是幻的疑问,只好把银灯尽管拿着照了又照,才放下心来。"(《宋词赏析》)纳兰的这首《昭君怨》言愈简而情非浅,盖可谓力攀巨人之肩者。

霜天晓角

重来对酒。折尽风前柳。若问看花情绪,似当日、怎能彀。

休为西风瘦①。痛饮频搔首。自古青蝇白璧②,天已早、安排就。

[注释]

①"休为"句:李清照《醉花阴》:"莫道不消魂,帘卷西风,人比黄花瘦。"②青蝇白璧:青蝇,苍蝇的一种。王充《论衡·商虫》:"谗言伤善,青蝇污白,同一祸败,诗以为兴。"陈子昂《宴胡楚真禁所》:"人生固有命,天道信无言。青蝇一相点,白璧遂成冤。"

[评析]

这首词写送别。上片说当日把酒,相得甚欢,如今却要对酒作别,而此时的心情早已跟当初不同,追忆中满含惜别之情。下片感慨世事人生,互致慰勉,结处颇有斩截、不平之意。

人云相见时难别亦难,所以,如李白《送孟浩然之广陵》中的"孤帆远影碧空尽,唯见长江天际流",柳永《雨霖铃》中的"便纵有千种风情,更与何人说",无不优先表达缠绵缱绻与兴味神韵。又云壮别天涯未许愁,所以,如王勃《送杜少府之任蜀州》中的"海内存知己,天涯若比邻",王维《送元二使安西》中的"劝君更尽一杯酒,西出阳关无故人",又能重点突出盛朝气象及其可遇难求的美学境界。纳兰词与之不尽同,时有难明就里的抑郁忧愤语,如这首《霜天晓角》中的结二句"自古青蝇白璧,天已早、安排就"。类似的颇有"块垒"情形,在纳兰的其他作品中也非罕见,如《金缕曲·赠梁汾》中的"且由他、蛾眉谣诼,古今同忌。身世悠悠何足问,冷笑置之而已",以及《金缕曲·简梁汾》中的"仕宦何妨如断梗,只那将、声影供群吠"等。

民国词人严既澄曾强烈反对常州派读解词作中的附会穿凿之风,甚至目常派"主风骚、托比兴之言"为"魔道",认为"幽微婉约"乃得"词之正则",并以此为准的评骘清词名家大家:"纳兰才高,时或失之纵恣。竹垞则华妆盛饰,真美反掩而不彰。其能掇周、柳之流风,嗣南唐之逸响者,惟项忆云庶乎近之。"又云:"此吾夙昔之蕲向,沈翁(指沈宗畸)品题之语,可谓先得吾心。"(《驻梦词》自跋)所谓"纵恣",既不"幽微"也不"婉约"应该是包含于其中的,上述纳兰词的忧愤之情或可为一例。王钟翰先生曾指出,清代前期党争可以概括为五个方面:皇权与八旗分权之争、满汉党祸、南北党人之争、朱王理学之争、中宫党争。(《清史余考·清朝前期的党争问题》)考察纳兰抑郁忧愤之由,党争也许可以成为重点考虑的一个方面。

鹊桥仙

倦收缃帙①,悄垂罗幕,盼煞一灯红小。便容生受博山香②,销折得、狂名多少。　　是伊缘薄,是侬情浅,难道多磨更好。不成③寒漏也相催,索性尽、荒鸡唱了。

[注释]

①缃(xiāng)帙:浅黄色函套,代指书。《宋书·顺帝纪》:"姬夏典载,犹传缃帙,汉魏余文,布在方册。"②博山香:博山炉所焚之香。《西京杂记》:"长安巧工丁缓者……作九层博山香炉,镂为奇禽怪兽,穷诸灵异,皆自然运动。"徐炬《徐氏笔精》卷三:"博山炉,上有盖,如山形,香烟缠绕,不相离也。"王炎《木兰花慢》:"博山香雾冷,新雨过、怯单衣。"③不成:张相《诗词曲语辞汇释》:"不成,犹云难道也。"方岳《立春前一日雪》:

"不成过腊全无雪,只隔明朝便是春。"

[评析]

这首《鹊桥仙》描写一段情缘失落后的迷惘与煎熬。缃帙罗幕,灯红烟香,狂名销折,上片凄寂无聊背面的甜蜜怀旧基本上是明丽轻快的;缘薄情浅,几多磨折,漏寒鸡鸣,下片通宵难眠的伤感抚今满是抑郁自怨,明暗两相对照,相副而出,尤其能够彰显忧伤与痛苦。

值得注意的是,词中上片结句"销折得、狂名多少",在略显突兀中托身世之感于艳情,从而拓展了作品的内涵,包括诸如并非只能是基于艳情的悔尤之意之类。这种写法有着悠久的传统。秦观便被公认为善于"将身世之感,打并入艳情"(周济《宋四家词选》),从而给传统的艳词注入了新的情感内涵。如《满庭芳》:"山抹微云,天连衰草,画角声断谯门。暂停征棹,聊共引离尊。多少蓬莱旧事,空回首、烟霭纷纷。斜阳外,寒鸦数点,流水绕孤村。　　销魂。当此际,香囊暗解,罗带轻分。谩赢得、青楼薄幸名存。此去何时见也,襟袖上、空惹啼痕。伤情处,高城望断,灯火已黄昏。"由别时写到往日,再写到别后,层层展开。尽管过片"销魂"以下数句暗示幽欢,不够雅正,被苏轼斥为学柳七作词,但以景结情,便有余味,官场失意也依稀包蕴其中。如果联系李清照在南渡以后所创作的《永遇乐》(落日镕金)诸作,可以看出一条前后贯通的线索。现在,纳兰又似乎把这条线连起来了。从这种意义上讲,在难以具备所谓"弱德之美"(这是叶嘉莹先生在《从艳词发展之历史看朱彝尊爱情词之美学特质》中首先提出来的词学批评概念)这一点上,哀婉无边的纳兰与凄厉无比的秦观倒是非常接近的。

水龙吟 题文姬图

须知名士倾城①,一般易到伤心处。柯亭响绝,四弦才断②,恶风吹去。万里他乡,非生非死③,此身良苦。对黄沙白草,呜呜卷叶④,平生恨、从头谱。　　应是瑶台⑤伴侣。只多了、毡裘⑥夫妇。严寒觱篥⑦,几行乡泪,应声如雨。尺幅重披,玉颜千载,依然无主⑧。怪人间厚福,天公尽付,痴儿骏女⑨。

[注释]

①名士倾城:刘缓、萧纲分别有诗《敬酬刘长史咏名士悦倾城》、《和湘东王名士悦倾城》,名士悦倾城,由来佳话。李延年《北方有佳人》:"北方有佳人,绝世而独立。一顾倾人城,再顾倾人国。宁不知倾城与倾国,佳人难再得。"②"柯亭"二句:伏滔《长笛赋·序》:"邕避难江南,宿于柯亭。柯亭之观,以竹为椽。邕仰而眄之曰:'良竹也。'取以为笛,奇声独绝。历代传之,以至于今。"《后汉书·列女传》李注引刘昭《幼童传》:"邕夜鼓琴,弦绝。琰曰:'第二弦。'邕曰:'偶得之耳。'故断一弦问之,琰曰:'第四弦。'并不差谬。"③非生非死:吴伟业《悲歌赠吴季子》:"山非山兮水非水,生非生兮死非死。"④卷叶:白居易《杨柳枝》:"剥条盘作银环样,卷叶吹为玉笛声。"⑤瑶台:王嘉《拾遗记》:"昆仑山……傍有瑶台十二,各广千步,皆五色玉为台基。"⑥毡裘:《胡笳十八拍》:"毡裘为裳兮骨肉震惊,羯膻为味兮枉遏我情。"⑦觱篥(bì lì):即茄管,古乐器名。⑧"依然"句:《胡笳十八拍》:"天灾国乱兮人无主,唯我薄命兮没胡虏。"⑨痴儿骏女:骏,愚。王之道《减字木兰花》:"一笑酬春聊适性。骏女痴儿,半挽梅花半柳枝。"

[评析]

一般来讲,作为鉴赏者和接受者,题图之人往往凭借独特的艺术敏觉,去理解特定的图画作品,并用恰当的文学形式表达出来,发挥画意,开拓画境,使图文交相辉映,相得益彰。有时也结合身边的人和事，借题发挥，可能成为不断增加的相关人文积淀的一部分。蔡文姬，"陈留董祀妻者，同邑蔡邕之女也。名琰，字文姬。博学有才辩，又妙于音律。兴平中，天下丧乱，文姬为胡骑所获，没于南匈奴左贤王，在胡十二年，生二子。曹操素与邕善，痛其无嗣，乃遣使者以金璧赎之，而重嫁于祀"（《后汉书·列女传》）。她的非常特别的经历，当然不可能在一幅画里面全部表现出来，但是无论如何，能够引人联想、喟叹的点还是比较丰富的。

纳兰所题《文姬图》，不知何人所绘。从词中对她"万里他乡，非生非死，此身良苦"、"玉颜千载，依然无主"的命运深表同情的内容来看，画面上勾绘的可能主要是其远嫁塞外的情景。（从现存北宋末年不具名长卷《文姬归汉图》来看，这种情景也有可能只是画面的一部分。）《饮水词笺校》认为纳兰之作"藉《文姬图》而咏吴兆骞事"，甚是；但将之准确系年于康熙二十一年（1682）元夕，则尚需求证。姜宸英《题蒋君长短句》记当年元夕此段韵事较详，中有云："中席，主人（指纳兰性德）指纱灯图绘古迹，请各赋《临江仙》一阕。余与汉槎赋裁半，主人摘某字于声未谐，某句调未全。余谓汉槎曰：'此事终非吾擅场，盍姑听客之所为乎？'汉槎亦笑起而搁笔。然数君之于词，亦有不同。梁溪圆美清淡，以北宋为宗；陈则颓唐于稼轩；朱则渐洗于白石。譬之韶夏异奏，同归悦耳。一时词学之盛，度越前古矣。"（《湛园未定稿》卷五）玩其意，纳兰似乎并未当场成词。又，曹寅有《貂裘换酒·壬戌元夕与其年先生赋》："野客真如骛。九逵中、烟花刺魇，嬉游谁阻。鸡壁球场天下少，罗帕钿车无数。齐踏著、软红春土。背侧冠儿挨不转，闹蛾儿、耍到街斜处。挝遍了，梁州鼓。　一丸才向城头吐。白琉璃、秋毫无缺，打头三五。市色灯光争映发，平地鱼龙飞舞。早放尽、千门万户。蜡泪衣香消未得，倩玉梅、手捻从头诉。细画出，胭脂谱。"（《栋亭词钞别集》）调非原定，除结末四句外，词意多涉灯节,若非恰为"图绘"内容,恐亦为雅集过后补作。惜陈维崧词未见,无以对证。

鹧鸪天　离恨

背立盈盈①故作羞。手挼②梅蕊打肩头。欲将离恨寻郎说,待得郎归恨却休。　云淡淡,水悠悠。一声横笛锁空楼③。何时共泛春溪月,断岸④垂杨一叶舟。

[注释]

①盈盈:美好貌。《古诗十九首》:"盈盈楼上女,皎皎当窗牖。"②手挼(ruó):揉弄。晏几道《玉楼春》:"手挼梅蕊寻香径。正是佳期期未定。"③"一声"句:赵嘏《长安晚秋》:"残星半点雁横塞,长笛一声人倚楼。"秦观《调笑令》:"将军一去音容远。空锁楼中深怨。"④断岸:江边绝壁。苏轼《后赤壁赋》:"江流有声,断岸千尺。"

[评析]

这首《鹧鸪天》紧紧围绕"离恨"来写,情意幽独。上片描摹往日欢会之乐,也夹杂着离别的痛楚。其中,首二句的追忆——背立作羞,挼蕊打肩,刻画得风情绰约,犹如山花般烂漫、醉人,酷肖李煜《一斛珠》中结二句的情境:"晓妆初过。沉檀轻注些儿个。向人微露丁香颗。一曲清歌,暂引樱桃破。　罗袖裛残殷色可。杯深旋被香醪涴。绣床斜凭娇无那。烂嚼红茸,笑向檀郎唾。"下片借景烘托离情之苦,又透露出些许期待。其中,过片二句写"云"行"水"流,使用的都是寻常意象。(离愁别恨题材中另外的一个常用意象是"月",以吕本中《采桑子》的构思至为巧妙:"恨君不似江楼月,南北东西。南北东西。只有相随无别离。恨君却似江楼月,暂满还亏。暂满还亏。待得团团是几时。")不过,寻常意象在纳兰笔下糅合于全篇之中,也能做到朴素自然,获得语短情长之效,在一定意义上也可与晏幾道的《少年游》参读:"离多最是,东西流水,终解两相逢。浅情终似,行云无定,犹到梦魂中。　可怜人意,薄于云水,佳会更难重。细想从来,断肠多处,不与者番同。"

值得提出的是,由"寻郎说"等句可见,这首词明显是闺阁代言体。[明确声明"代"言的词作出现较早,如宋代刘镇《临江仙》(荡紫飘红芳信断)即题云"代闺怨"。]但从"何时共泛"结二句虚笔勾绘的美妙图景所振起与宣泄的亮丽情绪来看,则又似乎不必以之为纯粹的代言。因为在这里,说你就是说我。也许正是从这个角度着眼,陈淏在《精选国朝诗余》中给予这首词这样的评价:"尽饶别趣。"

临江仙　无题

昨夜个人曾有约,严城[①]玉漏三更。一钩新月几疏星。夜阑犹未寝,人静鼠窥灯[②]。　原是瞿塘风[③]间阻,错教人恨无情。小阑干外寂无声。几回肠断处,风动护花铃。

[注释]

①严城:何逊《临行公车》:"禁门俨犹闭,严城方警夜。"②"人静"句:秦观《如梦令》:"梦破鼠窥灯,霜送晓寒侵被。"③瞿塘风:瞿塘峡雄踞长江三峡之首,风疾水湍,峡口有滟滪堆,舟行甚难。牛峤《菩萨蛮》:"风流今古隔。虚作瞿塘客。山月照山花。梦回灯影斜。"

[评析]

这首词,陈淏《精选国朝诗余》所录有词题"忆友"。陈氏选本折中分类、分调二种体例,甚为特别:以作品主题分类编排,每首词先列词题，再在词题下以小字标明词调，这是主线；从另一个角度看，全书又是按照小令、中调、长调顺序编排，事实上可以视为三卷，在每种调式内，词作题材都按春、夏、秋、冬的时序分为四个部分，另附咏物、闺情等若干题材，这是副线。这样处理，显然是受到了《草堂诗余》的深刻影响，而又较之同一时期汪森《撰辰集》、顾彩《草堂嗣响》分别直接按照分类、分调方式编排稍有变化。陈选追求变化在另一方面的表现是，在一定范围内打破了明人区分调式的惯常做法，将五十二字而不是六十字以上者，如纳兰的这首《临江仙》，悉数归入中调。这样看来，词题"忆友"未必原有，可能只是编选者按照自己对这首《临江仙》内容的理解加上去的。

倒是陈淏对这首词的评语，承载了较为重要的阅读提示功能："情至语还自解，叹妙。""情至语"在纳兰词中司空见惯，本不足为奇。不过，这首词特定的情感流程——相约、等待、爽约、遗憾、思念，正是靠了纷至沓来的"情至语"，才颇有节奏地向前推进，从而打并情景，表达一往深情。过片二句的"自解"，是篇章结构和情感逻辑的双重收放，通过运典达成，则又更显含韵悠长。从这里可以看出，佟世南《东白堂词选初集》卷七所录词题作"无题"，有似此地无银三百两，甚至比汪刻本的无词题，为更能得其玄妙。

如梦令

万帐穹庐①人醉。星影摇摇欲坠②。归梦隔狼河③，又被河声搅碎。还睡。还睡。解道醒来无味。

[注释]

①穹庐：以形似穹隆得名。西清《黑龙江外记》："呼伦贝尔、布特哈居就水草，转徙不时，故以穹庐为室。穹庐，国语曰蒙古博，俗读'博'为'包'，冬用毡毳，夏用桦皮及苇。"②"星影"句：杜甫《阁夜》："五更鼓角声悲壮，三峡星河影动摇。"③狼河：白狼河。见前《台城路》（白狼河北秋偏早）。

[评析]

这首词，本书前文中已与《长相思》（山一程）合评过。这里，再补充说明一点。以"境界"说词，是王国维词学思想的中枢，所以，《人间词话》开篇即云："词以境界为最上。有境界则自成高格，自有名句。五代、北宋之词所以独绝者在此。"也因此，大凡被他许为有境界的词，往往都是词史上的非同凡响之作。这种非同凡响，是把词与诗直接进行对照比较的结果，也就是说，在王国维的眼中，诗词几乎是可以等量齐观的，这是在清代学人推尊词体的大背景下结出的硕果，也是尊体论无限接近完成的重要标志。当然，在《人间词话》里，"境界"一语，有时又与"气象"不加区别。如"太白纯以气象胜。'西风残照，汉家陵阙'，寥寥八字，遂关千古登临之口。后世唯范文正之《渔家傲》，夏英公之《喜迁莺》，差足继武，然气象已不逮矣"。又如"'风雨如晦，鸡犬不已'、'山峻高以蔽日兮，下幽晦以多雨。霰雪纷其无垠兮，云霏霏而承宇'、'树树皆秋色，山山唯落晖'、'可堪孤馆闭春寒，杜鹃声里斜阳暮'，气象皆相似"。值得注意的是，其中秦观的"可堪孤馆"两句曾被王国维重复征引："少游词境最为凄惋。至'可堪孤馆闭春寒，杜鹃声里斜阳暮'，则变而凄厉矣。"综合各种材料来看，后来的论词者普遍倾向于将纳兰和李煜、秦观等联系起来讨论，承认和肯定纳兰词词境"凄惋"，有些词"眼界"大、"感慨"深，在一定程度上其实就是承认和肯定"境界"说，接过了王国维的衣钵。当然,王国维词学理论体系的内在理路是相当清楚的,以上引文中的这些个案评判结论,是经由"境界"说在逻辑判断上必然会得出的结论,也是对之前诸多相关感性论断在理论层面上的全面总结与提升。

后来者愿意接受"境界"说,还意味着在具体的词学批评实践中,不能以境界的大小分优劣,正如王国维所指出的:"境界有大小,不以是而分优劣。'细雨鱼儿出,微风燕子斜'何遽不若'落日照大旗,马鸣风萧萧','宝帘闲挂小银钩'何遽不若'雾失楼台,月迷津渡'也。"(《人间词话》)具体到纳兰的边塞词,唐圭璋先生就这样说:"《花间》有句云'红纱一点灯',此言'夜深千帐灯',境界一大一小,然各极奇妙。"(《纳兰容若评传》)结合前文合评中的情况看,纳兰词能"极"其"奇妙"的关键因素之一,在于使矛盾性的情、景在同一首作品中取得了较为和谐的统一,也即在同一首词中将大、小两种境界平衡、和合。于是,我们分明能够从纳兰的这些词作中,多少领略到怨而不怒、哀而不伤的中和之美。

浣溪沙

已惯天涯莫浪愁①。寒云衰草渐成秋。漫因睡起又登楼。伴我萧萧惟代马②,笑人寂寂有牵牛。劳人③只合一生休。

[注释]

①浪愁:徒然发愁。韩元吉《鹧鸪天》:"年年九日常拚醉,处处登高莫浪愁。"②代马:代,代郡,今山西北部。代马泛指北方之马。《韩诗外传》:"诗云'代马依北风,飞鸟栖故巢',皆不忘本之谓也。"曹植《朔风诗》:"仰彼朔风,用怀魏都。愿骋代马,倏忽北徂。"《文选》刘良注:"代马,胡

马也。"③劳人：忧伤之人，劳苦之人。《诗·小雅·巷伯》："骄人好好，劳人草草。"马瑞辰《通释》："高诱《淮南子》注：'劳，忧也。''劳人'即忧人也。"梅尧臣《依韵和唐彦猷华亭十咏·秦始皇驰道》："秦帝观沧海，劳人何得修。"

[评析]

纳兰既然是"已惯天涯"，对奔走天涯的生活早就已经习以为常，为什么还会在云寒草衰之际，"漫因睡起又登楼"，登高望远，将离人心上"渐成"之秋合成一缕哀愁，并说出"劳人只合一生休"这样的牢骚话呢？这首《浣溪沙》的下片第二句"笑人寂寂有牵牛"值得着重提出来讨论。

此前，李商隐在《马嵬》其二中就写过"七夕笑牵牛"："海外徒闻更九州，他生未卜此生休。空闻虎旅传宵柝，无复鸡人报晓筹。此日六军同驻马，当时七夕笑牵牛。如何四纪为天子，不及卢家有莫愁。"纳兰词中"笑人"句反其诗意而用之，自嘲时届七夕，天上牛女尚能团圆，"我"却行役在外，有家难归，有妻难伴，有情难诉，寂寂孤苦，不免为牵牛所笑。同时，也是对过片"伴我"句的照应，自然而然地既引出，又在很大程度上冲淡了结句的怨气。（可以附带提出的是，"一生休"云云未必不是也受到了李商隐"他生未卜此生休"句的影响。）虽然就全篇而言，纳兰词远不及李诗那样具有"婉而讽"的精警深意和思想内涵，但如果撇开诗、词之别来看，在词的创作传统中，基于特定的题材和内容指向，纳兰着意求变的努力和成效，还是值得肯定的。从这个意义上讲，纳兰的这首词是不是他司"牧政"（姜宸英《纳腊君墓表》）期间所作，也就变得不是那么特别重要了。

采桑子　居庸关

犝周①声里严关峙，匹马登登。乱踏黄尘。听报邮签②第几程。　　行人莫话前朝事，风雨诸陵。寂寞鱼灯③。天寿山头冷月横。

[注释]

①嶲（guī）周：杜鹃。洪兴祖《楚辞补注》："《禽经》云：嶲周，子规也。"②邮签：驿馆夜间报时器具，代指行程。杜甫《宿青草湖》："宿桨依农事，邮签报水程。"仇注："漏筹谓之邮签。"③鱼灯：帝王陵寝之灯。《史记·秦始皇本纪》："葬始皇骊山，以人鱼膏为烛，度不灭者久之。"曹邺《始皇陵下作》："千金买鱼灯，泉下照狐兔。"

[评析]

这首《采桑子》，最让我们感兴趣的，不是上片紧扣词题所描绘的"严关"险峻与"匹马""黄尘"的仆仆风尘之景，而是下片对"前朝事"仿佛突如其来的感慨与幽怀，以及由此而带来的对纳兰其人其词的诸多疑惑与猜度。

一般认为，纳兰的词儿女情多，风云气少。作为易代之际的胜利者，纳兰约略含蕴"风云气"的一些作品，本应存在很大的可能性不沿着以往家国之思的路子向前走。不过，传统的时序之感、身世之悲和家国之事，还是一定会在作品中有所体现，反映出纳兰对相关的一些问题的思考。比如这首词的下片，以"风雨诸陵"、"寂寞鱼灯"、"山头冷月"等意象，构成一幅清冷荒寂的景致，人在景外，情在景中。这份情中包含有对历史的沉思，对兴亡盛衰的感慨，而笼罩其上的是纳兰一贯的哀凄之调。纳兰类似的作品虽然只是其无往而不在的哀感在一定题材中的泛常表达，但却确实具有特定的深度，耐人寻味。当然，如果一定要探究所谓"孤臣孽子"心绪，纳兰另外的一首《菩萨蛮》恐怕更为可疑：

晓寒瘦著西南月。丁丁漏箭余香咽。春已十分宜。东风无是非。　　蜀魂羞顾影。玉照斜红冷。谁唱后庭花。新年忆旧家。

《饮水词笺校》甚至认为:"置于明遗老集中,恐不能辨识。"一种"莫话"之话,想必也是其"惴惴有临履之忧"(严绳孙《成容若遗稿序》)的缘由与构成部分之一。

清平乐　发汉儿村①题壁

参横②月落。客绪从谁托。望里家山云漠漠③。似有红楼一角。　　不如意事年年。消磨绝塞风烟。输与五陵公子④,此时梦绕花前。

[注释]

①汉儿村:又称汉儿庄、汉儿城,在永平府迁安县境,今属河北迁西县。一说在今辽宁朝阳县境。②参(shēn)横:参星已落,天将晓。曹植《善哉行》:"月没参横,北斗阑干。"秦观《和黄法曹忆建溪梅花》:"月没参横画角哀,暗香销尽令人老。"③"望里"句:刘肃《大唐新语》卷六:"(狄)仁杰赴任,于并州登太行,南望白云孤飞,谓左右曰:'吾亲所居,近此云下。'悲泣伫立久之,候云移乃行。"④五陵公子:京中富豪子弟。五陵,帝王陵寝,汉、唐所指不一,贵戚尝聚居于附近。《汉书·游侠传·原涉》:"郡国诸豪及长安五陵诸为气节者,皆归慕之。"杜甫《秋兴八首》其三:"同学少年多不贱,五陵衣马自轻肥。"

[评析]

纳兰曾经在汉儿村写过两首词,一是这首《清平乐》,另一首是《百字令·宿汉儿村》:

无情野火,趁西风烧遍、天涯芳草。榆塞重来冰雪里,冷入鬓丝吹老。牧马长嘶，征笳乱动，并入愁怀抱。定知今夕，庾郎瘦损多少。　　便是脑满肠肥，尚难消受此，荒烟落照。何况文园憔悴后，非复酒垆风调。回乐峰寒，受降城远，梦向家山绕。茫茫百感，凭高惟有清啸。

两首词在表达离愁哀怨这一点上可以对读，只是，《百字令》要明显清越疏朗一些。纳兰还有一首《清平乐》：

角声哀咽。襆被驮残月。过去华年如电掣。禁得番番离别。　　一鞭冲破黄埃。乱山影里徘徊。蓦忆去年今日，十三陵下归来。

与这首《清平乐》情绪未必如一，但确可相通。至于能否依据朱彝尊悼纳兰诗中"绝域受降时"等句为以上诸篇准确系年，则另当别论。

　　文学作品能够进行对读，基本前提是题材类型相同，或者创作背景相似。从理论上讲，能够对照、比较起来阅读的对象范围，可以相当广泛，或者是作者自己的作品，又或者是在其前后的作家的相关作品。对读所追求的主要文学目的，不是在参读文本上，而是为了进一步细致理解，乃至从某些平常容易忽视的角度辨析原文本。概括地说，即需要着力追寻的点，是两种文本的异中之同，或者同中之异，并且二者不必一定要区分主次。纳兰的这首《清平乐》，好在虚实结合，尤其是上片"望里"二句的想象之语，点明主旨，也逗出全篇结末"输与"二句所含怨情之所自来；而结末二句，虽也为虚写，但满含非常直露的感喟，其实也表露出了作者内心难于驱遣的某种愿望。

　　题词于壁，接近于广而告之，勇于也善于表情的纳兰，古风流溢,如在目前。与之对读的《百字令》,有一点是需要提出来的,即纳兰临风长啸背后所隐含的"万斛愁"(庾信《愁赋》),与"庾郎"的国恨家愁还是应该有所区别。这说明,纳兰在借古典以抒今情的过程中,对环绕原典的义涵可能已经有所选择和规避,以求充分表达自己的"一寸心"(《愁赋》)。

参考引用文献举要

1. 陈水云. 明清词研究史［M］. 武汉：武汉大学出版社，2006.
2. 纳兰性德. 通志堂集［M］. 影印本. 上海：上海古籍出版社，1979.
3. 纳兰性德. 饮水词笺校［M］. 赵秀亭，冯统一，笺校. 修订本. 北京：中华书局，2005.
4. 黄文吉. 词学研究书目：1912—1992［M］. 台北：文津出版社，1993.
5. 林玫仪. 词学论著总目：1901—1992［M］. 台北："中研院"中国文哲研究所筹备处，1995.
6. 纳兰性德. 饮水词笺［M］. 李勖，笺注. 南京：正中书局，1937.
7. 叶衍兰，叶恭绰. 清代学者象传［M］. 上海：上海书店，2001.
8. 柯愈春. 清人诗文集总目提要［M］. 北京：北京古籍出版社，2002.
9. 李慈铭. 越缦堂读书记［M］. 由云龙，辑. 上海：上海书店，2000.
10. 永瑢，等. 四库全书总目［M］. 影印本. 北京：中华书局，1965.
11. 张德瀛. 词徵［M］. 词话丛编本.
12. 胡可先.《浮玉词初集》与清初东南词坛［J］. 安徽大学学报，2011（1）.
13. 陈铭. 清词的中兴与衰微［J］. 浙江学刊，1992（2）.
14. 李惠霞. 纳兰容若及其词研究［M］. 台北："中国文化大学"出版部，1982.
15. 徐照华. 纳兰性德与其词作及文学理论之研究［M］. 台中：大同资讯图书出版社，1988.
16. 卓清芬. 纳兰性德文学研究［M］. 台北："国立编译馆"，1999.

17. 甘翘宁. 纳兰性德及其饮水词研究[M]. 香港：新亚研究所，2002.

18. 纳兰性德. 纳兰词笺注[M]. 张草纫，笺注. 上海：上海古籍出版社，1995.

19. 纳兰性德. 纳兰词笺注[M]. 张秉戌，笺注. 北京：北京出版社，1996.

20. 谢永芳. 专集登录与乾隆词学的再检讨——以《四库全书》收宋后词别集三种为中心[M]//人文论丛. 北京：中国社会科学出版社，2011.

21. 张之洞. 书目答问补正[M]. 范希曾，补正. 上海：上海古籍出版社，2001.

22. 吴熊和，严迪昌，林玫仪. 清词别集知见目录汇编[G]. 台北："中研院中国文哲研究所"筹备处，1997.

23. 夏志颖. 乾嘉词坛专题研究[D]. 南京：南京大学，2010.

24. 蒋寅. 进入"过程"的文学史研究[J]. 山西大学师范学院学报，2001（1）.

25. 曹寅. 楝亭集[M]. 影印本. 上海：上海古籍出版社，1978.

26. 缪钺. 诗词散论[M]. 上海：开明书店，1948.

27. 张宏生. 创作的厚度与时代的选择——王沂孙词的后世接受与评价思路[M]//词学：第23辑. 上海：华东师范大学出版社，2010.

28. 张宏生. 清词探微[M]. 上海：上海古籍出版社，2008.

29. 葛恒刚. 从曹贞吉怀古词的主题取向看四库馆臣的选词标准[J]. 古典文学知识，2010（2）.

30. 顾贞观. 弹指词笺注[M]. 张秉戌，笺注. 北京：北京出版社，2000.

31. 唐圭璋. 词学论丛[M]. 上海：上海古籍出版社，1986.

32. 谢桃坊. 词学辨[M]. 上海：上海古籍出版社，2007.

33. 孟森. 丁香花[M]. 上海：大东书局，1936.

34. 程千帆，莫砺锋，张宏生. 被开拓的诗世界[M]. 上海：上海古籍出版社，1990.

35. 张宏生. 经典确立与创作建构——明清女词人与李清照[J]. 中华文

史论丛，2007（4）.

36. 陈刚. 论宋代的"禁体物语"诗［M］//中国诗学：第15辑. 北京：人民文学出版社，2011.

37. 启功. 启功丛稿［M］. 北京：中华书局，1999.

38. 张任政. 纳兰性德年谱［J］. 国立北京大学国学季刊，1930，2（4）.

39. 张伯伟. 论唐代的规范诗学［J］. 中国社会科学，2006（4）.

40. 耿传友. 一个被文学史遗忘的重要作家——王次回及其诗歌研究［D］. 上海：复旦大学，2005.

41. 邱江宁. 明清江南消费文化与文体演变研究［M］. 上海：三联书店，2009.

42. 张宏生. 清代词学的建构［M］. 南京：江苏古籍出版社，1999.

43. 张宏生. 论清初边塞词［M］//清代文学研究集刊：第2辑. 北京：人民文学出版社，2009.

44. 闵丰. 清初清词选本考论［M］. 上海：上海古籍出版社，2008.

45. 沙先一. 清代吴中词派研究［M］. 北京：人民文学出版社，2004.

46. 周振甫. 诗词例话［M］. 南京：江苏教育出版社，2006.

47. 余才林. 唐诗本事研究［M］. 上海：上海古籍出版社，2010.

48. 李剑亮. 宋词诠释学论稿［M］. 北京：人民文学出版社，2006.

49. 俞陛云. 诗境浅说［M］. 上海：上海书店，1984.

50. 龙榆生. 近三百年名家词选［M］. 上海：上海古籍出版社，1979.

51. 张弘. 传世纳兰性德致严绳孙手简的年份及有关问题［J］. 甘肃社会科学，1991（3）.

52. 叶昌炽，等. 藏书纪事诗：附补正；辛亥以来藏书纪事诗：附校补［M］. 上海：上海古籍出版社，1999.

53. ［法］程抱一. 中国诗画语言研究［M］. 涂卫群，译. 南京：江苏人民出版社，2006.

54. 苏雪林. 清代男女两大词人恋史的研究［J］. 国立武汉大学文哲季刊，1930，1（3）.

55. 张伯伟. 清代诗话东传略论稿［M］. 北京：中华书局，2007.

[56] 朱庸斋. 分春馆词话 [M]. 广州：广东人民出版社, 1989.

[57] 钱钟书. 管锥编 [M]. 北京：生活·读书·新知三联书店, 2007.

[58] 盛冬铃. 纳兰性德词选 [M]. 台北：远流出版事业股份有限公司, 1988.

[59] 于安澜. 画史丛书 [M]. 台北：文史哲出版社, 1994.

[60] 吴梅. 词学通论 [M]. 上海：商务印书馆, 1933.

[61] 施晔. 中国古代文学中的同性恋书写研究 [M]. 上海：上海人民出版社, 2008.

[62] 傅庚生. 中国文学欣赏举隅 [M]. 西安：陕西人民出版社, 1983.

[63] 刘永济. 唐五代两宋词简析 [M]. 上海：上海古籍出版社, 1981.

[64] 张宏生. 全清词·顺康卷补编 [M]. 南京：南京大学出版社, 2008.

[65] 张宏生. 全清词·雍乾卷 [M]. 南京：南京大学出版社, 2012.

[66] [美] 林顺夫. 中国抒情传统的转变——姜夔与南宋词 [M]. 张宏生, 译. 上海：上海古籍出版社, 2005.

[67] 张宏生. 浙西别调与白石新声 [M] // 人文中国学报：第10期. 上海：上海古籍出版社, 2004.

[68] 张寅彭. 民国诗话丛编 [M]. 上海：上海书店, 2002.

[69] 林志雄. 纳兰性德《上元月蚀》之考辨及其它 [J]. 南京广播电视大学学报, 2000 (2).

[70] 施议对. 胡适词点评 [M]. 增订本. 北京：中华书局, 2006.

[71] 黄天骥. 纳兰性德和他的词 [M]. 广州：广东人民出版社, 1982.

[72] 夏承焘. 夏承焘集 [M]. 杭州：浙江古籍出版社, 杭州：浙江教育出版社, 1997.

[73] 严迪昌. 清词史 [M]. 南京：江苏古籍出版社, 1999.

[74] 俞平伯. 读词偶得 [M]. 上海：上海书店, 1984.

[75] 钱仲联. 清词三百首 [M]. 长沙：岳麓书社, 1992.

[76] 张秉戌. 纳兰性德词新释辑评 [M]. 北京：中国书店, 2001.

[77] 吴承学. 中国古代文体形态研究 [M]. 增订本. 广州：中山大学出版社, 2002.

78. 钱锡生. 唐宋词传播方式研究 [M]. 上海：复旦大学出版社，2009.

79. 王兆鹏. 宋代的"互联网"——从题壁诗词看宋代题壁传播的特点 [J]. 文学遗产，2010 (1).

80. 谭新红. 宋词传播方式研究 [M]. 武汉：武汉大学出版社，2010.

81. 梁乙真. 清代妇女文学史 [M]. 上海：中华书局，1927.

82. [日] 合山究. 明清女子题壁诗考 [M]. 李寅生，译. 河池师专学报，2004 (1).

83. 吴世昌. 论词的章法 [J]. 中央日报：文史周刊，1946 (33).

84. 王云五. 续修四库全书提要：纳兰词提要 [M]. 台湾：商务印书馆，1972.

85. 邱世友. 词论史论稿 [M]. 北京：人民文学出版社，2002.

86. 葛恒刚. 纳兰词论与清初词坛 [J]. 南京师范大学学报，2010 (5).

87. 孟晖. 莲花香印的足迹 [J]. 青年文学，2006 (9).

88. 彭元瑞，等. 知圣道斋读书跋；东湖丛记 [M]. 沈阳：辽宁教育出版社，2001.

89. 马大勇. 纳兰性德 [M]. 北京：中华书局，2010.

90. 闵丰. 诗学模范与词格重建——清初当代词选中的辨体与尊体 [J]. 南京大学学报，2008 (1).

91. 陈寅恪. 柳如是别传 [M]. 上海：上海古籍出版社，1980.

92. 谢国桢. 江浙访书记 [M]. 上海：上海书店，2004.

93. 陈乃乾. 清名家词 [M]. 上海：上海书店，1982.

94. 郑骞. 成府谈词 [M] //词学：第10辑. 上海：华东师范大学出版社，1992.

95. 朱崇才. 词话丛编续编 [M]. 北京：人民文学出版社，2010.

96. 唐圭璋. 唐宋词简释 [M]. 上海：上海古籍出版社，1981.

97. 刘尊明. 论唐宋词中的"闲情" [J]. 文学评论，2007 (4).

98. 程千帆. 论唐人边塞诗中地名的方位、距离及其类似问题 [J]. 南京大学学报，1979 (3).

99. 蒋寅. 中国古代文体互参中"以高行卑"的体位定势 [J]. 中国社会

科学,2008(5).

100. 陈军. 文类等级构成的中西比较研究[J]. 文学评论,2010(3).

101. 叶晔. 清代词选集中的擅改原作现象——以《明词综》为中心的考察[J]. 中国文化研究,2006(春之卷).

102. 罗钢. 一个词的战争——重读王国维诗学中的"自然"[J]. 北京师范大学学报,2007(1).

103. 张舜徽. 清人文集别录[M]. 北京:中华书局,1963.

104. 黄宾虹,邓实. 中华美术丛书[M]. 北京:北京古籍出版社,1998.

105. 张宏生. 吴藻《乔影》及其创作的内外成因[J]. 南京大学学报,2000(4).

106. 包兆会. "图文"体中图像的叙述与功用——以古典文学和摄影文学中的图像为例[M]//张宏生,钱南秀. 中国文学:传统与现代的对话. 上海:上海古籍出版社,2007.

107. 叶嘉莹. 清词丛论[M]. 石家庄:河北教育出版社,2001.

108. 杨廷福,杨同甫. 清人室名别称字号索引[M]. 修订版. 上海:上海古籍出版社,2001.

109. 江庆柏. 清代人物生卒年表[M]. 北京:人民文学出版社,2005.

110. 俞平伯. 唐宋词选释[M]. 北京:人民文学出版社,1979.

111. 傅梦秋. 词调辑遗[M]. 贵阳:贵州人民出版社,1988.

112. 钱钟书. 谈艺录[M]. 北京:生活·读书·新知三联书店,2007.

113. 李商隐. 李商隐诗歌集解[M]. 增订重排本. 刘学锴,余恕诚,编著. 北京:中华书局,2004.

114. 周汝昌. 红楼梦新证[M]. 北京:人民文学出版社,1976.

115. 张宏生,冯乾. 白门柳:龚顾情缘与明清之际的词风演进[J]. 中国社会科学,2001(3).

116. 顾春,奕绘. 顾太清奕绘诗词合集[M]. 张璋,编校. 上海:上海古籍出版社,1998.

117. 沈祖棻. 宋词赏析[M]. 上海:上海古籍出版社,1980.

118. 王钟翰. 清史余考[M]. 沈阳:辽宁大学出版社,2001.

图书在版编目(CIP)数据

纳兰性德词／(清)纳兰性德著；谢永芳注评. —郑州：中州古籍出版社，2012.5(2013.7 重印)
(国学经典)
ISBN 978 - 7 - 5348 - 3832 - 3

Ⅰ.①纳… Ⅱ.①纳… ②谢… Ⅲ.①词(文学) - 作品集 - 中国 - 清前期 Ⅳ.①I222.849

中国版本图书馆 CIP 数据核字(2012)第 085542 号

书名：纳兰性德词
　　　　NALAN XINGDE CI
著者：(清)纳兰性德
注评者：谢永芳
出版发行：中州古籍出版社
　　　　(地址：郑州市经五路66号　邮政编码：450002　电话：0371 - 65723280)
承印单位：河南大美印刷有限公司
开本：640mm×960mm　1/16　　**印张**：20
字数：220 千字　　　　　　　　**印数**：5 001 - 10 000 册
版次：2012 年 5 月第 1 版　　　**印次**：2013 年 7 月第 2 次印刷

定价：26.00 元